MATHÉMATIQUES D'HIER ET D'AUJOURD'HUI

Collection en didactique des mathématiques
dirigée par Richard Pallascio

MODULO

COLLECTION
ASTROÏDE

MATHÉMATIQUES D'HIER ET D'AUJOURD'HUI

Sous la direction de
Richard PALLASCIO, CIRADE et dép. de mathématiques, UQÀM
et de Gilbert LABELLE, LACIM et dép. de mathématiques, UQÀM

MODULO

Nous reconnaissons l'aide financière du gouvernement du Canada par l'entremise du Programme d'Aide au Développement de l'Industrie de l'Édition (PADIÉ) pour nos activités d'édition.

RÉVISION : Serge Paquin et Corinne Kraschewski
CORRECTION D'ÉPREUVES : Corinne Kraschewski et Marie Théorêt
CONCEPTION GRAPHIQUE : Olena Lytvyn
MONTAGE ET TYPOGRAPHIE : Dominique Chabot et Carole Deslandes
ILLUSTRATIONS : Bertrand Lachance et Diane Mongeau
SURFACES EN 3D DE LA COUVERTURE : Gilbert Labelle

L'astroïde est une courbe mathématique plane ayant la forme d'une étoile à quatre pointes. C'est une hypocycloïde tracée par un point sur la circonférence d'un petit cercle tournant sans glisser à l'intérieur d'un grand cercle (le rayon du grand cercle étant 4 fois plus grand que celui du petit cercle). L'équation de l'astroïde rappelle celle du cercle et celle du théorème de Fermat puisque son équation cartésienne est $x^{2/3} + y^{2/3} = r^{2/3}$ où r est le rayon du grand cercle.

Mathématiques d'hier et d'aujourd'hui
© Modulo Éditeur, 2000
233, av. Dunbar, bureau 300
Mont-Royal (Québec)
Canada   H3P 2H4
Téléphone : (514) 738-9818 ou sans frais (888) 738-9818
Télécopieur : (514) 738-5838 ou sans frais (888) 273-5247
Site Internet : http://www.modulo.ca

Dépôt légal — Bibliothèque nationale du Québec, 2000
Bibliothèque nationale du Canada, 2000
ISBN 2-89113-**825**-2

Imprimé au Canada
1 2 3 4 5   04 03 02 01 00

La collection *Astroïde*

Consacrée à la didactique des mathématiques, la collection Astroïde s'adresse aux maîtres, en exercice ou en formation, de l'école maternelle à l'université, et, plus généralement selon les ouvrages, aux gens intéressés par les mathématiques et leur apprentissage.

Ses responsables se proposent de faire paraître monographies, manuels d'études, comptes rendus de colloques pédagogiques ou scientifiques et ouvrages de vulgarisation mathématique pour ainsi donner une voix aux enseignants des mathématiques, aux mathématiciens et aux chercheurs en didactique des mathématiques.

La collection Astroïde, qui veut créer un espace privilégié pour susciter débats, questionnements et réflexions autour de la didactique des mathématiques, est dirigée par Richard Pallascio, Ph.D.

Comité de lecture

Le comité de lecture de la Collection est composé de :

Annie Bessot, Laboratoire Leibniz, Université Joseph Fourier, Grenoble
Jean J. Dionne, Département de didactique, Université Laval, Québec
Philippe Jonnaert, Faculté d'éducation, Université de Sherbrooke, Sherbrooke
Gilbert Labelle, LACIM et département de mathématiques, UQÀM, Montréal
Mustapha Ourahay, GREDIM, École normale supérieure, Marrakech
Richard Pallascio, CIRADE et département de mathématiques, UQÀM, Montréal
Anna Sierpinska, Département de mathématiques, Université Concordia, Montréal

Aussi dans la collection Astroïde

Le sens des mathématiques au primaire – L'ordinateur et la gestion mentale pour penser les opérations de Alain Taurisson

Didactique des mathématiques et formation des enseignants, Actes de colloque du 65ᵉ congrès de l'ACFAS, UQTR, Trois-Rivières, 1997

Table des matières

Remerciements

Merci à tous les mathématiciens et mathématiciennes, didacticiennes et didacticiens des mathématiques, qui ont bien voulu prendre la plume, ou se mettre à l'ordinateur, pour mieux faire connaître les mathématiques à un plus vaste public. Nous tenons à souligner que toutes et tous ont renoncé à leurs droits d'auteurs au profit du Fonds Maurice L'Abbé, lequel finance un camp mathématique annuel à l'intention de jeunes collégiennes et collégiens méritants.

Nous voulons également remercier le comité des publications de l'UQÀM de l'aide financière qu'il a apportée à la finalisation de *Mathématiques d'hier et d'aujourd'hui*.

Richard Pallascio et Gilbert Labelle

Une année mathématique mondiale

L'an 2000 a été déclaré année mathématique mondiale par l'Union internationale des mathématiciens (IMU), ce que sanctionnait une résolution de la conférence générale de l'UNESCO le 11 novembre 1997.

Depuis, dans le monde entier, des comités s'affairent à préparer cette année de promotion des mathématiques. Au Québec et au Canada, les revues scientifiques regorgent d'articles proposant au grand public des activités mathématiques, des mathématiciens et des mathématiciennes sont invités à des émissions radiophoniques et télévisuelles, et les expositions mathématiques se multiplient.

Voilà, avouons-le, qui sort de l'ordinaire, car les mathématiques se tiennent généralement loin des feux de la rampe. Les gens ignorent souvent à quoi elles servent véritablement, leurs aspects enthousiasmants sont méconnus, et les jeunes sont encore peu nombreux à se passionner pour elles.

Peut-on espérer que l'année des mathématiques changera cet état de fait ? Réussira-t-on à faire comprendre combien les mathématiques sont à la fois passionnantes et indispensables à la société ? C'est à cette tâche que les auteurs de l'ouvrage collectif *Mathématiques d'hier et d'aujourd'hui* ont décidé de s'employer cette année. S'étant donné pour but de faire découvrir la richesse des mathématiques en montrant le rôle qu'elles ont dans des secteurs d'activités souvent inattendus, ils vont tenter de prouver qu'elles ne se résument pas à de savantes manipulations chiffrées, mais qu'elles sont vivantes et se développent en symbiose avec les autres sciences et le progrès technologique.

Les textes de l'ouvrage traitent de notions mathématiques qui sont déjà au programme du début du secondaire et d'autres qui sont plutôt présentées à la fin d'un collégial scientifique. Ce sont des textes de difficultés variées sur des thèmes qui le sont aussi, comme cela est courant quand des auteurs de milieux et d'ordres d'enseignement différents présentent leurs travaux de recherche. Et lorsque certains concepts plus avancés sont évoqués, ils ne nuisent pas à la compréhension globale. Il en est de même des textes des didacticiennes et didacticiens des mathématiques qui traitent de l'enseignement de notions mathématiques et de leur utilisation dans la vie courante.

Alors que la plupart des théories scientifiques de l'Antiquité sont depuis longtemps reléguées aux oubliettes, les théories mathématiques établies à la même époque voguent toujours allègrement. Plus vivantes que jamais, elles continuent d'être enseignées dans le monde entier. Et pourquoi pas, puisque sur le globe, où coexistent plus de 2000 langues et dialectes, tout le monde compte ! Oui, le langage mathématique est vraiment un langage universel, et en cela les mathématiques possèdent un caractère fondamentalement humain !

Richard Pallascio et Gilbert Labelle
Professeurs, département de mathématiques
Université du Québec à Montréal

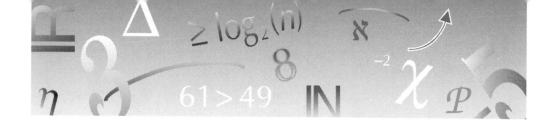

L'algèbre et... les Égyptiens de l'Antiquité

Renée CARON
Retraitée de la commission
scolaire Marie-Victorin

Qui peut dire où et quand a commencé l'algèbre ? Si l'on en croit l'étymologie, le mot vient de l'arabe « al-jabr », qui signifie « contrainte, réduction[1] », et remonterait au IXe siècle de notre ère. Il faisait en effet partie du titre d'un ouvrage de Al-Khawarizmi : *Hisâb **al-jabr** wa'l muqqâbala*, qui présentait les types d'équation suivantes ainsi que leurs solutions : $ax^2 = bx$, $ax^2 = c$, $bx = c$, $ax^2 + bx = c$, $ax^2 + c = bx$ et $ax^2 = bx + c$. Cependant, l'œuvre de Al-Khawarizmi s'inspire fortement de celle du mathématicien indien Brahmagupta (VIIe siècle) et rappelle les techniques de Diophante et les mathématiques babyloniennes. Par ailleurs, on sait aussi qu'au Ier siècle, le mathématicien Chang Tsang avait colligé une grande partie du savoir mathématique chinois dans les *Neuf chapitres sur l'art du calcul* présentant, entre autres, des techniques de solution d'équations sur l'échiquier ainsi que les techniques de fausse position et de double fausse position, fréquentes chez les auteurs arabes. À ce jour, on ignore comment ces connaissances sont passées de la Chine aux pays arabes, mais on est bien forcé d'y croire quand on sait que la technique de fausse position s'appelle chez les Arabes « al-Khatayn », c'est-à-dire « la chinoise ».

Bien qu'il ne s'agisse pas ici d'établir la paternité, ou la maternité, de l'algèbre, (la chose est difficile, voire impossible, le savoir, algébrique ou autre, étant, comme le disait Dieudonné[2] de la notion de groupe, généralement mis en opération de façon intuitive avant de se révéler de façon explicite), pourquoi ne pas explorer la filière égyptienne ? Je vous propose donc certaines observations que j'ai faites en parcourant le *Papyrus de Rhind*[3]. Elles

---

1. Selon Guedj, « al-jabr » signifierait plutôt « raboutage ». *Voir Le Théorème du perroquet*, p. 228.
2. Dieudonné disait de cette notion qu'elle s'était « introduite d'elle-même, au cours d'études de problèmes d'origines très diverses, où elle se révélait sous-jacente de façon naturelle ».
3. Ce document a été retrouvé à Thèbes et acheté en 1858 par A. Henry Rhind, d'où son nom. Après la mort de ce dernier, le *Papyrus* est passé au British Museum.

montrent qu'il y avait déjà de l'algèbre dans les mathématiques que le scribe Ahmes colligeait au xvie siècle !

L'inconnue et le traitement de l'inconnue

Une des premières traces de cette présence se trouve dans l'idée d'inconnue, qu'on aura peu de mal à reconnaître dans les problèmes du *Papyrus*. Prenons par exemple les problèmes 24 et 35.

Problème 24

Une quantité et son 1/7 additionnés ensemble donnent 19. Quelle est cette quantité ?

Problème 35

J'entre trois fois dans une mesure. On ajoute ensuite mon 1/3 pour compléter la mesure. Qui a dit cela[4] ?

Non seulement l'idée d'inconnue est présente dans les problèmes du *Papyrus*, mais elle s'exprime par des formulations qu'on utilise encore aujourd'hui. En effet, les formulations des problèmes du Papyrus ressemblent beaucoup à celles de problèmes que nous avons toutes et tous eu à résoudre pendant les cours d'algèbre au secondaire. En fait, on pourrait encore retrouver des problèmes très semblables dans les livres de mathématiques des élèves d'aujourd'hui.

Dans la solution du problème 24 présentée plus bas, on verra que l'inconnue est présente, même si on n'utilise ni lettre ni symbole pour la représenter. C'est bien là la force de l'abstraction. Ce qu'on n'a pas représenté par quelque symbole ou signe que ce soit est là dans le problème et dans sa solution. On établit des liens entre les données du problème et cette inconnue, puis on tire d'autres informations de celles qu'on a déjà. On fait des calculs autour de cette inconnue pour arriver à l'identifier. L'inconnue en algèbre est bien plus qu'un symbole, c'est le support abstrait sur lequel on s'appuie pour résoudre le problème. Dans le *Papyrus de Rhind*, on sent, dans la solution de tous les problèmes et parfois même dans la justification des résultats des tables, ce support abstrait, cette abstraction dont parle Glaymann, lorsqu'il définit l'algèbre :

> Un premier pas vers l'abstraction et, ce faisant, un progrès considérable ont été accomplis lorsque les mathématiciens ont pris la liberté de remplacer des nombres par des lettres ou des symboles et qu'ils ont appris à calculer sur ces objets : l'algèbre venait de naître [...][5].

En fait, l'inconnue, avant de devenir cette abstraction qu'on a représentée par différents supports pour la rendre plus facile à manipuler, devait exister et laisser des traces dans la formulation et la solution des problèmes pour qu'un jour on prenne conscience de son existence et qu'on décide de la représenter. La formulation des problèmes et des solutions du *Papyrus* ne laisse pas de doute sur la réalité de son existence dans l'esprit des mathématiciens de l'Égypte antique.

---

4. CHACE, A. B. *The Rhind Mathematical Papyrus*, pages 36 et 41.
5. « L'algèbre », dans *Les Mathématiques*, p. 16.

Voici donc cette solution rendue compréhensible par une traduction et une transformation à partir des hiéroglyphes. La solution a été séparée ici en parties distinctes pour qu'on puisse mieux s'y retrouver. Des commentaires ou des compléments d'information ont été ajoutés en italique et, pour éviter toute confusion avec le trait de fraction, nous avons remplacé par un astérisque le trait oblique qui marquait dans les opération égyptiennes les lignes dont les données contribuaient au résultat cherché.

1re partie   Considérons 7.

*	1	7
*	1/7	1
	Total	8

On voit que cette représentation est équivalente à x + (1/7)x = (8/7)x.

2e partie   Pour obtenir le nombre cherché, 7 doit être multiplié autant de fois que 8 doit être multiplié pour obtenir 19.

	1	8
*	2	16
	1/2	4
*	1/4	2
*	1/8	1
Total	2 1/4 1/8	

Ici, conformément à la technique de division égyptienne, on multiplie 8 par des puissances positives et négatives de 2 et on sélectionne les valeurs obtenues dont le total égale 19 pour obtenir la valeur par laquelle on doit multiplier 7, soit 2 1/4 1/8 qui pourrait s'écrire 2 + 1/4 + 1/8, ou 2 3/8.

3e partie

*	1	2 1/4 1/8
*	2	4 1/2 1/4
*	4	9 1/2

Comme cette valeur représente 1/7 de la quantité cherchée, on la multiplie par 7 en la multipliant par les puissances de 2 dont le total est 7, soient 1, 2 et 4 et en additionnant ces résultats.

4e partie   Faisons alors :

	la quantité est	16 1/2 1/8,
	1/7	2 1/4 1/8,
	Total	19

On démontre enfin que la quantité recherchée à laquelle on a ajouté 1/7 est bien 19.

Si on examine les calculs de la 1re partie, on observe qu'on a attribué la valeur 1 à l'inconnue. Comme les problèmes présentés dans le *Papyrus* sont presque tous des problèmes renvoyant à des partages ou dont la solution fait appel aux fractions, on trouvera normal qu'on lui ait, comme nous, attribué cette valeur. Toutefois, il aurait pu en être autrement. La valeur de l'inconnue aurait pu être supposée et les mathématiciens de l'Antiquité auraient pu tenter de s'en approcher progressivement par des techniques itératives, mais l'utilisation des fractions et la référence à 1 dans les techniques de multiplication et de division leur avaient vraisemblablement apporté une connaissance de l'unité qui leur permettait d'établir ce genre de prémisse.

Les rapports, les proportions et leur utilisation

Dans la deuxième partie de la solution, on voit apparaître l'idée de rapport et de proportion. Pour obtenir le nombre recherché, on doit établir un lien entre les nombres qu'on a déjà et ce nombre. Le scribe nous fait remarquer que 7 est dans le même rapport avec l'inconnue que 8 l'est avec 19. Si nous utilisons nos représentations contemporaines, on a :

$$\frac{7}{x} = \frac{8}{19}.$$

Toutefois, une fois le rapport établi, on va plutôt appliquer une technique qui ressemble à la règle de trois en calculant combien de fois 8 est contenu dans 19 (2e partie) et en multipliant ensuite ce nombre par 7 (3e partie).

En ce qui concerne un autre aspect lié à l'idée de rapport, on notera que, dans chaque partie, les valeurs de la colonne de gauche sont toujours dans le même rapport avec leur vis-à-vis respectif de la colonne de droite. Les Égyptiens, qui avaient déjà construit des techniques de multiplication et de division très efficaces en s'appuyant sur le respect des proportions, comme on a pu le voir dans les 2e et 3e parties de la solution, se sont peut-être appuyés sur les proportions de façon intuitive à certains moments. Toutefois, dans la solution présentée ici, l'utilisation des proportions pour établir le lien entre l'entier et la fraction 1/7 dans la première et la dernière parties de la solution nous apparaît très explicite.

Sans nos techniques de transformation grâce auxquelles on peut maintenir le même rapport entre les deux membres d'une équation en les multipliant ou les divisant par le même nombre, il serait difficile d'arriver à la solution. Même si les Égyptiens n'utilisaient pas les rapports et les proportions de la même manière que nous, il reste qu'ils s'en servaient pour transformer des données et s'acheminer progressivement, et sûrement, vers la solution.

La présence d'une démarche inductive et déductive

Enfin, un des témoignages de l'activité algébrique du scribe Ahmes est sa démarche d'induction et de déduction. Considérons la solution du problème présenté plus haut. Non seulement les calculs y sont-ils présentés dans un ordre cohérent allant d'un point de départ vers un point d'arrivée, mais même les calculs à venir sont exposés selon les rapports entre les nombres dans la situation donnée. C'est de l'observation de ces rapports qu'Ahmes déduit les calculs à faire et l'ordre dans lequel il les fera pour arriver au résultat. Une fois parvenu à la solution, il présente ce qu'il appelle une preuve pour démontrer qu'il a bien résolu le problème en reprenant la valeur de l'inconnue et en l'additionnant à son septième pour obtenir le nombre 19 qu'on avait au point de départ.

On a souvent considéré le *Papyrus de Rhind* comme un recueil de tables et de techniques applicables à la résolution des problèmes de la vie courante dans l'Égypte antique. L'examen des problèmes qu'il contient suffit à convaincre que c'est là sous-estimer grandement le travail du scribe Ahmes. En effet, chaque section propose des problèmes ayant trait à une même relation mathématique : par exemple, un nombre additionné d'une fraction de lui-même à la section V du chapitre 1 ou la division par une expression fractionnaire pour la section VI du même chapitre. Dans chaque section, chaque particularité de la relation est présentée à partir d'un problème et de sa solution. Il n'y a pas de répétition dans le texte du *Papyrus* : chaque problème contribue à la réalisation de l'objectif du scribe Ahmes, lequel voulait communiquer « la connaissance de tout ce qui existe et de tous les secrets obscurs[6] ».

Quant aux tables, elles sont aussi conçues avec une connaissance des concepts qui évite les répétitions inutiles. Ainsi, la première table, celle de la division du nombre 2, ne présente pas les résultats de la division par les nombres pairs, sans doute parce qu'ils se trouvent dans les résultats des nombres impairs de 3 à 101 (le résultat de 2 divisé par 6 sera le double du résultat de 2 divisé par 3). On sait que les Égyptiens manipulaient très bien la multiplication par 2.

En fait, ce que l'on doit au scribe Ahmes, c'est un manuel de mathématiques regroupant vraisemblablement l'ensemble des connaissances mathématiques de son époque et de son milieu et dans lequel l'algèbre était présente tantôt implicitement, tantôt plus explicitement.

Bibliographie

CHACE, A. B. *The Rhind Mathematical Papyrus,* Reston, The National Council of Teachers of Mathematics, 1979, 140 p.

COLETTE, J.-P. *Histoire des mathématiques* (vol. 1), Saint-Laurent, ERPI, 1973, 228 p.

DIEUDONNÉ, J. *Pour l'honneur de l'esprit humain,* Paris, Hachette,1987, 298 p.

GLAYMANN, M. « L'algèbre » dans FÈVRE, D. et Y. PESEZ (sous la direction de), *Les Mathématiques* (p. 16-54), Paris, Les Encyclopédies du savoir moderne, 1979, 544 p.

KLINE, M. *Mathematical Thought from Ancient to Modern Times,* New York, Oxford University Press, 1990.

SMITH, D. E. *History of Mathematics,* New York, Dover, 1958.

TEMPLE, R. K. G. *The Genius of China,* New York, Simon and Schuster, 1986, 254 p.

Pour aller plus loin

GUEDJ, D. *Le Théorème du perroquet,* Paris, Seuil, 1998, 527 p. [particulièrement le chapitre 13, Bagdad pendant...]

ITARD, J. « L'algèbre », dans ITARD, J. (sous la direction de), *Histoire des mathématiques* (p. 5-22), Paris, Librairie Larousse, 1977, 256 p.

---

6. CHACE, A. B. *Ibid.,* p. 27. En anglais, « The Knowledge of All Existing Things and All Obscure Secrets ».

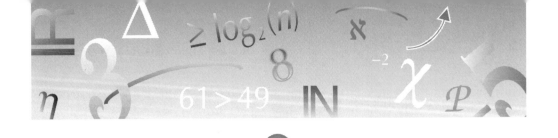

2

De Divina Proportione

Isabelle Déchène
Université McGill

De divina proportione — la proportion divine, en latin — est l'expression classique utilisée pour décrire le nombre représentant la perfection. De nos jours, on lui confère l'appellation non moins flatteuse de **nombre d'or** et on le désigne par la lettre grecque φ (phi)[1].

$$\varphi = \frac{1+\sqrt{5}}{2} \approx 1,618\ 033\ 98...$$

À première vue, concédons-le, il n'a rien de très joli... et disons qu'il nous laisse plutôt indifférents. C'est précisément pourquoi nous apprendrons à apprivoiser celui qui a meublé l'imagination de tant d'artistes, d'architectes et de scientifiques. Il est tout d'abord légitime de se demander *qui* a découvert (ou inventé[2]) la proportion divine. À cette question, nous n'avons aucune réponse... Mentionnons seulement que dame nature[3] est d'abord tombée sous son charme et qu'elle est par conséquent la toute première à l'avoir utilisée.

La proportion divine se retrouve dans maints domaines très diversifiés, à des degrés de difficulté très différents. Une brochette de quatre occurrences, pouvant être lues indépendamment les unes des autres, sauront peut-être vous la faire apprécier.

---

1 . Cette désignation fut introduite en l'honneur de Phidias, sculpteur grec du Vᵉ siècle av. J.-C., qui fit un usage intentionnel considérable du nombre d'or dans la construction du Parthénon d'Athènes.

2 . *Voir* à ce sujet l'article de Stéphane Durand intitulé « L'efficacité déraisonnable des mathématiques » dans le présent recueil.

3 . *Voir* à ce sujet l'article de Stéphanie Lanthier intitulé « Au jardin mathématique » dans le présent recueil.

Architecture : la grande pyramide d'Égypte

> *« La géométrie comporte deux trésors :*
> *l'un est le théorème de Pythagore; l'autre, la proportion divine. »*
> *Johannes KEPLER*

Du haut de la pyramide de Khéops, 4500 ans nous contemplent, dirait Napoléon s'il découvrait aujourd'hui cette construction qui ne cesse de nous émerveiller. S'enthousiasmerait-il en songeant au degré d'avancement des mathématiques ayant présidé à la conception de ce monument ? Probablement, car il est clair que les scribes égyptiens connaissaient l'approximation $\pi \approx \dfrac{4}{\sqrt{\varphi}}$!

Triangle rectangle d'or

Cherchons l'hypoténuse x d'un triangle rectangle ayant 1 et $\sqrt{x}$ comme mesure des côtés de l'angle droit. D'après le théorème de Pythagore, nous devons avoir $1^2 + \left(\sqrt{x}\right)^2 = x^2$, d'où $x^2 - x - 1 = 0$, dont la seule solution positive est $x = \varphi$. Le nombre d'or satisfait donc $\varphi^2 = \varphi + 1$, et on lui associe le triangle rectangle de côtés 1, $\sqrt{\varphi}$ et φ.

Notre gigantesque tombeau est une pyramide droite de hauteur[4] $h = 146,7$ m à base carrée de côté $c = 230,6$ m. L'apothème[5] a de la pyramide est donc

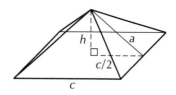

$$a = \sqrt{\left(\frac{c}{2}\right)^2 + h^2} = \sqrt{\left(\frac{230,6 \text{ m}}{2}\right)^2 + (146,7 \text{ m})^2} \approx 186,6 \text{ m.}$$

Nous avons donc le triangle rectangle

$$(c/2; h; a) \approx (115,3 \text{ m}; 146,7 \text{ m}; 186,6 \text{ m}) \approx 115,3 \text{ m} \cdot (1; \sqrt{\varphi} ; \varphi),$$

semblable[6] au triangle rectangle d'or !

Au fil des siècles, on a construit de multiples édifices qui portent le sceau de la divine proportion : le Parthénon à Athènes, l'abbaye du Mont-Saint-Michel, l'édifice des Nations Unies à New York[7] et même le Pentagone à Washington…

---

4. L'équivalent d'un immeuble de 30 étages.
5. Perpendiculaire abaissée du sommet d'une pyramide régulière sur un des côtés du polygone de base.
6. À quelques décimales près, bien sûr : on doit tenir compte de l'usure du temps et de l'imprécision des mesures.
7. Le Corbusier, à qui l'on doit cet édifice, a d'ailleurs utilisé abondamment le nombre d'or tout au long de sa carrière.

Peinture : Léonard de Vinci

L'Annonciation, la célèbre toile réalisée par de Vinci alors qu'il n'était encore qu'un apprenti, révèle déjà le talent du maître : on y retrouve des drapés et un effet tridimensionnel parfaitement réussis. Le tout en fait une œuvre remarquable à tous égards, chaque détail venant rehausser l'ensemble. Les proportions mathématiques, quoique discrètes, y jouent pourtant un rôle de premier plan.

Su concessione del Ministero per i Beni e le Attività Culturali.

Itérations du rectangle d'or

Un rectangle est dit « d'or » si le rapport de sa longueur à sa largeur égale φ. On considère qu'il a les proportions les plus harmonieuses qui soient[8]. L'intérêt de cette figure géométrique est son aspect itératif : si, au rectangle original, on retranche le carré bâti sur sa largeur, le rectangle restant sera lui aussi d'or. Le processus peut se répéter à l'infini…

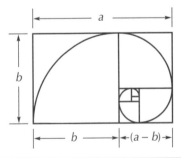

$$\varphi = \frac{a}{b} = \frac{b}{(a - b)}$$

---

8. L'exemple le plus courant est sans doute celui des cartes de crédit : elles mesurent toutes 86 mm sur 54 mm, ce qui nous donne un rapport approximatif de 1,6.

La dimension du canevas est de 98 cm sur 217 cm : cela nous donne non pas un rectangle d'or mais un rectangle[9] de proportion $(1 ; \sqrt{5})$. Retranchons sur la gauche le carré construit sur la hauteur. Partageons ensuite la partie restante en deux rectangles congrus d'une hauteur de 98 cm. Ces deux derniers sont d'or, et leur côté commun est au centre de la Vierge. L'opération symétrique sur la droite donne un résultat identique. En fait, chacun des éléments clés de cette scène est contenu dans un rectangle d'or, qu'une inspection sommaire effectuée à l'aide d'une simple règle nous fait découvrir.

D'autres artistes d'époques et de styles divers, notamment Seurat, Signac, Mondrian, sans oublier le peintre canadien Colville, ont aussi usé de la proportion divine dans le dessein d'embellir leurs créations.

Musique : les *Sonates* de Mozart

« La mathématique est la musique de l'esprit;
La musique est la mathématique de l'âme. »

ANONYME

À la manière de Fermat, Mozart ornait les marges de ses œuvres d'équations. Sur la partition originale de sa *Fantaisie et fugue en do majeur*, des calculs représentant la probabilité de gagner à une certaine loterie sont griffonnés… Il apparaît alors tout naturel de se demander si Mozart avait effectivement recours aux mathématiques pour créer sa musique.

Division harmonieuse d'un segment

Considérons un segment de longueur unitaire. Divisons-le en deux parties inégales de façon que le rapport entre la plus longue partie et la plus courte égale le rapport entre le tout et la partie la plus longue.

$$\varphi = \frac{x}{1-x} = \frac{1}{x}$$

Cette façon de diviser les segments est considérée comme la plus plaisante pour l'œil.

Nulle surprise, donc, lorsqu'un peu d'algèbre révèle que le rapport considéré n'est autre que φ !

---

9. Approximativement, il va de soi, puisque $\sqrt{5}$ (et par conséquent φ) sont des nombres *irrationnels* (c'est-à-dire qu'ils ne peuvent s'écrire sous la forme $\frac{m}{n}$, où m et n sont des entiers).

Le mouvement d'une sonate classique est divisé en deux parties : exposition et développement-réexposition. Cette dernière est généralement plus longue que l'autre, où l'on se contente de présenter le thème musical. Ainsi, le premier mouvement de la *Sonate n° 1 en do majeur* se subdivise en 38 et 62 mesures : cette fragmentation est idéale, puisque 100 mesures ne peuvent être scindées de façon plus harmonieuse[10]. La proportion divine est donc contenue de façon transparente dans cette œuvre[11].

Tout comme les luthiers Baginsky et Stradivarius l'ont fait dans la fabrication de leurs violons ou comme Bartók, Beethoven, Debussy et Satie dans leurs compositions, Mozart a su mettre la proportion divine au service de la musique.

Sciences naturelles : les circuits électriques

Considérons le circuit électrique infini de la figure 1 a), où chacune des résistances a une impédance d'un ohm. Le problème consiste à trouver la résistance totale R mesurée entre les points a et b.

Scindons d'abord le circuit en deux parties à l'aide des points a' et b' (figure b). Il est clair que l'impédance résultante R du circuit complet est la même qu'entre a' et b' (figure c).

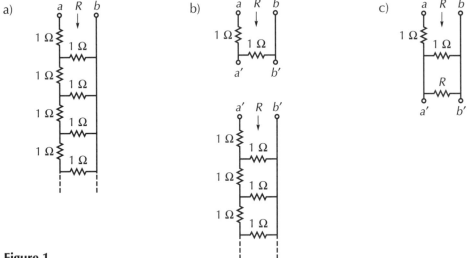

Figure 1

Combinons donc les deux résistances en parallèle :

$$\frac{1}{\frac{1}{1}+\frac{1}{R}} = \frac{1}{1+\frac{1}{R}}$$

---

10. En convenant que la césure ne peut se trouver qu'entre deux mesures.

11. La question sous-jacente du caractère délibéré ou non de cet usage demeure entière et le demeurera probablement. C'est en fait un peu comme se demander si Fermat possédait véritablement une « démonstration vraiment merveilleuse » de son fameux postulat !

puis ajoutons celle en série[12] :

$$1 + \cfrac{1}{1 + \cfrac{1}{R}}.$$

Donc,

$$R = 1 + \cfrac{1}{1 + \cfrac{1}{R}}.$$

Ainsi, tout comme nous le constatons pour φ dans l'encadré de la page suivante :

$$R = 1 + \cfrac{1}{1 + \cfrac{1}{1 + \ldots}} = \varphi.$$

D'où $R = \varphi$!

Malgré son caractère classique, la proportion divine est toujours actuelle et présente dans de nombreuses branches de la science telles que la phyllotaxie[13], la théorie de la résonance du système solaire et celle des quasicristaux.

Une fraction continue pour φ

Un peu d'arithmétique montre que $\varphi = 1 + \dfrac{1}{\varphi}$:

$$1 + \frac{1}{\varphi} = 1 + \cfrac{1}{\cfrac{1 + \sqrt{5}}{2}} = 1 + \frac{2}{1 + \sqrt{5}} = \frac{3 + \sqrt{5}}{1 + \sqrt{5}} = \frac{3 + \sqrt{5}}{1 + \sqrt{5}} \times \frac{1 - \sqrt{5}}{1 - \sqrt{5}} = \frac{-2\left(1 + \sqrt{5}\right)}{-4} = \frac{1 + \sqrt{5}}{2} = \varphi$$

D'où

$$\varphi = 1 + \frac{1}{\varphi} = 1 + \cfrac{1}{1 + \cfrac{1}{\varphi}} = 1 + \cfrac{1}{1 + \cfrac{1}{1 + \cfrac{1}{\varphi}}} = \ldots$$

Il s'ensuit que

$$\varphi = 1 + \cfrac{1}{1 + \cfrac{1}{1 + \cfrac{1}{1 + \ldots}}},$$

pour peu que l'on fasse appel à l'analyse réelle.

---

12. À partir de ce point, plusieurs avenues sont possibles, dont la simple résolution d'une quadratique sans égard au développement en fraction continue. Cette approche, quoique laborieuse, présente l'avantage d'être plus intuitive et de mieux refléter le système physique en cause.
13. *Voir* l'article de Stéphanie Lanthier déjà cité.

Ce n'étaient là que quelques œuvres dans lesquelles la fascination millénaire pour le nombre d'or est manifeste. Il en existe évidemment beaucoup d'autres qu'il peut être intéressant de découvrir. On aurait tort cependant de ne jauger les œuvres qu'à l'aune de la proportion sacrée, car après tout, la présence du nombre d'or dans une création n'est pas une garantie esthétique et comme chacun sait, l'œuvre humaine, demeure un objet mystérieusement vaste et ouvert.

Médiagraphie

Sur la pyramide de Khéops

http://galaxy.cau.edu/tsmith/Gpyr.html

Sur Léonard de Vinci

http://www.ee.surrey.ac.uk/Personal/R.Knott/Fibonacci/fibInArt.html

Sur les sonates de Mozart

PUTZ, John F. « The Golden Section and the Piano Sonatas of Mozart », *Mathematics Magazine*, vol. 68, n° 4 (octobre 1995), p. 275-282.

Sur les circuits électriques

MANUEL, George et Amalia SANTIAGO. « An Unexpected Appearance of the Golden Ratio », *The College Mathematics Journal*, vol. 19, n° 2 (mars 1988), p. 168-170.

Pour aller plus loin

COUSIN, Jean. *Le Jardin des proportions : la géométrie des tracés régulateurs d'harmonie*, Montréal, Méridien, 1995, 289 p.

Le classique des classiques. C'est d'ailleurs Pacioli qui baptisa φ « la divine proportion ». L'œuvre originale est en italien et les illustrations sont signées Léonard de Vinci, ami de l'auteur.

HUNTLEY, H. E. *The Divine Proportion : A Study in Mathematical Beauty*, New York, Dover, 1970, 186 p.

Contient une multitude d'exemples, parfois inusités où se retrouve le nombre d'or : le lecteur curieux y trouvera son compte.

PACIOLI, Luca. *Divina Proportione*, env. 1500. Traduction de G. Duchesne et M. Giraud, Paris, Librairie du Compagnonnage, 1980, 307 p.

Une des trop rares incursions sur le sujet dans la langue de Molière.

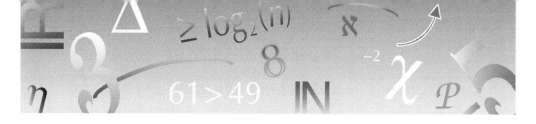

3

Curiosités concernant π

Simon PLOUFFE
UQÀM

Éric DODDRIDGE
Centre d'études collégiales en Charlevoix

De nos jours, tout le monde sait que le nombre pi vaut approximativement 3,1416, mais combien savent que la découverte de ce nombre remonte à plus de 4000 ans ?

Les Égyptiens de l'Antiquité utilisaient pi implicitement sans pour autant en connaître la vraie valeur : ils se contentaient de $3 + \frac{1}{8}$. C'est Archimède qui, en construisant deux polygones réguliers à 96 côtés, l'un inscrit et l'autre circonscrit à un cercle, intercala la valeur de pi entre $3 + \frac{10}{71}$ et $3 + \frac{1}{7}$. En effet, peu importe le cercle, le rapport entre la mesure de sa circonférence C et celle de son diamètre D donnera toujours la constante $C/D = 3,141592...$, laquelle a un développement décimal infini et non périodique, et ne peut être écrite sous la forme d'une fraction; on dit que c'est un nombre irrationnel.

Par ailleurs, ce n'est qu'en 1706 qu'un certain William Jones (1675-1749) adopta la lettre π (c.-à-d. le p de l'alphabet grec et donc la première lettre du mot périmètre) pour représenter cette constante. Puis, le grand mathématicien Leonhard Euler (1707-1783) en répandit l'usage. On lui doit ainsi la fameuse formule, $e^{i\pi} + 1 = 0$, qui relie le nombre π, le nombre[1] e et le nombre imaginaire i ($i = \sqrt{-1}$).

---

1. Le nombre e est la base des logarithmes népériens (ou naturels). Tout comme π, e est irrationnel. Cependant, on s'est beaucoup moins intéressé à ses décimales qu'à celles de π. Il est défini par la série infinie $e = 1 + \frac{1}{1} + \frac{1}{1 \cdot 2} + \frac{1}{1 \cdot 2 \cdot 3} + \frac{1}{1 \cdot 2 \cdot 3 \cdot 4} + \cdots$ et vaut approximativement 2,718281828459...

La grande chasse aux décimales de π

L'histoire du nombre π suit un peu celle des mathématiques, car ce nombre est utilisé dans presque toutes les branches des mathématiques. À l'époque de Newton (1643-1727), et même un peu avant si l'on considère la première formule infinie donnant π :

$$\pi = 2 \times \frac{2}{\sqrt{2}} \times \frac{2}{\sqrt{2+\sqrt{2}}} \times \frac{2}{\sqrt{2+\sqrt{2+\sqrt{2}}}} \times \ldots$$

que l'on doit à François Viète (1540-1603), on commença à faire la chasse aux décimales de π grâce à l'invention des séries infinies. Un bel exemple (quoique peu efficace en calcul) est la série alternée des inverses des nombres impairs :

$$\frac{\pi}{4} = 1 - \frac{1}{3} + \frac{1}{5} - \frac{1}{7} + \ldots$$

Newton, qui s'était servi d'une série similaire pour calculer 35 décimales de π, avouait, médusé, y avoir pris beaucoup de plaisir. Se rendre à 35 décimales tenait de l'exploit à l'époque, car l'idée d'utiliser une série infinie, sans faire appel à des constructions géométriques, pour calculer un nombre dont la définition est géométrique, était nouvelle.

Par la suite, les plus grands mathématiciens, dont Gauss et Euler, ont apporté leur contribution au développement de π soit en créant des formules toujours plus efficaces soit en poursuivant le calcul de ces fameuses décimales.

De toutes ces formules nouvelles, certaines se distinguent par le caractère des nombres qu'elles utilisent. Pensons par exemple à la formule d'Euler :

$$\frac{\pi}{2} = 1 + \frac{1}{3} + \frac{1 \times 2}{3 \times 5} + \frac{1 \times 2 \times 3}{3 \times 5 \times 7} + \frac{1 \times 2 \times 3 \times 4}{3 \times 5 \times 7 \times 9} + \ldots$$

ou à celle de Wallis :

$$\frac{\pi}{2} = \frac{2 \times 2}{1 \times 3} \times \frac{4 \times 4}{3 \times 5} \times \frac{6 \times 6}{5 \times 7} \times \ldots$$

Et que dire d'un certain Shanks, qui, en 1853, après 20 ans de travail sur des calculatrices mécaniques en avait calculé 707 décimales. Hélas, le malheureux avait oublié un terme de sa série et son erreur à partir de la décimale 528 ne fut découverte qu'en 1948, lorsque Ferguson se rendit à 800 et quelques décimales à l'aide d'une calculatrice de table électromécanique.

En 1949, l'ENIAC, le gigantesque et tout premier calculateur électronique, se rendit à 2049 décimales, réalisant ainsi en quelques heures l'exploit qu'aucun humain n'avait pu réussir en 20 ans de calcul. C'était le premier long calcul qu'on avait choisi de lui faire faire, histoire en quelque sorte de « rincer » la machine ! Ce genre de test, auquel on livre les machines encore aujourd'hui, a d'ailleurs permis de détecter deux erreurs « graves » dans les IBM 590 et R8000.

Et l'on continue de s'acharner sur la célèbre constante. En effet, en septembre 1999, grâce à sa monstrueuse machine Hitachi (cotée 5e au monde), un certain Y. Kanada a calculé, en 36 heures environ, 206 milliards de décimales de π, résultat qu'il serait presque impossible d'imprimer, puisque cela nécessiterait 41,2 millions de pages, soit 8240 boîtes de papier de 5000 feuilles à 5000 décimales par page.

En 1962, alors qu'on en était à 100 000 décimales, un autre Shanks (Daniel, celui-là) clama témérairement « qu'il serait probablement impossible de se rendre à 1 milliard de décimales ». On sait depuis 1989 qu'il avait tort.

En 1995, deux Canadiens et un Américain trouvaient la formule dite de Bailey-Borwein-Plouffe :

$$\pi = \sum_{k=0}^{\infty} \frac{1}{16^k}\left(\frac{4}{8k+1} - \frac{2}{8k+4} - \frac{1}{8k+5} - \frac{1}{8k+6}\right),$$

laquelle permettait pour la première fois de calculer un chiffre binaire de π (en base 2) en un temps record, sans avoir à calculer les chiffres précédents. On pouvait soudain calculer π très loin avec une petite machine. Ce que fit Bellard (France) en 1997 en se rendant à la position 1000 milliards en binaire en sautant directement. Et actuellement, Percival (Simon Fraser University) calcule (toujours en binaire) la position 1 000 000 000 000 000 et pense y arriver en juillet 2000.

Et ça continue !

Il ne faut surtout pas croire que π ne fascine que les chercheurs et les mathématiciens professionnels, car des romans ont été écrits sur ce nombre qui est aussi le sujet d'un film et a même trouvé sa place chez Givenchy au rayon de la parfumerie. Non, on n'en sort pas : π est à la mode et a fait son chemin jusqu'à Hollywood, où les extraterrestres du livre-film *Contact* de Carl Sagan s'en servent pour communiquer avec les humains. Bien sûr ce ne sont là que des exemples de la récupération dont fait l'objet la célèbre constante. Il y a plus intéressant.

π et les lettres de l'alphabet

James Davis a découvert que si l'on écrit l'alphabet en majuscules autour d'un cercle en procédant dans le sens des aiguilles d'une montre et qu'on biffe ensuite les lettres qui

possèdent une symétrie verticale (A par exemple), les lettres restantes (ou non biffées) sont en groupe de 3, 1, 4, 1, 6 !

π dans la Bible

On trouve même dans la Bible une estimation de la valeur de π. En effet, dans 1 Rois **7** 23, on peut lire :

> « Il fit aussi une mer[2] de fonte de dix coudées d'un bord jusqu'à l'autre, qui était toute ronde : elle avait cinq coudées de haut et était environnée tout à l'entour d'un cordon de trente coudées[3]. »

Utilisant la définition de π, nous obtenons l'approximation $\pi \approx \dfrac{30}{10} = 3$.

Les records de récitation des décimales de π

Pour retenir les premières décimales de π, des gens ont inventé des comptines dans lesquelles le nombre de lettres contenues dans un mot représente une certaine décimale de π. En voici deux parmi les plus connues (les nombres sous les mots représentent le nombre de lettres du mot, c'est-à-dire une décimale de π) :

EN FRANÇAIS

Que j'aime à faire connaître un nombre utile aux sages !
  3 1 4 1 5   9   2   6   5 3 5

Immortel Archimède, artiste ingénieur,
  8   9   7   9

Qui de ton jugement peut priser la valeur ?
  3 2 3   8   4 6 2 6

Pour moi ton problème eut de pareils avantages.
  4   3 3   8   3 2 7   9

EN ANGLAIS

How I want a drink, alcoholic of course,
  3 1 4 1 5   9   2 6

after the heavy lectures involving quantum mechanics !
  5 3 5   8   9   7   9

---

2. Le mot « mer » signifie ici un grand bassin d'eau dans lequel les prêtres lavaient leurs mains et leurs pieds avant de procéder aux rites.

3. Ce passage se retrouve aussi dans 2 Chroniques **4** 2.

Néanmoins, ces inoffensives comptines vous seront de peu d'utilité si vous désirez inscrire votre nom au livre des records Guinness comme récitateur de décimales. En effet, le 18 février 1995, Hiroyuki Goto, un étudiant japonais âgé de 21 ans de l'université Keio de Tokyo, a récité **42 195** décimales de π en 9 heures 21 minutes et 30 secondes dont 1 heure 26 minutes et 47 secondes de pause. Faites le calcul : il récitait en moyenne 1,5 décimale par seconde.

Une série qui semble converger vers π

Considérons la série

$$\pi' = \left(\frac{1}{10^5} \sum_{n=-\infty}^{\infty} e^{-\frac{n^2}{10^{10}}} \right)^2 .$$

Si vous effectuez par ordinateur le calcul $\pi - \pi'$, vous aurez l'impression que la réponse est 0 et que $\pi = \pi'$. Or, en 1992, J. Borwein et P. Borwein ont démontré que π' coïncide avec π sur plus de 42 milliards de décimales, mais que π' est différent de π au-delà !

Pour aller plus loin

Voici deux références accessibles en langue française :

DELAHAYE, Jean-Paul. *Le fascinant nombre π*, Paris, Pour la science, 1997, 224 p.

L'univers de Pi : www.multimania.com/bgourevitch, de Boris Gourevitch.

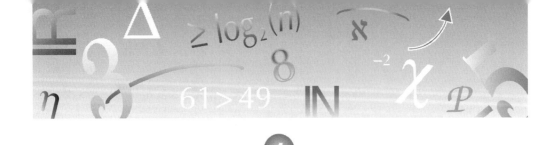

4

Hommage à...

Jean GRIGNON
Commission scolaire des Patriotes

Ils sont cinq autour de la table, à se snober mutuellement. Le fabuliste n'en ferait qu'une bouchée tant leur vantardise est outrée et dénote, du moins en apparence, un esprit mesquin. Mais comment savoir ? Leurs paroles ne sont pas sans cacher quelques vérités.

— Je suis le plus simple, dit l'un.

Car pour lui la simplicité fait nouvelle vague, et il lui faut en être.

— Je suis le plus stable, dit l'autre.

Car la stabilité incarne pour lui la sagesse qui, semble-t-il, identifie sa famille depuis plusieurs générations.

— Une vraie tare familiale, pense intérieurement un troisième.

Puis l'un et l'autre d'ajouter sa répartie.

— J'ai le sens de l'adaptation. Peu importe ce qui m'arrive, je retrouve rapidement mon équilibre.

— J'incarne la fantaisie, le jeu. On aime me caresser. Avec moi, on ne s'ennuie pas.

— Moi, c'est dans le mouvement qu'on m'apprécie. On me compare parfois à une ballerine en train de faire des pointes.

— Je suis exclusif. On ne me découvre pas facilement.

Ce banal avancé a comme effet de bousculer tout le monde, et chacun se met à crier : « Je suis unique, je suis unique, je suis unique... », comme si le fait de le répéter pouvait faire en sorte qu'on lui accorde une plus grande crédibilité. Mais toutes ces répliques ne parviennent pas à caractériser pour autant ces petits drôles qui ne cherchent qu'à se mettre en valeur.

Leur habillement leur confère des ressemblances, mais seulement sur quelques accessoires. Les modélistes se trouvent sans imagination, tant il est difficile de les transformer sans les rendre méconnaissables. Ils sont vraiment uniques dans leur façon d'être et fort raffinés tant qu'ils ne cherchent pas à faire le beau sur le dos des autres. Il y en a trois qui masquent leur vie derrière d'éternels triangles. Ils s'en vantent. Les deux autres, isolés de part et d'autre, n'osent trop parler du sujet. S'ils ont eu quelque aventure, ils se disent qu'au moins, eux, ça ne paraît pas dans leurs faces.

Si on cherche à juger de leurs talents par le nombre de pointes qu'ils peuvent faire voir, d'ailleurs sans jamais les lancer, on peut les distinguer. Mais, à ce titre, ils ont beau avoir plus d'un talent, dans leurs activités clownesques, ils présentent toujours le même visage. C'est là une de leurs limites. Peu importe l'énergie qu'ils déploient pour se transformer, ils restent les mêmes et, si maquillés soient-ils, chacun ne sait montrer qu'une seule face toujours identique.

Enfin, s'ils sont plus acerbes ou plus souples, ce n'est qu'au niveau de la forme. Dans leur comportement avec les autres, ils sont fats et froids et pour mieux les comprendre, c'est un à un qu'il faut, je crois, les apprivoiser.

Où est la vérité ? Où est le mensonge ? Un vrai dilemme platonicien pour qui veut voir clair chez ces êtres réguliers, fruits d'une imagination toute mathématicienne. Et puis, si je vous les nomme et que je vous dis qu'ils s'appellent tétraèdre, cube, octaèdre, dodécaèdre et icosaèdre, est-ce que chacun de leurs noms vous en apprendra davantage ?

(extrait de *Du bout de ma plume, du fond de mes mots*)

5

L'angle droit et les mathématiques

À propos de la diversité des préoccupations des mathématiciens

Hélène KAYLER
UQÀM

Il y a quelques décennies, Outre-Atlantique, la démonstration du théorème de Pythagore était vulgairement appelée *le pont aux ânes,* car les « ânes » ne passaient pas l'épreuve… Autres temps, autres mœurs… Voici donc quelques remarques ayant pour thème de départ l'indémodable théorème de Pythagore à partir du « 3-4-5 ».

L'angle droit dans nos vies

L'angle droit est très présent autour de nous; sans doute notre condition de terriens rivés à notre planète par la pesanteur n'y est-elle pas étrangère. D'ailleurs, la station verticale est un caractère de première importance dans les grandes étapes de notre évolution. En effet, avec elle, nos mains sont devenues libres et actives, et notre cerveau s'est développé. Il est devenu plus gros et plus complexe.

Parmi les nombreux aspects de la verticalité, il y a les murs de la plupart de nos maisons et des bâtiments urbains. Il suffit d'observer nos constructions pour constater combien nos maisons doivent à l'angle droit. Quels trésors d'ingéniosité les Égyptiens n'ont-ils pas dû déployer pour échapper à la verticalité et construire leurs pyramides !

Mais personne n'échappe à l'angle droit, même sur le plan… horizontal, puisque la notion de perpendicularité sert à calculer et à comparer les distances entre un point et une droite ou entre deux droites, deux cercles, etc.

Non, personne n'échappe à l'angle droit, pas même l'employé de la quincaillerie qui m'explique comment utiliser *la règle du* « 3-4-5 » pour bien aligner les nouveaux carreaux du plancher de ma cuisine, ni même le menuisier dont la façon de faire me rappelle combien cette règle sert en construction.

Et cela ne date pas d'hier : les arpenteurs de l'Ancienne Égypte connaissaient déjà cette règle. Mais pour eux, comme pour nos quincailliers modernes, il s'agissait probablement d'une règle empirique qu'ils utilisaient sans trop chercher à comprendre pourquoi *elle marchait* !

En effet, comme les crues emportaient souvent les clôtures des terres en bordure des rives du Nil, les Égyptiens devaient couramment les reconstruire… C'est là qu'intervint l'angle droit dans les pratiques des arpenteurs de l'Ancienne Égypte. Ceux-ci utilisaient une sorte de chaîne d'arpentage sur laquelle des « nœuds » étaient placés à intervalles réguliers. En repliant cette chaîne aux bons endroits (aux nœuds 3 puis 3 + 4 puis 3 + 4 + 5, donc selon la règle du « 3-4-5 »), ils obtenaient un angle droit et pouvaient ainsi resituer la clôture per-pendiculairement au fleuve.

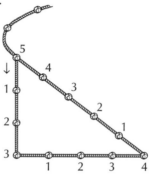

La chaîne de nœuds des Égyptiens.

La *règle du* « 3-4-5 » que nous continuons d'utiliser pour construire un angle droit remonte donc au moins à cette époque.

La règle générale

Il semble qu'à la même époque, mais sous d'autres cieux, les mathématiciens indiens avaient remarqué que le « 3-4-5 » n'était pas le seul trio de nombres. (Les mathématiciens utilisent plutôt l'expression *triplet* pour indiquer que le rôle de chacun de ces nombres dépend de son rang : il y a un premier, un deuxième et un troisième nombres.) En effet, tous les triplets suivants produisent aussi un angle droit.

5, 12, 13

8, 15, 17

12, 16, 20

15, 36, 39

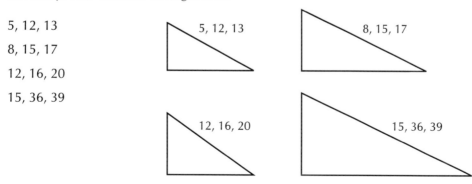

La preuve établie plus tard par les mathématiciens grecs s'énonce ainsi :

> *Lorsque la somme des carrés des deux plus petits côtés* (dans le cas de
> « 3-4-5 », 9 + 16 représente la somme des carrés des « petits » 3 et 4) *vaut*
> *le carré du plus grand* (ici, le « grand », c'est 5, et son carré vaut 25, lequel
> est effectivement égal à la somme de 9 + 16), *alors les trois nombres* (ici,
> 3-4-5) *sont les mesures des côtés d'un triangle **rectangle**.*

Et inversement :

> *Si un triangle est rectangle* (a un angle droit), *alors les nombres qui mesurent*
> *ses trois côtés sont tels que le carré du grand côté* (c'est l'hypoténuse, le côté
> qui est opposé à l'angle droit) *vaut la somme des carrés des deux autres*
> *côtés* (les côtés de l'angle droit).

Voilà énoncé ce fameux théorème auquel s'attache le nom de Pythagore, bien qu'on ignore, à vrai dire, si ce mathématicien a ou non contribué à sa formulation. Il semble par ailleurs que le théorème demeura secret un certain temps car, à l'époque, les mathématiciens grecs, réunis en sectes, gardaient jalousement les résultats de leurs travaux.

Une vérification expérimentale

On peut vérifier que tous les triplets énumérés ci-dessus[1] obéissent bien à cette loi. Il suffit pour cela de calculer chaque fois les carrés des trois nombres et d'effectuer la sommes des deux « petits » pour constater que le résultat vaut bien le carré du « grand ». De plus, en construisant un triangle dont les côtés correspondent aux trois nombres d'un même triplet, on peut constater que chacun de ces triangles est rectangle, ce qui, pour les quatre triplets ci-dessus, donne bien :

$$13^2 = 5^2 + 12^2, \text{ puisque } 169 = 25 + 144;$$
$$17^2 = 15^2 + 8^2, \text{ puisque } 289 = 225 + 64;$$
$$20^2 = 16^2 + 12^2, \text{ puisque } 400 = 256 + 144 \text{ et}$$
$$39^2 = 15^2 + 36^2, \text{ puisque } 1521 = 225 + 1296.$$

Interprétation géométrique

Quand on interprète la règle du « 3-4-5 » à partir de triangles rectangles et de carrés, on obtient une intéressante représentation visuelle qui utilise la surface des figures et nous amène à réfléchir à l'origine de l'expression « le **carré** de trois » pour désigner 3^2 (trois à la puissance deux), par exemple. Serait-ce en effet parce qu'il s'agit, visuellement, du **carré** (la figure aux quatre côtés égaux et aux quatre angles droits) dont le côté mesure trois ?

---

1. Il est important de remarquer qu'il s'agit ici de triplets de nombres **entiers**, ce que le théorème ci-dessus n'exige pas.

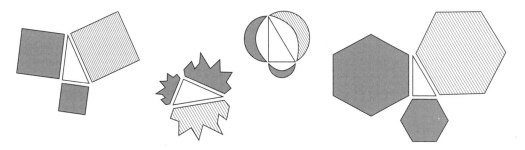

Ainsi le carré rayé (construit sur l'hypoténuse du triangle rectangle) a la même aire que les deux carrés gris réunis (la somme des carrés construits sur les côtés de l'angle droit du triangle). Il en sera de même chaque fois qu'on construira des figures semblables en prenant comme référence les côtés d'un triangle ayant un angle droit. Que ce soit trois carrés ou trois lunules semblables ou trois figures *semblables* quelconques, l'aire de la grande figure sera toujours égale à la somme des aires des deux petites. Ce résultat est particulier au triangle rectangle. On ne peut l'obtenir avec aucune autre figure et c'est pourquoi le théorème de Pythagore ne s'applique qu'à l'angle droit !

Mais nous ne sommes plus à l'époque de Pythagore, et la validité de son théorème ne fait plus aucun doute. Il en existe en effet des centaines de preuves. Intéressons-nous à certaines d'entre elles en commençant par celle qu'on appelle la « Chinoise », car on la trouve dans des textes mathématiques chinois.

Preuve chinoise

Si vous découpez quatre copies du triangle rectangle, vous constaterez qu'il est possible de les disposer selon chacun des arrangements illustrés ci-dessous et d'aboutir au même grand carré extérieur. De plus, vous constaterez que, ensemble, les deux carrés gris (*la somme des carrés de l'angle droit*) représentent bien la même surface (*est égale au*) que celle du carré rayé (*carré de l'hypoténuse*).

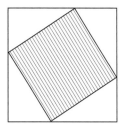
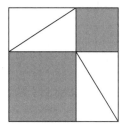

Preuves algébriques

Certaines des preuves présentées dans les manuels actuels utilisent les rapports de similitude entre les triangles qui se forment de part et d'autre de la hauteur issue de l'angle droit du triangle rectangle initial.

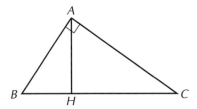

Ainsi, les triangles rectangles *AHB* et *AHC*, formés par la hauteur *AH*, sont semblables au triangle initial *ABC*. Cela permet de former certaines proportions qu'il s'agit ensuite de manipuler. On obtient en effet les proportions suivantes (où *HB*, *AB*, *BC*, *HC*, *AC* désignent les longueurs des segments correspondants) :

$$\frac{HB}{AB} = \frac{AB}{BC} \quad \text{et} \quad \frac{HC}{AC} = \frac{AC}{BC}$$

et en utilisant le fait que *BC = HB + HC*, on obtient l'égalité recherchée, c'est-à-dire que

$$BC^2 = AB^2 + AC^2.$$

Et après ? Quelques généralisations

Déjà, dans l'Antiquité grecque, les savants curieux tentèrent de généraliser cette propriété de la façon suivante.

> *Puisqu'on sait trouver trois nombres entiers tels que le carré de l'un peut se décomposer en deux autres carrés et qu'on sait comment reconnaître trois nombres tels que la deuxième puissance du plus grand vaut la somme de celles des deux autres* (par exemple, dans le cas du « 3-4-5 », on obtient que 25 est un carré, celui de 5, qui peut se décomposer en 16 + 9, c'est-à-dire en une somme de deux autres carrés), *pourrait-on généraliser la chose et passer des carrés aux cubes ?*

La question deviendrait alors :

> *Peut-on trouver un nombre entier qui est une troisième puissance* (un cube) *et qui se décompose en une somme de deux autres nombres qui sont également des troisièmes puissances d'entiers ? Par exemple, pourrait-on espérer trouver pour le nombre 1728, qui est le cube de 12 ($12^3 = 1728$), deux autres nombres qui seraient eux-mêmes des cubes et dont la somme serait 1728, c'est-à-dire deux nombres qui nous permettraient de compléter cette égalité :*

$$1728 = (\ldots)^3 + (\ldots)^3 \ ?$$

Et pourquoi se limiter aux puissances deuxièmes comme dans le théorème de Pythagore ou troisièmes comme dans l'exemple précédent ?

> *Peut-on aussi trouver un nombre entier qui est à la fois une certaine puissance d'un nombre et qui peut aussi se décomposer en une somme de*

deux autres nombres entiers qui sont eux-mêmes une même puissance ?
Par exemple, pourrait-on trouver une puissance treizième (on pourrait se
poser la question pour n'importe quel autre nombre) qui soit la somme de
deux puissances treizièmes

$$(\ldots)^{13} = (\ldots)^{13} + (\ldots)^{13} \ ?$$

La question est facile, mais pas la réponse car, depuis des siècles, nombre d'esprits curieux s'escriment à résoudre ce qu'on appelle maintenant le dernier théorème de Fermat.

On a d'abord démontré que c'était impossible pour les puissances trois et quatre, puis pour la puissance sept. Mais la preuve que ce n'est JAMAIS possible, pour quelque puissance que ce soit hormis la puissance deux (on retrouve alors Pythagore !) n'a fait la une qu'en 1994[2].

Mais on a aussi utilisé d'autres variantes de la règle de Pythagore. Puisque celle-ci caractérise le triangle rectangle, comment l'adapter à un triangle ordinaire, quand il n'y a pas d'angle droit ? On obtient alors une formule qui relie la longueur des côtés d'un triangle et la valeur (trigonométrique) d'un des angles.

$$BC^2 = AB^2 + AC^2 - 2 \times AB \times AC \times \text{cosinus}(\hat{A})$$

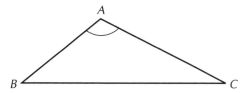

Dans tous les cas, on sait calculer la longueur d'un côté quand on connaît celle des deux autres côtés ainsi que la mesure de l'angle qu'ils font entre eux. Ce qui correspond bien à l'expérience ordinaire, car lorsqu'on a deux baguettes réunies en une extrémité, leurs longueurs et leur écartement déterminent bien la distance entre leurs deux autres extrémités.

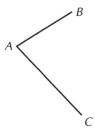

On peut aussi généraliser la situation du triangle rectangle dans le plan à l'espace de dimension trois (et même de dimension quelconque) et on peut ainsi penser aux quatre faces d'une pyramide dont l'angle situé au sommet est « un coin droit » : les trois faces qui se

---

2. Nous parlons ici du dernier théorème de Fermat démontré par Andrew Wiles.

rejoignent au sommet sont des triangles rectangles, tandis que la base, opposée au sommet, est un triangle quelconque qui joue le même rôle que l'hypoténuse dans le triangle rectangle, les quatre surfaces ayant des mesures liées par une relation semblable à celle décrite par le théorème de Pythagore.

Ainsi, une branche des mathématiques peut à la fois s'occuper de questions terre à terre, donner lieu à des considérations esthétiques et gratuites et demander des trésors d'imagination et d'intelligence. Ce qui semble plus surprenant, c'est que des questions de pure curiosité amènent à échafauder de nouvelles théories dont découleront des applications pratiques ou théoriques insoupçonnées.

6

Qu'est-ce qu'un triangle ?

Benoît CÔTÉ
UQÀM

Le présent article propose un questionnement sur la nature des mathématiques et de leur relation avec la réalité.

La figure ci-dessous représente un arrangement de points défini de la façon suivante. Nous avons un quadrillage dans lequel la distance horizontale et verticale entre deux points successifs est constante. C'est l'unité du quadrillage. On choisit de nommer *A* un certain point, puis en comptant 4 points à la droite de *A* et 7 points vers le haut, on arrive à un nouveau point, que l'on appelle *B*. Finalement, en comptant 8 points à la droite de *A*, on arrive à un troisième point, que l'on nomme *C*.

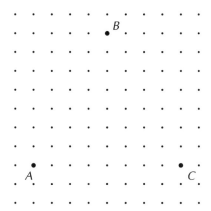

       Vous êtes ici invité à prendre une règle et à mesurer chacun des trois côtés du triangle *ABC*. Faites-le avant de lire ce qui suit.

*   *   *   *

Maintenant, répondez à ces deux questions :

1) Le triangle *ABC* représenté dans la figure est-il équilatéral ?

2) Pourquoi la réponse à la question précédente n'a-t-elle rien à voir avec le fait de mesurer les côtés du triangle *ABC* avec une règle ?

*   *   *   *

Ces questions ont été posées à un groupe de 38 étudiants de première année, inscrits au baccalauréat en enseignement au secondaire, concentration mathématiques, à l'UQÀM. À la première question, 33 étudiants ont répondu OUI et 5 NON. Qui a raison ? Est-ce une question d'interprétation ? Est-ce une question de démocratie ?

Ces étudiants devaient aussi écrire les résultats de leur mesure des côtés du triangle. En fait, 33 ont obtenu la même mesure pour les trois côtés et 5 ont obtenu des mesures légèrement différentes, mais ce ne sont pas exactement les mêmes qui ont répondu NON. Les réponses à la seconde question ont été classées selon les catégories suivantes.

Parmi les 33 étudiants qui ont répondu que $\triangle ABC$ est équilatéral,

– 11 n'ont pas répondu à la seconde question ou ont répondu « je ne sais pas »;
– 10 ont répondu en mentionnant le fait qu'un triangle équilatéral comporte non seulement trois côtés de même mesure, mais aussi trois angles de même mesure et que, d'une certaine façon, il faudrait en tenir compte;
– 11 ont répondu qu'on pouvait trouver la réponse sans mesurer et ont donné diverses justifications au fait que *B* est à égale distance de *A* et de *C*;
– 1 a mentionné qu'on pourrait le trouver sans mesurer si on utilisait le théorème de Pythagore.

Parmi les 5 étudiants qui ont répondu que $\triangle ABC$ n'est pas équilatéral,

– 1 a répondu que les trois côtés sont égaux mais que les trois angles ne le sont pas;
– 1 a répondu qu'on ne peut pas avoir un triangle équilatéral sur papier, car on ne peut jamais obtenir une précision parfaite;
– 3 ont utilisé le théorème de Pythagore pour calculer les mesures des côtés *AB* et/ou *BC* et ont obtenu $\sqrt{(4^2 + 7^2)} = \sqrt{65}$, qui est différent de la mesure du côté *AC*.

Les résultats de cette petite expérience mettent en évidence le fait que le mot « triangle » n'a pas nécessairement la même signification pour tous. Pour certains, il s'agissait du dessin que l'on pouvait tracer sur la feuille en joignant les points *A*, *B* et *C*. Pour d'autres, il s'agissait d'un objet défini théoriquement par certaines mesures sur un quadrillage, lesquelles permettaient de déduire si les trois distances définies par les trois points étaient égales ou pas. La façon particulière de présenter la tâche pouvait avoir comme effet de mettre l'accent sur le dessin, mais la seconde question suggérait de remettre en cause cette approche.

Dans la vie courante, on décide si un énoncé est vrai ou faux en recourant à la fois à des observations et à des raisonnements. Souvent, la vérité d'un énoncé est une question de degré, comme « plutôt vrai » ou « pas complètement faux ». De plus, on a tendance à attribuer plus d'importance à une observation qu'à un raisonnement. Dans la vie quotidienne, on doit continuellement évaluer des situations où une argumentation supporte un énoncé et une autre, son contraire. En fait, on utilise le raisonnement plus souvent pour convaincre quelqu'un de l'exactitude d'une vérité déjà établie que pour parvenir à la vérité.

On peut donc supposer que le fait de mesurer trois côtés égaux devient un facteur très influent lorsqu'il faut décider si ΔABC est équilatéral ou pas. Les étudiants qui se destinent à une carrière en enseignement des mathématiques connaissent généralement le théorème de Pythagore, qui est enseigné en secondaire III. Mais on constate qu'une perception visuelle immédiate peut encore les influencer fortement. Pour plusieurs, la seconde question est interprétée comme la demande d'une preuve supplémentaire qu'il s'agit bien d'un triangle équilatéral. Ils ne mettent pas en doute le fait, établi par les mesures avec la règle, qu'il s'agit d'un triangle équilatéral. Ils sont à une étape où ils n'ont pas encore développé une grande confiance dans leur capacité de mener à bien un raisonnement mathématique. Tout cela n'est pas très surprenant si on considère que les mathématiciens professionnels ont été troublés par ces questions pendant au moins deux mille ans.

Prenons ce fameux théorème de Pythagore. Il s'énonce comme suit :

Théorème de Pythagore   Le carré de la mesure de l'hypoténuse d'un triangle rectangle est égal à la somme des carrés des mesures des deux autres côtés.

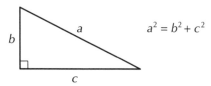

$$a^2 = b^2 + c^2$$

■

Comment fait-on pour savoir que c'est vrai ? Voici une preuve très ancienne qui est souvent utilisée pour convaincre les élèves à l'école secondaire.

Preuve   On part de deux carrés identiques, dont on partage chaque côté en deux parties ayant pour mesures respectives a et b, comme l'illustre la figure suivante :

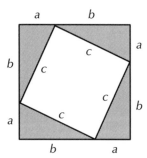 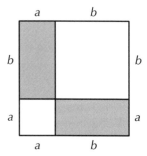

Cette preuve utilise la notion d'aire (mesure de surface) et le principe selon lequel le tout est égal à la somme de ses parties.

Dans le premier carré, on a 4 triangles rectangles, qui, pris deux à deux, forment deux rectangles d'aire ab. Si on retranche ces 4 triangles rectangles, il reste un carré d'aire c^2.

Dans le second carré, on a deux rectangles, dont chacun a comme aire ab, et deux carrés respectivement d'aire a^2 et b^2. Si on retranche les deux rectangles, il reste une portion d'aire totale égale à $a^2 + b^2$.

Comme les deux carrés de départ ont la même mesure et qu'on retranche à chacun une portion de même aire, on obtient : $a^2 + b^2 = c^2$.   ■

Cette preuve est très convaincante. On peut utiliser le même principe pour prouver différents théorèmes. En voici un autre exemple.

Exemple   On part d'un carré de 21 unités de côté, que l'on découpe en quatre parties comme dans la figure ci-dessous.

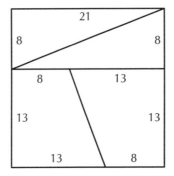

Ensuite, on replace les parties pour former un rectangle :

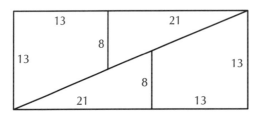

On part donc d'un carré d'aire $21^2 = 441$ et on obtient avec les mêmes parties un rectangle d'aire $13 \times 34 = 442$. Nous venons donc de prouver que $441 = 442$ ou, si l'on préfère retrancher 440 de chaque côté de l'équation, que $1 = 2$!   ■

Le second théorème est manifestement faux. Pourtant, il utilise ce même principe du tout égal à la somme de ses parties qui a été utilisé pour le théorème de Pythagore. Serait-ce que le théorème de Pythagore est aussi faux ? On suggère encore une fois au lecteur de prendre le temps d'essayer de résoudre cette situation apparemment paradoxale.

*   *   *   *

Évidemment, les nombres associés à la figure du second théorème n'ont pas été choisis au hasard. Il y a une erreur qui s'est subrepticement introduite, mais où ? À moins de vouloir remettre en question le principe du tout égal à la somme des parties, il faut bien admettre que le problème est bien posé et que, si on découpe une figure pour en réarranger les parties, l'aire totale devrait être conservée. On ne parle pas ici d'une erreur pouvant être introduite par un découpage d'un dessin concret. Le problème se pose sur le plan abstrait.

En se demandant s'il n'y a pas autre chose qui est introduit implicitement dans les opérations décrites, on finit par s'apercevoir qu'une nouvelle hypothèse est ajoutée. On nous demande d'accepter que les quatre parties du carré initial peuvent être agencées pour former un rectangle. Évidemment, si cette hypothèse est fausse, on ne peut plus utiliser la formule de l'aire du rectangle, ni en tirer cette conclusion si problématique.

Accepter l'hypothèse du rectangle, c'est accepter de poser que, dans les deux pièces ci-dessous, les côtés obliques se prolongent l'un dans l'autre ou, en d'autres mots, qu'ils appartiennent à la même droite. Si c'était le cas, la tangente de l'angle α, soit le rapport entre le côté opposé et le côté adjacent, devrait être la même, qu'on la mesure avec la première pièce ou avec les deux réunies.

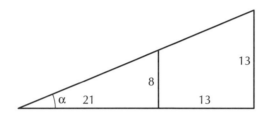

On devrait donc avoir :

$$\frac{8}{21} = \frac{13}{34}.$$

Or, comme

$$272 \neq 273,$$

on est obligé de réfuter l'hypothèse du rectangle, et la preuve initiale ne tient donc plus.

Mais cela ne nous assure pas que la preuve du théorème de Pythagore est valide. Peut-être qu'une erreur semblable s'y est glissée. Par exemple, on a accepté implicitement que dans le premier carré se trouve un carré de c unités de côté. Mais est-ce vraiment un carré ? Il faudrait le démontrer. Mais pour le démontrer, il faut faire appel à d'autres notions. Comment alors s'assurer que ces notions sont aussi valides ? On arrive ainsi à se demander comment on peut expliciter les règles de la démarche mathématique.

L'ouvrage d'Euclide, *Les Éléments*, représente un point de référence important dans l'histoire des mathématiques. Ce traité écrit au IVe siècle avant Jésus-Christ constitue une introduction aux connaissances mathématiques de cette époque qui a longtemps été considérée comme un modèle de rigueur. On y retrouve un système de théorèmes, soit des énoncés suivis de leur démonstration, qui constitue la première réponse à la question de l'explicitation des règles conduisant à la vérité en mathématiques. Ces démonstrations font appel soit à des théorèmes déjà démontrés, soit à des énoncés acceptés au départ, qu'on appelle axiomes et postulats. Ces axiomes et postulats, de même que les objets auxquels ils renvoient, comme les points, les droites, les angles, etc., sont considérés par Euclide comme des « évidences ». Par exemple, on accepte comme une évidence que par deux points passe une et une seule droite, ou que par un point pris hors d'une droite passe une et une seule parallèle à cette droite. Et, pendant des siècles, on a considéré que la géométrie d'Euclide décrivait correctement l'espace physique.

Cependant, le fameux postulat de la parallèle a toujours été considéré comme une évidence moins forte que les autres. Longtemps, les mathématiciens ont tenté sans succès de le démontrer à partir des autres postulats. Au XIXe siècle, Gauss, Bolyai et Lobatchevski ont montré qu'il est possible de construire une géométrie tout aussi cohérente que celle d'Euclide en posant l'existence d'une infinité de parallèles passant par un point pris hors d'une droite ou en niant l'existence d'une telle parallèle. En fait, Einstein a eu besoin d'une géométrie dite non euclidienne dans sa théorie de la relativité. Ces travaux ont donc complètement remis en question la relation entre la géométrie et la réalité.

Si on reprend la question de départ au sujet du triangle équilatéral sur un quadrillage, on peut dire que non seulement ce triangle n'était pas équilatéral, mais qu'en principe il est impossible de tracer un triangle dont un côté suivrait une ligne du quadrillage et les trois sommets correspondraient à trois points du quadrillage. En voici la preuve.

Preuve Supposons qu'un tel triangle est possible (voir ci-dessous). Appelons M le point milieu du segment AC. Les distances AM et BM doivent être des nombres entiers. Appelons u la distance AM. La distance AB devient $2u$ et, selon le théorème de Pythagore, la distance BM est $\sqrt{(4u^2 - u^2)} = u\sqrt{3}$, qui ne peut pas être un entier.

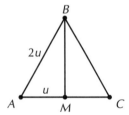

■

Donc, les mathématiques nous disent que, dans la « réalité », ce triangle est impossible. Mais il faut se rappeler que tout cela n'est vrai que si la réalité peut se décrire à l'aide de la géométrie euclidienne. Dans le cadre d'une autre géométrie, ce triangle serait peut-être possible. Mais alors le mot « triangle » pourrait prendre un autre sens !

Pour aller plus loin

DAHAN-DALMEDICO, A. et J. PEIFFER. *Une Histoire des mathématiques*, Paris, Éditions du Seuil, 1986.

GODEFROY, G. *L'Aventure des nombres*, Paris, Éditions Odile Jacob, 1997.

GUILLEN, M. *Invitation aux mathématiques*, Paris, Éditions Albin Michel, 1992.

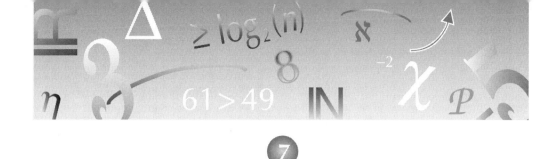

7

Les équations n'ont pas de préjugés

Stéphane DURAND
Université de Montréal

Big Bang, expansion de l'univers, antimatière, trou noir, quarks, quanta, téléportation... Comment les physiciens ont-ils imaginé ces idées ? Ils ne les ont pas imaginées, justement ! Les mathématiques les leur ont indiquées. Ces idées sont sorties toutes seules des équations sans qu'aucun physicien ne les y ait volontairement introduites. Bien sûr, les physiciens avaient écrit les équations, mais ils n'en avaient pas imaginé toutes les conséquences, surtout pas les plus extravagantes. Souvent même, sur le coup, ces prédictions, confirmées expérimentalement par la suite, leur semblaient tout à fait déraisonnables, voire absurdes. Bref, il est souvent sorti des équations plus que ce que les physiciens y avaient mis (ou pensaient y avoir mis). Le meilleur exemple en a peut-être été donné par Einstein lui-même.

La plus grosse gaffe d'Einstein

En 1915, Albert Einstein termine l'élaboration de sa théorie de la relativité générale, une théorie de la gravitation qui améliore et remplace celle de Newton, et fournit enfin une explication à certains phénomènes inexplicables dans le cadre newtonien[1]. Or, lorsque Einstein applique sa théorie à l'Univers lui-même, au cosmos dans sa globalité, que découvre-t-il, que lui dit son équation ? Elle lui dit que l'Univers est en expansion. Stupeur ! Même pour Einstein, pourtant un révolutionnaire, l'idée d'un Univers en expansion semble absurde. Cette idée signifie, en particulier, qu'il y a eu un *début* à l'Univers, une naissance au cosmos. Hérésie ! L'Univers devrait être immuable et éternel.

---

1. Anomalie dans l'orbite de Mercure autour du Soleil (avance du périhélie).

Devant tant d'invraisemblances, Einstein modifie artificiellement son équation pour qu'elle conduise à une solution « acceptable », c'est-à-dire à un Univers statique et éternel[2]. Or, dix ans plus tard, les télescopes deviennent plus puissants et permettent enfin aux astronomes de voir plus loin et plus précisément dans le cosmos, au-delà de notre galaxie. Que découvrent-ils ? Que l'Univers contient des milliers de galaxies comme la nôtre et – surtout – que toutes ces galaxies s'éloignent les unes des autres : l'Univers est bel et bien en expansion ! Einstein n'aurait jamais dû modifier son équation... Après coup, il qualifiera cette modification de « plus grande erreur de sa vie » — car il aurait pu, assis à son bureau, simplement par le calcul et la réflexion, prédire l'expansion de l'Univers. Quelle prédiction grandiose cela aurait-il été ! Mais il ne l'a pas fait. Il n'a pas fait assez confiance aux mathématiques, il n'a pas voulu croire ce que son équation s'évertuait à lui dire ! Ici, manifestement, quelque chose que l'auteur n'avait jamais imaginé est sorti de son équation.

Il sort plus des équations que ce qu'on y met

Pareillement pour les trous noirs. Ils sont sortis de la théorie d'Einstein contre son gré. Il trouvait d'ailleurs cette idée absurde et a même publié en 1939 un article dans lequel il tentait de démontrer que les trous noirs ne pouvaient pas exister[3] ! Pourtant, aujourd'hui, leur existence est pratiquement confirmée.

De même pour l'existence de l'antimatière, prédite par l'équation de Dirac. En 1928, ce dernier avait élaboré son équation pour décrire le comportement de l'électron aux grandes vitesses. Ce n'est qu'après coup qu'il s'aperçut qu'elle impliquait l'existence d'un antiélectron. D'ailleurs, la découverte de la première particule d'antimatière est survenue quelques années plus tard. De prime abord, pourtant, Dirac n'avait pas cru à ce que son équation révélait. Il dira plus tard : « J'aurais dû faire confiance dès le départ aux mathématiques; mon équation a été plus intelligente que moi. »

Idem pour la découverte de la discontinuité de la lumière. En 1855, Max Planck travaille sur un problème fondamental relatif au rayonnement lumineux[4]. Pour expliquer les faits expérimentaux, il introduit *pour des raisons mathématiques* une certaine constante (qu'on dénomme maintenant la constante de Planck). La nouvelle formule fonctionne à merveille. Il tente alors de l'interpréter *physiquement*. Avec horreur, il découvre qu'elle implique que le rayonnement lumineux est discontinu : la lumière serait faite de particules (qu'on appelle aujourd'hui photons, ou quantas de lumière). Au départ, Planck se refusait à cette idée. Il a mis des années avant d'admettre que son idée n'était pas qu'un truc mathématique et qu'elle correspondait bien à une réalité, laquelle est d'ailleurs aujourd'hui vérifiée en laboratoire. L'idée de Planck fut en fait l'étincelle qui allait engendrer la révolution quantique (la théorie du monde microscopique).

Autre exemple encore : la découverte des particules constituant le proton et le neutron. En 1961, Gell-Mann s'aperçoit que la théorie qui semble décrire les symétries des particules nucléaires a comme conséquence mathématique que le proton et le neutron doivent être constitués de particules plus petites. Néanmoins, pour reproduire la charge électrique du

---

2. Il ajoute à son équation le terme contenant la fameuse constante cosmologique.
3. EINSTEIN, Albert. *Annals of Mathematics*, vol. 40, n° 4, octobre 1939.
4. Le rayonnement du corps noir (à ne pas confondre avec le rayonnement par effet tunnel d'un trou noir).

proton et du neutron, il faut supposer que ces nouvelles particules – les quarks – ont une charge fractionnaire (-1/3 et +2/3). Hérésie ! Personne n'avait jamais observé de charge fractionnaire, et de toute façon une telle conception allait à l'encontre de toutes les vérités établies en physique. D'ailleurs, ces quarks, s'ils existaient, comment expliquer qu'on n'en ait encore jamais vus ? Malgré la beauté de l'idée que la vingtaine de particules nucléaires connues seraient formées à partir de seulement trois quarks, Gell-Mann attend trois ans avant de la publier. Et lorsqu'il le fait, c'est en mettant des gants blancs. En effet, dans son article initial, il mentionne que l'affirmation selon laquelle le proton et le neutron sont composés de trois quarks n'est qu'un truc mathématique permettant de déduire de façon intéressante les propriétés du proton et du neutron, ainsi que celles de toutes les autres particules nucléaires. Il en rajoute, allant même jusqu'à dire que les quarks n'existent pas réellement. Cinq ans plus tard, pourtant, les premiers indices expérimentaux de la présence de constituants dans le proton et le neutron commenceront à être détectés.

Ce genre de déni a également présidé à la découverte de l'effet EPR, un phénomène quantique révolutionnaire en vertu duquel un certain type d'influence peut se propager instantanément d'un point à un autre, c'est-à-dire à une vitesse plus grande que celle de la lumière — une théorie qui va, apparemment, à l'encontre de la théorie de la relativité d'Einstein. Aucun des pères fondateurs de la théorie quantique n'avait imaginé une telle idée au départ : le formalisme mathématique de la théorie quantique a été élaboré dans les années vingt, mais c'est seulement une dizaine d'années plus tard qu'on en a compris toute la signification et toutes les conséquences, en particulier celle concernant l'existence de l'effet EPR. Beaucoup ont refusé d'admettre l'idée de l'influence instantanée — Einstein en particulier — et ont cru que la théorie quantique était partiellement erronée. C'est seulement 50 ans plus tard que les expériences ont magistralement donné raison à la théorie quantique[5]. L'effet EPR est d'ailleurs justement à la base du phénomène de téléportation quantique qui vient récemment d'être réalisé en laboratoire : l'état interne d'une particule a disparu à un endroit et est réapparu ailleurs[6].

Bref, il y a souvent plus dans les équations que ce que les physiciens y mettent...

L'imaginaire mathématique

Il n'y a qu'en physique que les mathématiques semblent autant se plaire à dérouter les scientifiques. Pourquoi ? À cause du caractère si spécial des mathématiques en physique. Bien sûr, les mathématiques sont aujourd'hui présentes dans beaucoup d'autres sciences (biologie, sociologie, économie, etc.), mais elles n'y sont généralement qu'un outil, tandis qu'en physique elles en sont l'essence : la physique *est* mathématique. Par exemple, certains de ses concepts fondamentaux ne sont définis que mathématiquement et n'ont aucune analogie dans la vie de tous les jours, aucune correspondance avec le vocabulaire courant;

---

5. Contrairement aux apparences, l'effet EPR ne va pas à l'encontre de la théorie de la relativité, car l'influence quantique instantanée n'est ni matérielle ni énergétique et ne permet pas de communiquer des messages.

6. Notez cependant que, même si elle repose sur un effet EPR instantané, la téléportation est quand même limitée par la vitesse de la lumière, puisqu'elle se réalise en deux étapes : une première typiquement quantique et instantanée (effet EPR) et une deuxième limitée par la vitesse de la lumière (effet classique). La téléportation n'étant complétée qu'après la deuxième étape, elle ne prend donc pas effet instantanément.

seules les équations permettent de les saisir[7]. Pourquoi ? Parce que notre vocabulaire et notre intuition, qui se sont développés à partir de l'enseignement de nos sens, ne sont pas nécessairement adaptés pour appréhender des domaines où nos sens n'ont pas accès, tel l'infiniment petit et l'infiniment grand. Or, c'est lorsque les mathématiques prennent le dessus sur l'intuition courante que le terrain devient propice aux prédictions allant à l'encontre du sens commun (trou noir, espace-temps à quatre dimensions, univers parallèles, etc.). Ainsi, selon certaines théories encore spéculatives, l'espace aurait peut-être dix dimensions. Aucun physicien ne peut — et ne pourra jamais — visualiser concrètement un espace à dix dimensions; pourtant, mathématiquement, il est tout à fait enfantin de le décrire[8]. La capacité de représentation de l'imagination humaine aurait-elle des limites que les mathématiques n'ont pas ? Bien sûr, dans certains cas, à force de côtoyer les équations, les physiciens ont développé une nouvelle forme d'intuition; mais ce « nouveau sens » n'aurait pu se développer sans les mathématiques. Einstein ne disait-il pas que « le principe créateur réside dans les mathématiques » ?

Le rôle des mathématiques en physique n'a pas toujours été aussi important; c'est avec le temps que la physique est devenue de plus en plus mathématique et de plus en plus abstraite. Peut-être le même sort attend-il alors les autres sciences ? En fait, tout a basculé au début du siècle, avec Einstein. Avant lui, le rôle *conceptuel* des mathématiques n'était pas aussi crucial : on pouvait généralement bien comprendre toutes les manifestations d'une théorie en ne raisonnant qu'à partir des concepts physiques. Les mathématiques ne servaient alors qu'à raffiner la compréhension, qu'à quantifier les résultats du raisonnement, qu'à apporter de la précision. Par exemple, on lance une balle à telle vitesse et selon tel angle; à quelle distance va-t-elle tomber ? Intuitivement, on peut avoir une très bonne idée de son point de chute, et les équations ne serviront qu'à raffiner l'analyse et à calculer exactement la distance parcourue. Une telle précision est importante, certes, mais n'apporte rien d'un point de vue fondamental. Bien sûr, l'exemple précédent est plutôt trivial, car il existe des situations en mécanique classique — dans le contexte du chaos, par exemple — où il est impossible de prévoir même le comportement grossier d'un phénomène sans faire de calculs. Néanmoins, d'un point de vue conceptuel, le comportement du système est intelligible. Mais avec Einstein, un nouveau saut dans la mathématisation est accompli : certaines conséquences *conceptuelles* de la relativité générale sont impossibles à déduire autrement qu'en résolvant les équations mathématiques (la structure interne des trous noirs en rotation, par exemple, avec ses univers multiples)[9]. Par la suite, cette mathématisation abstraite du réel va encore s'amplifier avec la théorie quantique et culminer avec les théories d'unification (qui tentent d'unir la théorie quantique et la relativité générale en une seule théorie). Ce tournant des mathématiques a d'ailleurs coïncidé avec le moment où la physique a commencé à décrire des phénomènes à des échelles différentes de celle de la vie courante : le très grand (relativité générale) et le très petit (théorie quantique). Avez-vous remarqué que tous nos exemples étaient tirés du xxᵉ siècle ?

---

7. Par exemple, l'effet EPR, l'invariance de jauge, le spin (l'analogie de la toupie n'est pas valable comme description du spin; le spin est une conséquence de la théorie des groupes).

8. Un espace *plat* à dix dimensions, s'entend, et non pas courbe; par exemple, la généralisation à dix dimensions du théorème de Pythagore est triviale.

9. En fait, les équations de Maxwell avaient déjà relevé qu'en dépit des apparences l'électricité, le magnétisme et la lumière sont trois facettes du même phénomène.

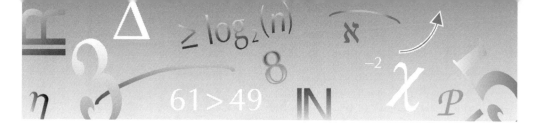

8

Une infinité de surprises

François Bergeron
UQÀM

Nous avons tous, un jour ou l'autre, réfléchi à la notion d'*infini*, tout comme les philosophes en ont considéré toutes sortes de facettes depuis très longtemps. Cependant, cette notion est plus difficile à circonscrire qu'on peut le croire de prime abord. Elle est restée imprécise jusqu'à la fin du XIXᵉ siècle, lorsque Cantor en a donné une première définition mathématique claire, qui l'a mené à des constatations inattendues et très surprenantes.

Lorsque j'ai commencé mes études en mathématiques, j'ai été abasourdi par les observations de Cantor et complètement envoûté par ces idées : non seulement elles bouleversaient ma compréhension intuitive de l'infini, mais elles montraient aussi la puissance de la réflexion mathématique.

Pour mettre en relief les diverses questions liées à l'infini, nous limiterons notre propos à l'étude d'*ensembles* infinis. C'est d'ailleurs souvent en travaillant avec l'ensemble des *entiers naturels*, $\mathbb{N}$, qu'on rencontre pour la première fois la notion d'infini. En effet, lorsqu'on cherche à décrire cet ensemble, par exemple

$$\mathbb{N} = \{0, 1, 2, 3, 4, 5, 6, 7, 8, 9, ...\},$$

on admet que « ... » signifie justement « à l'infini », autrement dit qu'il n'y a pas de *limite* à la grandeur des nombres entiers.

À la suite d'autres recherches, Cantor en est venu à se poser plusieurs questions sur les ensembles infinis dont la suivante, essentielle :

> Comment peut-on comparer le *nombre* d'éléments de deux ensembles même si ce nombre est infini ?

L'intérêt de cette question est évident : elle indique qu'un ensemble est infini si on peut montrer qu'il contient *plus* d'éléments que tout ensemble *fini*.

Lorsqu'un ensemble est fini, on peut en *compter* les éléments, mais cela devient délicat lorsque l'ensemble est infini. La première étape de notre cheminement consiste donc à trouver une façon d'abstraire l'idée de « compter » les éléments d'un ensemble afin de pouvoir étendre cette nouvelle notion à tous les ensembles (mêmes infinis). La solution est particulièrement simple et élégante. Pour deux ensembles A et B, on dit que :

> A possède « *moins ou autant* » d'éléments que B, s'il existe une *injection* de A vers B. Autrement dit, s'il existe une fonction

$$f : A \rightarrow B$$

> qui associe à des éléments distincts de A des éléments distincts de B.

Lorsque les ensembles A et B sont tous les deux finis, cela correspond bien à la notion usuelle, mais nous sommes maintenant en mesure de « comparer » des ensembles quelconques sans avoir à en compter les éléments.

Pour simplifier notre présentation, nous introduirons la terminologie suivante (sans insister sur une définition technique). Le *cardinal*, #A, d'un ensemble A est plus petit que celui de B lorsqu'on peut mettre en évidence qu'il existe une injection de A vers B et on écrit

$$\#A \leq \#B.$$

D'un même souffle, on écrit

$$\#A = \#B$$

s'il existe une bijection entre les ensembles A et B, c'est-à-dire s'il existe une règle qui associe à chaque élément a de A un élément $f(a)$ de B de façon que ce processus soit réversible, c'est-à-dire qu'on puisse retrouver (sans équivoque) a à partir de $f(a)$. Ainsi, si

$$A = \{a, b, c, d, e, ..., z\} \quad \text{et} \quad B = \{1, 2, 3, 4, 5, ..., 26\},$$

on a (sans surprise) #A = #B puisqu'on peut exhiber la bijection $f : A \rightarrow B$ entre A et B, définie comme

$$f(a) = 1, f(b) = 2, f(c) = 3, f(d) = 4, f(e) = 5, ..., f(z) = 26.$$

Il faut se rappeler que les raisonnements usuels comme

$$\text{si} \quad \#A \leq \#B \quad \text{et} \quad \#B \leq \#A \quad \text{alors} \quad \#A = \#B,$$

ou encore

$$\text{si} \quad \#A \leq \#B \quad \text{et} \quad \#B \leq \#C \quad \text{alors} \quad \#A \leq \#C,$$

bien que toujours valables, nécessitent une vérification technique que nous ne donnons pas ici.

On peut maintenant donner un sens précis à une affirmation telle que « l'ensemble A est strictement plus petit que l'ensemble B », en formule

$$\#A < \#B.$$

Cela équivaut en effet à montrer qu'il existe une injection de l'ensemble A vers l'ensemble B, mais qu'il n'existe pas de bijection entre A et B. Cependant, prouver qu'il n'existe pas de bijection entre deux ensembles n'est pas toujours simple, ni directement lié à une intuition (qui s'appuie sur très peu d'expérience lorsqu'il s'agit d'ensembles infinis). Considérons par exemple les ensembles

$$\mathbb{N} = \{0, 1, 2, 3, 4, 5, 6, 7, 8, 9, ...\} \quad \text{et} \quad \mathbf{P} = \{0, 2, 4, 6, 8, ...\},$$

où **P** désigne l'ensemble des entiers naturels pairs. En première instance, on pourrait croire que **P** contient moins d'éléments que $\mathbb{N}$, mais il y a la bijection évidente

$$f : \mathbb{N} \rightarrow \mathbf{P}$$

définie en posant $f(n) = 2n$, puisque pour chaque nombre pair $p \in \mathbf{P}$, on peut trouver un et un seul nombre qui lui correspond, à savoir $n = p/2$. On a donc

$$\#\mathbb{N} = \#\mathbf{P}.$$

Mais à bien y penser, cela ne revient-il pas simplement à dire que ces deux ensembles ont une infinité d'éléments ? Comme nous allons le voir, la réponse n'est pas si simple.

Voici l'un des résultats cruciaux de Cantor, lequel décrit une situation générale pour laquelle on a $\#A < \#B$. Il s'énonce de la façon suivante.

Le cardinal d'un ensemble est toujours strictement plus petit que celui de l'ensemble de ses parties.

En formule,

$$\#A < \# \wp(A).$$

Rappelons que l'ensemble, $\wp(A)$, des parties de A est formé par tous les sous-ensembles de A. Ainsi, pour $A = \{1, 2, 3\}$, on a

$$\wp(A) = \{\varnothing, \{1\}, \{2\}, \{3\}, \{1, 2\}, \{1, 3\}, \{2, 3\}, \{1, 2, 3\}\}.$$

Il est facile de voir que, pour un ensemble fini A contenant n éléments, l'ensemble $\wp(A)$ contient 2^n éléments. L'énoncé de Cantor généralise donc pour les ensembles infinis le fait que, pour tout entier n, on a

$$n < 2^n.$$

Comme nous allons le voir, cet énoncé a des conséquences surprenantes.

Pour valider le résultat de Cantor, il faut d'abord mettre en évidence une injection entre A et $\wp(A)$, puis montrer qu'il ne peut pas exister de bijection entre ces deux ensembles. La première de ces affirmations est facile à prouver, car il suffit de définir l'injection

$$g : A \rightarrow \wp(A), \quad \text{en posant} \quad g(a) = \{a\}.$$

En d'autres mots, on associe à un élément a de A le sous-ensemble de A qui ne contient que l'élément a. Pour montrer qu'il n'y a pas de bijection entre A et $\wp(A)$, on a recours à une preuve par l'absurde. Plus précisément, on montre que la supposition qu'il existe une bijection entre A et $\wp(A)$ mène à une contradiction, ce qui oblige logiquement à rejeter l'existence d'une telle bijection. Supposons donc que $f : A \rightarrow \wp(A)$ correspond à une certaine bijection (sans en donner de description) et considérons l'ensemble

$$C = \{a \in A \mid a \notin f(a)\}.$$

Comme $f(a)$ est un sous-ensemble de A, il est possible qu'il contienne a ou non. Or, l'ensemble C est l'ensemble des éléments de A qui justement ne sont pas des éléments de $f(A)$. Autrement dit, pour déterminer si $a \in A$, il faut vérifier que $a \notin f(a)$. Si f est une bijection, il existe un élément b de A tel que

$$f(b) = C.$$

Comme nous allons le voir, la contradiction apparaît lorsqu'on veut vérifier si b est un des éléments de C ou non. En effet, si b est un élément de l'ensemble C, alors b n'est pas un élément de $f(b) = C$. D'autre part, si b n'est pas un élément de $C = f(b)$, alors b est dans C puisqu'il satisfait au critère énoncé. En résumé,

$$b \in C \quad \text{si et seulement si} \quad b \notin C,$$

ce qui est clairement contradictoire.

La première surprise, et elle est de taille, c'est qu'il n'y a pas qu'un seul infini. En effet, le résultat de Cantor signifie que le cardinal de $\wp(\mathbb{N})$ est strictement plus grand que celui de $\mathbb{N}$. Il en va de même pour $\#\wp(\wp(\mathbb{N}))$ qui est strictement plus grand que $\#\wp(\mathbb{N})$, et ainsi de suite. On obtient donc toute une hiérarchie (infinie) d'infinis, tous de plus en plus grands, dont le plus petit est celui qui correspond au cardinal de l'ensemble $\mathbb{N}$. On le désigne en général par la lettre $\aleph$ (qu'on prononce aleph), avec indice 0 pour souligner que c'est le premier, en formule

$$\aleph_0 = \#\mathbb{N}.$$

La question de l'existence ou non d'un cardinal strictement entre $\#\mathbb{N}$ et $\#\wp(\mathbb{N})$ est appelée *hypothèse du continu*. Un résultat profond de logique mathématique révèle que cette hypothèse est indépendante des autres axiomes de la théorie des ensembles. En faisant abstraction de ces considérations, on obtient la suite d'infinis

$$\aleph_0 < \aleph_1 < \aleph_2 < \aleph_3 < ...,$$

où on a posé

$$\aleph_1 = \#\wp(\mathbb{N}), \quad \aleph_2 = \#\wp(\wp(\mathbb{N})), \quad \aleph_3 = \#\wp(\wp(\wp(\mathbb{N}))), ...$$

Le second infini dans cette suite, $\aleph_1$, est tellement plus grand que $\aleph_0$ qu'on ne peut l'atteindre même avec une réunion de $\aleph_0$ ensembles de cardinal $\aleph_0$. Plus précisément, on peut montrer que le cardinal du produit cartésien de deux ensembles de cardinal $\aleph_0$ est encore de cardinal $\aleph_0$. Avec les définitions qu'on en a données, on peut alors obtenir pour les cardinaux des identités comme

$$\aleph_0 + n = \aleph_0, \quad \aleph_0 + \aleph_0 = \aleph_0 \quad \text{et} \quad \aleph_0\aleph_0 = \aleph_0,$$

où n est un entier quelconque. Ces identités traduisent bien l'idée intuitive qu'on se fait de l'infini, mais on peut en ajouter d'autres, comme

$$\aleph_0 + \aleph_1 = \aleph_1, \quad \aleph_0\aleph_1 = \aleph_1 \quad \text{et} \quad 2^{\aleph_0} = \aleph_1,$$

qui dépassent cette vision intuitive.

Parmi les ensembles qui ont $\aleph_0$ comme cardinal, outre l'ensemble $\mathbb{N}$ des entiers naturels, mentionnons entre autres l'ensemble $\mathbb{Z}$ des entiers relatifs, l'ensemble $\mathbb{Q}$ des rationnels, l'ensemble de tous les textes possibles (sensés ou non) écrits en alphabet romain, ou encore l'ensemble de tous les programmes d'ordinateurs possibles (corrects ou erronés) écrits dans un langage de programmation quelconque (pourvu qu'il ait au plus $\aleph_0$ instructions de base).

Parmi les ensembles qui ont un cardinal strictement supérieur à $\aleph_0$, mentionnons l'ensemble $\mathbb{R}$ des nombres réels ou encore l'ensemble des fonctions des entiers dans les entiers. Observons qu'on peut en tirer des conclusions inespérées sur la puissance de calcul des ordinateurs. Ainsi, on peut supposer (d'un point de vue proche de la réalité) qu'un ordinateur est un appareil qui calcule des fonctions des entiers à valeur entière. L'entrée est codée comme un entier tout comme le résultat du calcul (la sortie). Bien entendu, cette entrée et cette sortie peuvent être traitées de biens des façons (clavier, souris, écran, etc.). On est donc à même d'affirmer que le nombre de tâches qu'on peut vouloir effectuer avec un ordinateur est le même que le nombre de fonctions de $\mathbb{N}$ dans $\mathbb{N}$. Mais il n'y a que $\aleph_0$ programmes possibles. Force est de conclure que la plupart des tâches ne pourront jamais être réalisées par un ordinateur puisque $\aleph_1$ est beaucoup plus grand que $\aleph_0$.

Plusieurs autres constatations de cette nature peuvent découler de simples considérations sur les différentes tailles d'infinis. Mais la plus impressionnante est peut-être que le cheminement suivi pour mettre en lumière toutes ces considérations dépasse la capacité d'abstraction d'un simple discours non mathématique. L'approche mathématique devient essentielle à la mise en forme des concepts étudiés. Sans elle, il est à peu près impossible de progresser dans la compréhension des notions abordées. En effet, la conception intuitive de l'infini qui s'élabore autour de notre simple « bon sens » ne peut se nourrir que d'une expérience limitée de l'infini, que l'approche mathématique permet de transcender.

Fixation

L'éternité
nous regardait

Elle avait le temps...

Jean GRIGNON
(extrait de *Au-delà des mots*)

L'efficacité déraisonnable des mathématiques

Stéphane DURAND
Université de Montréal

L'efficacité déraisonnable des mathématiques, fameuse expression du prix Nobel Eugene Wigner concernant l'application des mathématiques en physique, comporte au moins deux aspects. Tout d'abord, le fait que les mathématiques fonctionnent si miraculeusement en physique, c'est-à-dire si précisément et même, pourrait-on dire, si parfaitement[1]. Mais aussi — et surtout peut-être — le fait que, souvent, les théories mathématiques nécessaires à la compréhension de nouveaux phénomènes physiques ont été élaborées plusieurs décennies auparavant par des mathématiciens qui ne cherchaient aucunement à faire de la physique et qui, quelquefois même, n'avaient aucune connaissance dans ce domaine. Ils ne faisaient des mathématiques que pour le plaisir. Pourtant, c'était justement les mathématiques dont les physiciens auraient besoin quelques décennies plus tard. Pourquoi ? Troublante question. D'autant plus troublante que presque toutes les branches des mathématiques ont aujourd'hui trouvé une application en physique : l'algèbre, la géométrie, la topologie, la théorie des groupes, les variables complexes, l'analyse, la théorie des probabilités, et même la théorie des nombres — la plus « pure » des branches, selon certains. En fait, la seule branche manquante est celle de la logique (branche relativement récente, ayant pris son essor au début du XXe siècle avec Hilbert), mais il n'est pas dit qu'elle ne trouvera pas elle aussi sa voie en physique (voir plus loin). Dans ce qui suit, nous nous limitons justement aux exemples de théories mathématiques qui ont trouvé une applicaton en physique, mais qui n'ont été développées que pour des raisons propres et intrinsèques aux mathématiques. Exemple extrême de ce désir de pureté mathématique, celui de Hardy qui, se faisant un devoir de ne s'adonner qu'aux mathématiques abstraites et sans rapport aucun avec la réalité, se vantait publiquement de ne faire que des choses inutiles. Ironie du sort, l'un de ses

---

1. *Voir* l'article « Les équations n'ont pas de préjugés » dans le présent recueil.

théorèmes, pour lequel il avait levé son verre en le déclarant « le plus inutile des mathématiques », servait cinq ans plus tard en physique nucléaire[2]...

Des mathématiques à la physique

Commençons par des exemples très généraux :

- l'algèbre matricielle (Sylvester et Cayley, 1860) en mécanique quantique (Heisenberg, 1925);
- la théorie des groupes (Galois, 1831; Lie, 1870) en mécanique quantique (Wigner, 1927), en physique des particules pour la première application d'un groupe de Lie très abstrait (SU(3)) (Gell-Mann, Ne'eman, 1960) et surtout dans les théories de jauge (Yang, 1954) ainsi que dans toutes les théories d'unification subséquentes[3];
- les espaces de dimension infinie (Hilbert, 1899) en théorie quantique (von Neumann, 1932);
- les nombres complexes (Cardano, 1540 !) en physique quantique, ou en relativité restreinte où le temps peut être vu comme une coordonnée imaginaire de l'espace-temps[4];
- la géométrie courbe (Gauss, 1813; Lobatchevski, 1826; Bolyai, 1832; Riemann[5], 1854) en relativité générale (Einstein, 1915);
- la théorie des surfaces (Riemann, 1854) dans les théories des cordes (~1975);
- la topologie (Euler, 1736) et la géométrie différentielle (Gauss, 1820) en théorie quantique, en relativité générale et dans les théories d'unification;
- la théorie des nombres (développée sur plusieurs siècles) dans la théorie du chaos, en mécanique statistique, en physique de la matière condensée et en cristallographie : par exemple, les nombres de Fibonacci (1202 !) en quasi-cristallographie (1984); la fonction zêta de Riemann (1858) dans le chaos quantique (~1970); des identités de Ramanujan (~1915) dans certains modèles d'hélium liquide en couche (Baxter, ~1980); ou encore l'ensemble de Cantor (1880) en théorie du chaos et dans les fractales (bruit de fond en radiodiffusion, par exemple);

---

2. C'était un théorème sur la partition des nombres entiers. (Anecdote rapportée par Leon Rosenfeld.) En fait, si certains mathématiciens croyaient que leurs découvertes n'avaient pas de liens avec la réalité, d'autres, comme Cantor, n'arrivaient pas à croire en leur propre découverte (du moins, au début) ! En effet, dans une lettre qu'il écrit à Dedekind en 1877, Cantor commente sa démonstration qu'une surface ne contient pas plus de points qu'une droite, en disant : « Je le vois, mais je ne le crois pas. » Cette idée fut l'étincelle qui allait conduire à la remise en question de la notion de dimension entière et, par le fait même, aux fractales, qu'on retrouve partout dans la nature.

3. Les théories de jauge sont le prototype des théories d'unification qui cherchent à unifier les quatre forces fondamentales de la nature. La théorie d'unification ultime cherche à concilier les deux grandes théories du xxe siècle : la théorie quantique (qui englobe trois des quatre forces et décrit l'Univers à l'échelle microscopique) et la relativité générale d'Einstein (qui décrit la force de gravité et donc l'Univers à l'échelle macroscopique). La théorie de grande unification la plus prometteuse à ce jour est la théorie des cordes, qui considère les particules comme de minuscules cordes vibrantes.

4. En relativité, toutefois, ce n'est pas aussi crucial qu'en mécanique quantique; mais il ne pourrait y avoir de théorie quantique sans nombres complexes.

5. En réalité Riemann avait déjà tenté de faire de la physique avec sa géométrie à trois dimensions (il avait courbé l'espace, mais avait oublié de courber le temps comme le fera Einstein plus tard).

– l'autosimilarité (introduite simultanément et indépendamment dans deux contextes différents par Cantor et Weierstrass), qui se retrouve presque partout aujourd'hui : fluctuations des marchés boursiers, distribution des galaxies, comportement du Gulf Stream, structure du poumon, rythme cardiaque, distribution des feux de forêt et des épidémies de rougeole, mouvements planétaires, etc. [6]

Et pourquoi pas maintenant quelques exemples plus spécifiques ?

– la théorie des coniques, c'est-à-dire l'étude des ellipses, paraboles et hyperboles (Apollonios, ~225 av. J.-C.) en mécanique céleste (Kepler, 1609; Newton, 1687);
– l'algèbre de Clifford (~1870) pour décrire l'électron (Dirac, 1927);
– l'algèbre de Grassmann (1855) en théorie des champs fermioniques (Berezin, 1966) et en supersymétrie (Salam et Strathdee, 1974);
– la théorie des ensembles (théorèmes de Banach et Tarski, 1924) dans la théorie des quarks (Gell-Mann et Zweig; 1964) (voir ci-dessous);
– la théorie des nœuds (Alexander, 1928) en mécanique statistique (Jones, 1984), en gravité quantique (Ashtekar, 1986), en théorie des champs (Witten, 1988) et en biologie moléculaire (processus de dédoublement de l'ADN et action des virus) [7];
– les fonctions modulaires et la particularité du nombre 24 (Ramanujan, ~1915) dans les théories de cordes (où le nombre 24 correspond au nombre de dimensions transversales). Et ainsi de suite [8].

Nous n'avons pas mentionné les applications des mathématiques en cryptographie, en théorie des jeux et en informatique (l'algèbre de Boole, par exemple, ou plus généralement la logique), car ces trois domaines, contrairement à celui de la physique, sont manifestement de pures inventions de l'Homme. Nous n'avons pas non plus mentionné la théorie des

---

6. L'ensemble de Cantor est un ensemble à la fois de mesure nulle et non dénombrable, c'est-à-dire une « droite » de longueur zéro contenant une quantité infinie non dénombrable de points. Les fonctions de Weierstrass sont des fonctions à la fois partout continues et nulle part différentiables. Remarquez que Cantor et Weierstrass ont introduit leur objet autosimilaire pour éclaircir respectivement les fondements de la théorie des nombres et de la théorie des fonctions. Similairement pour Gauss et ses successeurs qui ont développé la géométrie non-euclidienne pour résoudre la question historique de l'indépendance du cinquième postulat d'Euclide (fondement de la géométrie).

7. *Voir* l'article de Christiane Rousseau dans le présent recueil.

8. Une petite anecdote à propos de Wigner. Un de ses articles fondateurs de l'application de la théorie des groupes en physique a déjà été refusé. Raison du jury : trop mathématique, pas de physique. Ce qui ne l'a pas empêché par la suite d'obtenir le prix Nobel de physique... pour ces travaux justement ! Par ailleurs, pour en revenir à Hardy « le puriste », une de ses constructions (les espaces de Hardy) s'est révélée intimement reliée à la théorie des ondelettes. Cette dernière constitue depuis peu une des meilleures méthodes de compression d'images — technique développée pour la première fois par le FBI ! La base des ondelettes est aux signaux non stationnaires ce que la base de Fourier est aux signaux stationnaires. Les ondelettes, qu'on dénomme aussi états cohérents, sont en fait les fonctions qui minimisent les relations de Heisenberg. Autre exemple : Hardy a travaillé avec Ramanujan sur les fonctions de partition. Elles sont aujourd'hui utilisées dans toutes sortes de domaines, en particulier en physique statistique et dans les théories des cordes. Dernier exemple : Hardy a démontré en 1914 un théorème extrêmement important concernant les zéros de la fonction zêta de Riemann, relié à la distribution des nombres premiers. Il trouvait ce sujet très beau, et donc très pur. Ce sujet (l'hypothèse de Riemann) est d'ailleurs considéré comme l'un des plus importants problèmes des mathématiques pures. Or, on vient récemment de découvrir que les zéros de la fonction de Riemann pourraient être interprétés comme les niveaux d'énergie de certains systèmes physiques quantiques chaotiques...

probabilités et statistiques, car elle aussi est manifestement inspirée de la contemplation de la Nature. Il en va de même pour le calcul différentiel et intégral, ainsi que pour les équations différentielles.

Le lien entre les théorèmes de Banach et Tarski en théorie des ensembles et la physique des particules n'est pour l'instant que de nature hypothétique. Les processus décrits par ces théorèmes semblent reproduire le comportement des hadrons (les particules soumises à l'action de la force nucléaire), en particulier le fait que les protons et les neutrons sont formés de trois quarks, et les mésons de deux. Bien sûr, Gell-Mann et Zweig ignoraient totalement ces théorèmes, et c'est seulement en 1984 que ce lien a été établi[9]. Ces théorèmes ne sont valides qu'en trois dimensions ou plus. Par conséquent, selon cette théorie, les réactions nucléaires seraient impossibles en deux dimensions ! Cette théorie fait même une prédiction sur la structure interne des quarks ! Si jamais une telle prédiction s'avérait juste, on aurait là l'un des exemples les plus extraordinaires du caractère anticipatif des mathématiques. Notez, finalement, que même le fameux et apparemment dévastateur théorème de Gödel (1930) pourrait trouver une application en théorie quantique. La branche de la logique trouverait ainsi aussi une application en physique (voir l'encadré).

Mentionnons, par ailleurs, qu'il faut bien faire la distinction entre les mathématiques qui ne servent que d'outils et celles qui jouent un rôle fondamental. Par exemple, les propriétés *physiques* invariantes des particules élémentaires, c'est-à-dire leurs caractéristiques fondamentales (comme la masse), correspondent à des invariants *mathématiques* dans le contexte de la théorie des groupes (le groupe de Poincaré). Il est fascinant de découvrir que des propriétés tout ce qu'il y a de physique (tout le monde sait ce qu'est une masse) peuvent être aussi définies entièrement mathématiquement de façon très abstraite. Mais il est encore plus fascinant de découvrir que certaines propriétés tout aussi physiques, mais inaccessibles à nos sens car n'ayant de manifestation qu'à l'échelle microscopique (comme le spin), ne peuvent être définies *que* mathématiquement. Dans cet exemple, les mathématiques jouent vraiment un rôle capital, car elles permettent de définir des concepts physiques fondamentaux qu'on ne peut pas définir autrement, c'est-à-dire qu'on ne peut pas définir à partir de nos expériences sensorielles. À cet égard, la théorie des nœuds est un peu différente. Certaines de ses applications semblent relever du domaine de l'outil (en biologie, par exemple, pour classifier l'action des virus) tandis que d'autres semblent être plus fondamentales (en physique, par exemple, où certains invariants de la théorie des nœuds correspondraient à certains invariants physiques).

Pourquoi les mathématiciens inventent-ils justement les bonnes mathématiques ?

Ou, plus précisément, les bonnes mathématiques pour les physiciens ? On pourrait répondre que justement ils ne les inventent pas, ils les *découvrent* ! Surtout que, souvent au cours de l'Histoire, la même théorie mathématique a été développée par deux ou plusieurs mathématiciens de façon tout à fait indépendante. Par exemple, Gauss et Schweikart ont élaboré

9. AUGENSTEIN, Bruno W. « Hadron Physics and Transfinite Set Theory », *International Journal of Theoretical Physics*, vol. 23, n° 12, 1984; « Speculative Model of Some Elementary Particle Phenomena », *Speculations in Science and Technology*, vol. 17, n° 1, 1994, p. 21.

simultanément mais indépendamment l'un de l'autre les fondements de la géométrie non euclidienne. Puis, une dizaine d'années plus tard, Lobatchevski et Bolyai, encore indépendamment l'un de l'autre et sans connaître les résultats des deux premiers, ont développé les mêmes idées et abouti aux mêmes résultats. Et rappelons Riemann, qui, 20 ans plus tard, refit la découverte de certaines idées fondamentales que Galois avait déjà exposées sur les intégrales des fonctions algébriques. Ou encore Ramanujan qui, complètement isolé en Inde et pratiquement sans formation, redécouvrit 100 ans de mathématiques occidentales en théorie des nombres — en les prolongeant — et ce en quelques années (il est mort à 33 ans).

Si les mathématiciens ne font que découvrir les mathématiques, s'ils ne font que mettre au jour quelque chose qui existe déjà en « quelque part », un tel phénomène (la découverte indépendante des mêmes théories) est facilement compréhensible. Mais, au contraire, si les mathématiciens inventent les mathématiques, si celles-ci ne sont qu'un pur produit de l'esprit humain, cela l'est beaucoup moins. Notons aussi que différentes branches des mathématiques apparemment indépendantes à l'origine se sont souvent révélées par la suite être intimement reliées (c'est d'ailleurs pourquoi certains mathématiciens suggèrent maintenant de parler de *la* mathématique plutôt que *des* mathématiques). Bien sûr, lorsqu'on suppose que les mathématiques relèvent d'une découverte, on parle de leur structure interne et non pas du formalisme utilisé pour les décrire, qui est bien sûr tout à fait arbitraire et donc une pure invention. Les mathématiciens seraient alors un peu comme des explorateurs qui tentent d'atteindre le sommet d'une montagne vierge. Chacun utilise un chemin différent, rencontre des obstacles différents, utilise et développe des outils différents; mais tous arrivent au même sommet et découvrent la même vue.

Autre exemple. Souvent on entend dire : « Les nombres ! Mais ce n'est qu'une invention de l'esprit humain. Sans pensée consciente, il n'y a pas de nombres. Deux et deux font quatre, c'est une définition, ça ne veut rien dire. » Attention ! Bien sûr, la notation « 2 » et « 4 » est une pure convention. Mais les nombres existent de façon abstraite, indépendamment de leur notation et de la conscience humaine. La preuve ? Les nombres premiers, par exemple. Cette idée n'est pas une invention, c'est quelque chose d'absolu. Prenez 6 cailloux. Vous pouvez les regrouper en 3 paquets de 2 ou en 2 paquets de 3. Prenez maintenant 7 cailloux. Impossible de les séparer en paquets entiers égaux ! C'est que 7 est un nombre premier. Cela est indépendant des cailloux, de la notation, de la conscience humaine. C'est un fait, incontournable et absolu. C'est vrai avec 7 cailloux, 7 moutons, 7 galaxies. C'est vrai indépendamment de la nature des objets. Et c'était bien sûr vrai avant que les humains n'apparaissent sur la Terre.

Supposons que les structures mathématiques sont effectivement sous-jacentes à la constitution de l'Univers — et donc que les mathématiciens ne font que les découvrir[10].

---

10. Bien sûr, ce n'est qu'une supposition. Par exemple, à l'intérieur de chacune des branches des mathématiques, ce ne sont pas toutes les sous-branches qui ont des applications. Il y en a beaucoup qui semblent toujours être des mathématiques pures. Trouveront-elles un jour une application ? Nul ne le sait. Y a-t-il une infinité de ces sous-branches ? Autrement dit, y a-t-il une infinité de possibilités mathématiques ? Dans l'affirmative, il est alors peu probable que les mathématiques relèvent d'une découverte. Elles seraient plutôt une création, et seulement un petit sous-ensemble des mathématiques aurait un lien avec la réalité. À moins que cette éventuelle infinité de structures ne soit qu'illusoire : comme le dit Jean Dieudonné, il y a des mathématiques vides et des mathématiques significatives. Seules ces dernières relèveraient d'une découverte. Et seules ces dernières seraient source d'applications fondamentales. Bref, la question est loin d'être réglée. Poursuivons néanmoins avec notre point de vue.

Comment les mathématiciens travaillent-ils ? Avec leur cerveau. Mais leur cerveau est justement une partie de l'Univers. Ne serait-il pas alors naturel de concevoir que, à un certain niveau très profond, la structure du cerveau reflète celle de l'Univers ? Et puisque la structure du cerveau conditionne sûrement la façon de penser, il est alors tout naturel d'imaginer que les produits de cette réflexion révèlent d'une certaine façon la structure du cerveau, et donc celle de l'Univers. Autrement dit, les mathématiciens vont justement concevoir les mathématiques qui décrivent l'Univers. Et l'efficacité déraisonnable des mathématiques n'aurait rien de mystérieux.

Qui a peur de l'autoréférence ?

Le cerveau des mathématiciens étant une partie de l'Univers, l'Univers s'auto-expliquerait. Remarquez qu'une telle autoréférence n'est pas nécessairement stérile. Par exemple, le comportement des particules élémentaires est décrit par la théorie des champs. Qu'est-ce qu'un champ ? Un assemblage infini d'oscillateurs. Qu'est-ce qu'un oscillateur ? Un ressort. Qu'est-ce qu'un ressort ? Un assemblage de particules. Qu'est-ce qu'une particule ? Un objet décrit par la théorie des champs... Autrement dit, c'est la physique des particules qui explique la physique des matériaux qui explique le comportement linéaire d'un ressort qui explique le comportement des oscillateurs qui explique le comportement d'un champ qui explique le comportement des particules. Bref, les particules expliquent les particules... Et, en particulier, pour en revenir à nos mathématiciens, une petite partie de l'Univers (le cerveau) contient l'explication de tout l'Univers (le cosmos). Vous avez dit invariance d'échelle... ?

Théorème de Gödel et théorie quantique

Le théorème de Gödel trouvera-t-il un jour une application en physique ? Peut-être. Voici une analogie très hypothétique*. Généralement, à l'intérieur d'un cadre donné, on peut démontrer qu'une assertion est vraie ou fausse. Autrement dit, un raisonnement logique conduit à l'une des deux valeurs de vérité. On peut considérer ce raisonnement comme un genre de processus causal : une cause produit un effet donné (comme en physique classique). Or, selon le théorème de Gödel, ce n'est pas toujours le cas. Il existe dans toute construction mathématique le moindrement complexe des assertions dont il est impossible de démontrer si elles sont vraies ou fausses. On dit qu'elles sont indécidables**. De même en théorie quantique : étant donné son indéterminisme fondamental, il est impossible dans certaines circonstances de décider (prévoir) si le résultat expérimental sera oui ou non — il n'y a plus de causalité. Autrement dit, une proposition décidable correspondrait à la physique classique (déterministe) et une proposition indécidable à la physique quantique (indéterministe).

　　Comment peut-on démontrer qu'un certain problème de mathématiques est indécidable ? Supposons que, à partir d'un ensemble d'axiomes donné E, on cherche à démontrer si une proposition est vraie ou fausse, ou, en d'autres mots, si la réponse à une question est « oui » ou « non ». On cherche... mais en vain. Cependant, on s'aperçoit que si on ajoute un certain axiome à ceux présents dans l'ensemble initial, on peut démontrer que la réponse est « oui », tandis que si on ajoute un axiome différent on peut démontrer que la réponse est « non » ! Par conséquent, il est clair que les axiomes de départ seuls ne peuvent permettre de répondre à la question. En effet, si E + *a* implique « oui » et si E + *b* implique « non », alors E tout seul ne peut impliquer l'une ou l'autre de ces réponses sans provoquer de contradiction. La question est donc indécidable. Néanmoins, lorsqu'une question est indécidable, on peut lui attribuer une réponse (en ajoutant l'un ou l'autre des axiomes à ceux présents au départ) et continuer à raisonner — jusqu'à la prochaine question indécidable...

De la même façon, dans le cadre d'une expérience sur un système quantique, on ne peut calculer (prévoir) le résultat de la mesure et donc l'évolution ultérieure du système. Mais, si on incorpore le résultat de la mesure (réponse à la question du spin, par exemple), on peut alors continuer à calculer l'évolution du système — jusqu'à la prochaine mesure indécidable. Autrement dit, chaque nouvelle question indécidable donne lieu à une bifurcation selon que l'on choisisse une réponse ou l'autre. Chaque question indécidable impose donc un choix qui ne peut pas être fait logiquement : il doit être fait au hasard avant de poursuivre. De la même façon, chaque mesure donne lieu à une bifurcation selon le résultat expérimental. Chaque choix doit être fait au hasard. Bref, le théorème de Gödel dit qu'avec un nombre fini d'axiomes, on ne peut pas avoir réponse à tout, tandis que la théorie quantique indique qu'avec un nombre fini de conditions initiales, on ne peut pas prédire tous les résultats expérimentaux.

---

* *Voir* par exemple : CHAITIN, Gregory J. « Hasard et imprévisibilité des nombres », *La Recherche*, Hors-Série n° 2, août 1999, p. 60. *Voir* aussi : SVOZIL, Karl. « Randomness & Undecidability in Physics », *World Scientific*, 1993.

** On utilise ici le mot « indécidable » dans un sens large. Par ailleurs, l'expression « le moindrement complexe » signifie « au moins aussi complexe que l'arithmétique élémentaire sur les nombres entiers ».

Pour aller plus loin

CHANGEUX, Jean-Pierre et Alain CONNES. *Matière à penser*, collection Point, Paris, Odile Jacob, 1992, 267 p.

Un célèbre neurologue et un célèbre mathématicien dialoguent sur le sens des mathématiques.

Une douzaine de perles mathématiques*

Jacques LABELLE
UQÀM

> — *Cette pizza, vous la voulez coupée en quatre ou en huit ?*
> — *Coupez-la en quatre ! Je n'ai jamais assez faim pour huit pointes.*
>
> Yogi BERRA

De nombreuses personnes n'aiment pas, pour ne pas dire détestent, la mathématique, car elles considèrent que c'est une discipline terne et aride. Pour elles, faire des mathématiques, c'est additionner ou multiplier des entiers, des fractions ou des polynômes, résoudre des centaines d'équations toutes semblables et mémoriser des formules, sans les comprendre. Une activité plutôt terne et aride, en effet !

Le but de cet article est de montrer qu'en mathématiques imagination, logique, intuition et beauté occupent une place importante. Nous avons assemblé plusieurs problèmes (des perles !) où seule une idée originale et parfois surprenante est à l'origine de la solution.

1. Le patio brisé

a) On veut construire un patio en béton de 8 mètres sur 8 mètres à l'aide de 32 dalles rectangulaires de 1 mètre sur 2 mètres. C'est très facile, mais c'est lourd !

b) Peut-on construire un patio auquel manquent deux carrés diagonalement opposés d'un mètre carré chacun, avec 31 dalles cette fois ? Même si, a priori, il n'y a aucun problème en ce qui concerne l'aire, c'est moins facile. Allégeons le problème en le remplaçant par un problème équivalent.

---

*   « Il y a trois sortes de mathématiciens : ceux qui savent compter et ceux qui ne savent pas compter. »

Peut-on recouvrir un échiquier (qui comporte normalement 64 cases) auquel manquent deux cases blanches diagonalement opposées (figure 1) avec 31 dominos (les dominos couvrant exactement deux cases adjacentes) ?

Solution   Non. Chaque domino couvre une case blanche et une case noire. Il y a 32 cases noires et 30 cases blanches à couvrir; au mieux, le 31ᵉ domino devra couvrir deux cases noires !

c) Si on enlève plutôt deux cases de couleur opposée, n'importe où sur l'échiquier, peut-on cette fois recouvrir les 62 cases restantes avec 31 dominos ?

Solution   Oui. Mais comment le démontrer ? La figure 2 présente une façon astucieuse de le faire.

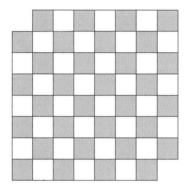

Figure 1

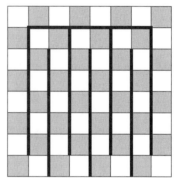

Figure 2

Cette figure décrit un circuit parcourant les 64 cases de l'échiquier. En enlevant une case blanche et une case noire (n'importe lesquelles), le circuit est divisé en deux chemins, *tous deux de longueur paire* (l'un des deux pouvant être vide), qu'il est facile de recouvrir en les parcourant avec des dominos. Le tour est joué !

2.   Jouons à saute-mouton

La figure 3 représente 15 moutons qui désirent sauter par-dessus la clôture. Non, ne vous endormez pas tout de suite, car il y a un problème. Les moutons ne peuvent s'échapper qu'en « jouant à saute-mouton ». Pourront-ils tous sortir de l'enclos ?

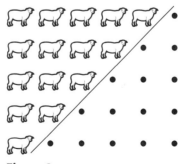

Figure 3

Solution Les seuls coups permis pour résoudre cette énigme sont décrits à la figure 4. On s'aperçoit que seuls 12 des 15 moutons pourront sauter par-dessus la clôture.

Encore là, une seule figure explique tout (figure 5).

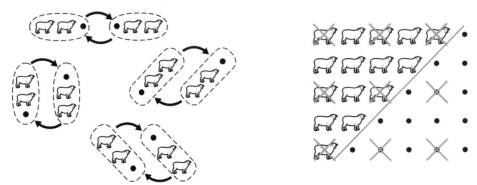

Figure 4   **Figure 5**

Les six moutons marqués d'un X se battent pour trois places! Impossible de faire mieux !

3. L'âge des trois fils

Arthur et Victor se rencontrent après s'être perdus de vue depuis leur enfance.

VICTOR. — Arthur, as-tu des enfants ?

ARTHUR. — J'ai trois fils.

VICTOR. — Quel âge ont-ils ?

ARTHUR. — Essaie de deviner, tu sais combien j'aimais les énigmes à l'école... Je te donne des indices.

VICTOR. — O. K. ! J'écoute.

ARTHUR. — Premier indice : le produit de leurs âges est 36.

VICTOR. — Il y a plusieurs possibilités.

ARTHUR. — Deuxième indice : tu vois le bâtiment là-bas, son nombre d'étages est équivalent à la somme des âges de mes trois fils.

Victor compte les étages et dit : « Je manque d'indices. »

ARTHUR. — Troisième indice : mon plus vieux a les yeux bleus.

VICTOR. — Merci pour cet indice, maintenant je connais les âges.

Expliquez la logique du raisonnement de Victor.

Solution Soit x, y, z les âges sachant que $0 \leq x \leq y \leq z$. D'après le premier indice, pour le triplet (x, y, z), il y a huit possibilités : $(1, 1, 36)$, $(1, 2, 18)$, $(1, 3, 12)$, $(1, 4, 9)$, $(1, 6, 6)$, $(2, 2, 9)$, $(2, 3, 6)$, $(3, 3, 4)$. Après avoir entendu le second indice, Victor compte le nombre d'étages et compare le total $x + y + z$ dans les huit cas :

Totaux : 38, 21, 16, 14, 13, 13, 11, 10.

La subtilité ici est que le manque d'indices est en soi un indice ! En effet, si le bâtiment a 38, 21, 16, 14, 11 ou 10 étages, il trouve la réponse. Mais, puisqu'il en a 13, Victor ne peut trancher entre un an, six ans et six ans, ou deux ans, deux ans et neuf ans. Le troisième indice, qui parle d'un plus vieux, lui permet de conclure que les trois fils ont deux ans, deux ans et neuf ans. Lorsqu'on a deux fils de six ans, on ne peut dire : « Le plus vieux a les yeux bleus. »

4. Le paradoxe du garçon d'ascenseur

Ceci est un classique. Trois personnes arrivent à l'hôtel. Le patron leur demande 30 $, puis, pris de remords (car le prix habituel est de 25 $), il donne 5 $ au garçon d'ascenseur et lui demande d'aller rembourser les trois clients. Le garçon se dit : « Pour partager 5 $ en trois, je garde 2 $ et je remets 1 $ à chacun. »

Chacun des trois clients a donc payé 9 $. Surprise : neuf fois trois, plus les 2 $ du garçon, ça fait 29 $ et non 30 $.

Où est passé le dollar perdu ?

Solution Plutôt que d'additionner les 27 $ payés et les 2 $ reçus par le garçon d'ascenseur, il faut retrancher. Neuf fois 3 $ moins 2 $, cela correspond bien à : 30 $ − 5 $ = 25 $, la somme reçue par le patron.

5. Un problème de menuiserie

Dans les quincailleries, on paie le bois soit d'après le volume, soit suivant le nombre de coupes à effectuer. Étant donné un cube de bois de 3 mètres sur 3 mètres sur 3 mètres, comment le découper en 27 cubes égaux (d'un mètre cube chacun) en faisant le moins de coupes possible ? On peut facilement le faire en six coupes (soit deux dans chacune des trois dimensions); mais, en déplaçant les morceaux pour augmenter la longueur des coupes, peut-on faire mieux ? Essayez, vous verrez qu'il y a beaucoup de possibilités ! Y aurait-il moyen de ne faire que cinq coupes ?

Solution Non. Les six faces du cube central nécessitent forcément six coupes !

6. Un jeu difficile

Considérons le jeu suivant pour deux joueurs *A* et *B*. *A* commence et choisit un entier entre 1 et 9. Puis, c'est *B* qui choisit un de ceux qui restent, et ainsi de suite en alternant. Le gagnant est le joueur qui, le premier, obtient un total de 15 avec trois des nombres qu'il a choisis. Qui gagne ? Et comment doit-il jouer ?

Solution Regardez le carré magique ci-contre :

Trois cases en ligne (horizontale, verticale ou diagonale) représentent toujours un total de 15 et, réciproquement, trois cases formant un total de 15 sont forcément en ligne. Si ce jeu semble difficile au départ, avec le carré magique, il revient à jouer au tic-tac-toe ! Il suffit de faire des ronds pour les choix de *A* et des ✗ pour ceux de *B*.

8	1	6
3	5	7
4	9	2

7. L'araignée pressée

Une araignée se trouve à 3 mètres du sol et au milieu du mur de 3 mètres de largeur et de 4 mètres de hauteur dans une pièce de 3 mètres sur 4 mètres sur 5 mètres de longueur. Elle veut se rendre à un mètre du sol au milieu du mur opposé en marchant le long des murs, du plancher ou du plafond.

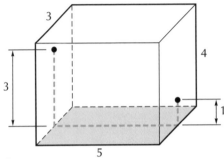

Figure 6

Si elle suit l'itinéraire de la figure 6, l'araignée parcourra 3 + 5 + 1 = 9 mètres.
Il existe cependant un trajet plus court ! Lequel ?

Solution En dépliant les murs de la pièce, on trouve un autre trajet, qui mesure $\sqrt{68} \approx 8{,}25$ m mètres de longueur.

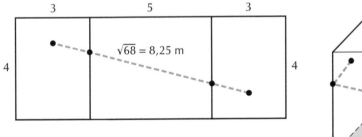

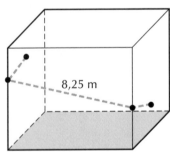

Figure 7

8. Le nombre de parties dans un tournoi par élimination

Supposons un tournoi par élimination réunissant n joueurs. Le jeu ne comporte pas de parties nulles. Combien y aura-t-il de parties ?

1er exemple : $n = 64$. Première ronde : 32 parties. Deuxième ronde : 16 parties. Puis 8, 4, 2, 1. Total : 63 parties.

2e exemple : $n = 77$. Première ronde : 38 parties, 38 gagnants et un bye (c'est-à-dire un gagnant par défaut). Deuxième ronde : 19 parties, 20 gagnants, etc., 10, 5, 2, 1, 1. Total : 76 parties. Oups ! C'est compliqué !

Solution En y regardant de plus près, on voit que ce problème est un attrape-nigaud. À chaque partie, on élimine un joueur ! La réponse est donc : $n - 1$ parties.

9. Un attrape-nigaud

Comment placer 10 billes dans trois verres de façon que chaque verre contienne un nombre impair de billes ?

Comme un nombre pair tel 10 ne peut être la somme de trois nombres impairs, cela semble impossible. Pourtant, regardez ci-dessous.

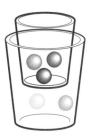

10. Un problème de probabilités

Une urne contient n boules blanches et m boules noires. On retire deux boules :

– si elles sont de la même couleur, on les enlève et on ajoute une nouvelle boule blanche;
– si elles sont de couleur différente, on les enlève et on ajoute une nouvelle boule noire.

Après chaque opération, il y a donc une boule de moins dans l'urne.

En fonction de n et de m, il faut trouver la probabilité p que la dernière boule, après forcément $n + m - 1$ opérations, soit blanche (et la probabilité $1 - p$ que la dernière boule soit plutôt noire). Cela semble très difficile.

Solution À bien y penser, la parité du nombre m de boules noires ne change pas. Si au départ m est pair, il restera toujours pair, et la dernière boule sera forcément blanche; donc, $p = 1$. Si au contraire m est impair, il restera toujours impair, et la dernière boule sera forcément noire; donc, $p = 0$.

11. Un problème de cuisson

Fred Caillou veut faire cuire trois steaks de brontosaure sur son barbecue. Les convives les veulent cuits à point, soit 3 minutes de chaque côté. Hélas ! Le barbecue ne peut contenir que deux steaks à la fois. Fred prépare les steaks en 12 minutes : deux steaks d'un côté, puis les deux de l'autre; ensuite, le troisième steak d'un côté puis de l'autre.

Pouvez-vous faire mieux ?

Solution Oui, 9 minutes suffisent. On cuit d'abord un côté des steaks 1 et 2, puis le deuxième côté du steak 2 et le premier côté du steak 3, enfin, le deuxième côté des steaks 1 et 3 !

12. Le merveilleux monde des statistiques sportives

Deux joueurs de baseball, *A* et *B*, ont participé à toutes les parties de la saison. À chacune des parties, la moyenne au bâton (soit le nombre de coups sûrs divisé par le nombre de présences au marbre) du joueur *A* a été meilleure que celle du joueur *B*. Pourtant, sa moyenne pour la saison est inférieure à celle de *B*. Y a-t-il eu une erreur ou bien cela est-il possible ?

Solution Oui, c'est très possible ! Les moyennes ne sont en effet pas calculées à partir du même nombre de présences au bâton.

Disons, par exemple, que durant la saison il y a eu 200 parties, soit 100 programmes doubles.

Dans les premières parties des programmes doubles, *A* a frappé 1 en 8 et *B* a frappé 0 en 1.

Dans les secondes parties des programmes doubles, *A* a frappé 1 en 2 et *B* a frappé 4 en 9.

À chaque partie, *A* a donc une meilleure moyenne au bâton. Pourtant, à la fin de la saison (en fait, après chaque programme double), la moyenne de *A* est de 200, comme disent les commentateurs, et celle de *B* est de 400, soit le double !

Bien sûr, les mathématiques sont une science exacte, dont l'édifice de formules et de théorèmes est en construction depuis des millénaires. C'est pourquoi certains les considèrent comme une discipline aride et terne. Pourtant, lorsqu'on l'étudie plus en détail, on se rend compte de la beauté du sujet. C'est une discipline vivante, pleine de surprises, où l'intuition, l'imagination et les idées originales ont toujours leur place. J'espère que ces 12 perles mathématiques vous ont diverti et convaincu qu'on peut faire des mathématiques tout en s'amusant.

Pour aller plus loin

COURANT, Richard et Herbert ROBBINS. *What is Mathematics*, 4e édition, Oxford, Oxford University Press, 1981, 521 p.

DAVIS, Philip J. et Reuben HERSH. *L'Univers mathématique*, Paris, Bordas, 1981, 440 p.

GARDING, Lars. *Encounter with Mathematics*, New York, Springer-Verlag, 1977, 270 p.

MASON, John. *L'Esprit mathématique*, Collection La Spirale, Mont-Royal, Modulo Éditeur, 1994, 200 p.

PETERSON, Ivars. *The Mathematical Tourist*, New York, W. H. Freeman and Company, 1988, 240 p.

STILLWELL, John. *Mathematics and its History*, New York, Springer-Verlag, 1989, 371 p.

Note de l'éditeur : Ce texte est paru dans *Bulletin AMQ*, vol. 38, n° 4, 1998, sous le titre « Une douzaine de perles mathématiques ».

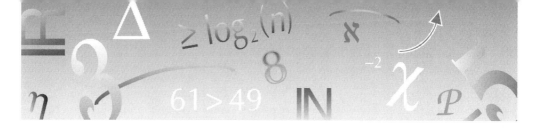

Les mathématiques et la magie

Éric Doddridge
Centre d'études collégiales en Charlevoix

Le magicien prend un paquet de cartes et exécute un tour avec brio. Tonnerre d'applaudissements ! Cependant, qui aurait cru que derrière ce tour se cachaient des mathématiques ?

Vous trouverez ici une description détaillée de trois tours de magie qui s'expliquent par les mathématiques. Pour chacun, on indique la marche à suivre, on donne un exemple et on présente le raisonnement mathématique qui élucide le tour.

Pour deviner une carte tirée au hasard

Marche à suivre

Munissez-vous d'un jeu de cartes. Demandez à une personne de tirer une carte en prenant soin de bien la cacher, puis d'effectuer mentalement les opérations suivantes :

1. Doubler la valeur numérique de la carte (as = 1, valet = 11, dame = 12 et roi = 13).

2. Ajouter 1.

3. Multiplier par 5.

4. Ajouter 6 si la carte est un carreau, 7 si c'est un cœur, 8 si c'est un pique et 9 si c'est un trèfle.
   (Cette opération peut être personnalisée. Cependant, placer les couleurs en ordre alphabétique constitue un choix logique.)

5. Demander à la personne de donner la réponse. Vous êtes maintenant en mesure d'identifier la carte qu'elle a tirée.

Explications et exemple

Supposons que la personne vous donne 73 comme réponse. Pour déterminer la carte choisie, commencez par soustraire 5 de ce nombre. Vous obtenez 68 et vous avez la réponse. En effet, le dernier chiffre vous indique la couleur de la carte (6, 7, 8 ou 9 selon les codes que vous vous êtes donné en 4), tandis que le ou les deux premiers chiffres vous indiquent la carte tirée[1]. Dans cet exemple, le participant avait donc choisi le 6 de pique.

Preuve

Il nous suffit de prendre une carte quelconque dont la valeur numérique est AB. Ensuite, il ne nous reste plus qu'à exécuter les opérations prévues.

Si on effectue les calculs sur le nombre AB, on ne verra pas ce qui se produit à chaque étape. Pour contourner cette difficulté, on doit se souvenir que $AB = 10A + B$ (par exemple, $35 = (10 \times 3) + 5$).

1. Doubler la valeur numérique de la carte.

$$2 \cdot AB = 2 \cdot (10A + B)$$
$$= 20A + 2B$$

2. Ajouter 1.

$$20A + 2B + 1$$

3. Multiplier par 5.

$$5(20A + 2B + 1) = 100A + 10B + 5$$

4. Ajouter 6 si c'est un pique, etc. Pour faciliter la généralisation, on pose que le « code couleur » est C.

$$100A + 10B + 5 + C$$

5. Maintenant soustrayez 5 du résultat. Vous obtenez[2] :

$$100A + 10B + 5 + C - 5 = 100A + 10B + C$$
$$= ABC$$

Ainsi, le résultat obtenu est un nombre de deux ou trois chiffres où les deux premiers, AB, nous donnent le numéro de la carte choisie et le dernier, C, la couleur. ∎

L'addition magique

Marche à suivre

Demandez à deux volontaires d'écrire chacun un nombre de six chiffres. Ensuite, inscrivez vous-même un nombre de six chiffres sous ces deux premiers nombres. Demandez maintenant à un troisième spectateur de vous donner un quatrième nombre de six chiffres que vous inscrivez sous le vôtre. Finalement, inscrivez un cinquième nombre de six chiffres, tirez un trait, indiquez immédiatement la somme de ces cinq nombres, et devant votre auditoire mystifié, demandez à une personne de vérifier votre réponse.

---

1. Une des beautés de ce tour est qu'il permet de détecter les erreurs de calcul que les volontaires ont pu faire. En effet, supposons qu'on vous donne 37 comme résultat final. Mentalement, vous soustrayez 5 pour obtenir 32. Cela vous dit que la carte tirée est un 3. Or, 2 devrait représenter la couleur de la carte. Puisque 2 n'est pas une valeur possible (dans notre exemple, les valeurs possibles sont 6, 7, 8 ou 9), vous pouvez dire au volontaire qu'il a fait une erreur de calcul à l'une des étapes.

2. Il ne faut pas oublier que $100 \cdot 3 + 10 \cdot 5 + 4 = 354$.

Exemple

Les nombres précédés d'un (V_i) renvoient aux nombres donnés par un volontaire, ceux précédés par un (M_i) sont les vôtres et celui précédé d'un (R) est votre réponse.

$$
\begin{array}{ll}
(V_1) & 6\ 8\ 9\ 5\ 4\ 1 \\
(V_2) & 8\ 6\ 5\ 7\ 2\ 7 \\
(M_1) & 3\ 1\ 0\ 4\ 5\ 8 \\
(V_3) & 6\ 8\ 9\ 5\ 3\ 2 \\
(M_2) & 1\ 3\ 4\ 2\ 7\ 2 \\
\\
(R) & 2\ 6\ 8\ 9\ 5\ 3\ 0
\end{array}
$$

Preuve

La difficulté réside bien sûr dans les nombres que vous choisissez. En effet, remarquez que M_1 est choisi de façon que

$$V_1 + M_1 = 999\ 999 = 1\ 000\ 000 - 1$$

et que

$$V_2 + M_2 = 999\ 999 = 1\ 000\ 000 - 1.$$

Ainsi,

$$V_1 + M_1 + V_2 + M_2 = 2\ 000\ 000 - 2.$$

Donc, la somme recherchée doit être $V_3 + 2\ 000\ 000 - 2$. Or, effectuer cette somme n'est pas difficile; il suffit d'ajouter un 2 devant V_3 et de soustraire 2 de ce nombre. ∎

Généralisations

1. Vous pouvez généraliser ce tour en prenant des nombres de 2, 3, 4, 5, ... chiffres. Une autre généralisation possible serait de sommer 3, 5, 7, 9, 11 nombres ou plus.
   Dans tous les cas, il ne faut pas oublier d'adapter l'opération « 2 000 000 − 2 » en conséquence.

2. Au lieu de faire $V_1 + M_1$ et $V_2 + M_2$, vous auriez pu faire $V_2 + M_1 = V_3 + M_2 = 999\ 999$. Cette astuce peut vous permettre de dissimuler votre truc si un volontaire vous donne un nombre tel que 100 000.

Le curieux rectangle d'Alain Choquette

À l'occasion d'une chronique de magie dans la revue *Le Lundi*, Alain Choquette avait présenté un tour dans lequel il transformait un carré en un rectangle possédant une aire supérieure.

Soit le carré suivant dont l'aire est $8 \times 8 = 64$.

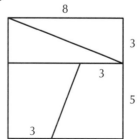

Découpons-le en pièces que nous replaçons de façon à former le rectangle suivant :

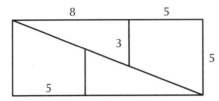

Nous remarquons que l'aire de ce rectangle, constitué des mêmes pièces que le carré, est maintenant 13 × 5 = 65. Voilà, la construction est faite. Vous venez de transformer un carré d'aire donnée en un rectangle ayant une aire supérieure ! Un certain Lavoisier n'a-t-il pas dit : « Rien ne se perd, rien ne se crée, tout se transforme » ? Et tant qu'à faire, vous pouvez conclure que, si 64 = 65, alors 0 = 1 !

Explication et preuve

En réalité, ce problème est aussi connu sous le nom de « paradoxe de Lewis Carroll ». Une étude plus approfondie des nombres de Fibonacci met en relief l'origine de ce paradoxe. En effet, les nombres que nous avons utilisés sont en fait des nombres de Fibonacci. De façon plus générale, nous pouvons utiliser un carré et un rectangle construits de la façon suivante, où F_{2n} représente un nombre de Fibonacci[3] pour $n \in \mathbb{N}$:

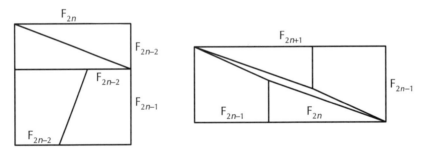

On peut apercevoir un parallélogramme qui est l'unité manquante pour que l'aire du carré soit égale à celle du rectangle. On pouvait croire, au début, à une erreur de manipulation ou de découpage, mais il est bel et bien impossible d'aligner tous les sommets sur la diagonale. Vous êtes sceptique ? Alors, calculez la valeur de la pente sur chacune des sections de la droite. Vous remarquerez que cette valeur n'est pas constante. Or, sur une droite, la pente est constante, alors... Encore là, il reste une question à laquelle il faut répondre. Pourquoi utiliser ces nombres-là ? La raison est toute simple : c'est une conséquence de l'identité : $(F_{2n})^2 = F_{2n-1} \cdot F_{2n+1} - 1$. Sachant que l'aire d'un carré est donnée par la mesure de son côté élevée au carré et que l'aire d'un rectangle est donnée par le produit de la mesure de sa base et de celle de sa hauteur, nous pouvons relire l'égalité de la façon suivante : *l'aire d'un certain carré de F_{2n} unités de côté correspond à l'aire d'un rectangle mesurant F_{2n-1} unités sur F_{2n-1} unités diminuée de 1.*

---

3 . Concernant les nombres de Fibonacci, je vous invite à consulter le texte d'Isabelle Déchène intitulé « De Divina Proportione » dans le présent recueil.

Bibliographie

FROHLICHSTEIN, Jack. *Mathematical Fun, Games and Puzzles*, New York, Dover Publications, 1962, 306 p.

GARDNER, Martin. *Math'festival*, Paris, Pour la science, 1981, 176 p.

GARDNER, Martin. *Math'circus*, Paris, Pour la science, 1982, 144 p.

JONES, S. I. *Mathematical Wrinkles; a Handbook for Teachers and Private Learners,* Nashville, S. I. Jones, 1929, 361 p.

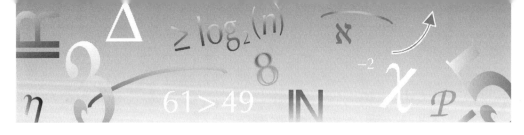

Tâches herculéennes ou sisyphéennes ?

Un regard neuf sur le phénomène d'incomplétude en logique mathématique

Bernard R. HODGSON
Université Laval

Hercule ou Sisyphe ? Le héros doté d'une force exceptionnelle et capable d'exploits formidables ? Ou l'infortuné confronté à une tâche sans fin, condamné à rouler éternellement sur le flanc d'une montagne un rocher qui en dévale la pente aussitôt le sommet atteint ? Lequel de ces deux personnages de la mythologie grecque viendrait spontanément à l'esprit lorsqu'on songe à certains problèmes mathématiques dont on ne sait trop *a priori* si leur solution représente une tâche réalisable, quoique colossale, ou au contraire une tâche totalement impossible à achever ?

à jamais

l'hydre

Considérons par exemple l'éventualité qu'un exposant *n* supérieur à 2 soit tel que l'équation $x^n + y^n = z^n$ ait des solutions entières non nulles. Une célèbre proposition, due à Pierre de Fermat (1601–1665), affirme justement qu'un tel exposant n'existe pas. Jusqu'à ce que le mathématicien britannique Andrew Wiles obtienne enfin, en 1994, une démonstration satisfaisante de ce « dernier théorème de Fermat » (la preuve qu'il avait annoncée l'année précédente comprenait une faille devant être corrigée), plusieurs ont cru qu'il s'agissait là du cas type de la situation sisyphéenne. Il faudrait même peut-être dire « doublement sisyphéenne », car non seulement les opposants à la thèse de Fermat ne parvenaient pas à identifier de valeurs concrètes de *n* correspondant à des solutions, mais encore tous ceux qui, au fil des âges, avaient cru à portée de la main une démonstration de l'affirmation de Fermat avaient vu leurs espoirs déçus. On sait maintenant, grâce aux travaux de Wiles, que ce problème en est plutôt un dont la solution représente une tâche herculéenne : extrêmement difficile, mais néanmoins réalisable.

D'autres situations d'apparence sisyphéenne, mais en réalité herculéennes, ont été mises en lumière ces dernières années. De façon tout à fait étonnante, des liens ont pu être établis entre certains des problèmes ainsi étudiés et le phénomène d'*incomplétude du formalisme mathématique* découvert au début des années 30 par le logicien autrichien Kurt Gödel (1906–1978). Il en ressort que, contrairement à ce qu'ont pu en penser nombre de mathématiciens ou d'épistémologues, l'incomplétude ne porte pas que sur des énoncés plus ou moins ésotériques sans lien véritable avec le quotidien du mathématicien. Les recherches récentes ont en effet montré que l'incomplétude guette constamment celui-ci dans son travail et peut survenir sans crier gare dans presque tout contexte mathématique. Finie donc l'indifférence douillette du mathématicien, à l'abri des considérations d'ordre « métamathématique » ! Mais en quoi consiste au juste ce changement majeur de perspective ?

1. Gödel pour tous

La *métamathématique* étudie les mathématiques telles qu'elles se pratiquent, en particulier en ce qui a trait à la nature et au rôle du raisonnement formalisé. Prenant sa source dans la « crise des fondements » déclenchée au début du siècle par la découverte de contradictions dans certains recoins des mathématiques (*voir* l'encadré intitulé *Le paradoxe de Russell*), la démarche métamathématique a connu son apogée dans le *programme de Hilbert,* du nom du grand mathématicien allemand David Hilbert (1862–1943), qui a cherché à démontrer rigoureusement la non-contradiction des mathématiques formalisées.

Le paradoxe de Russell (1902)

Appelons *C* la collection de tous les ensembles *X* satisfaisant à la propriété suivante : *X* n'est pas un élément de *X*. L'appartenance à *C* équivaut donc à rendre vraie la propriété définissante. Dans le cas particulier où on s'intéresse à l'affirmation « *C* est un élément de *C* », on en tire alors la conclusion que celle-ci est vraie si, et seulement si, l'affirmation « *C* n'est pas un élément de *C* » est également vraie. Situation contradictoire, et la conclusion qui s'impose est que la propriété définissante de *C* est inacceptable.

Découvert par le mathématicien et philosophe anglais Bertrand Russell (1872–1970), ce paradoxe montre que la théorie « naïve » des ensembles est contradictoire et qu'il n'est donc pas possible de travailler avec les ensembles sans se donner certains garde-fous. L'objectif des nombreuses formalisations de la théorie des ensembles élaborées au cours du xxᵉ siècle est précisément de restreindre les règles de formation des ensembles de façon à assurer l'absence de contradiction. Les recherches métamathématiques, plus généralement, visent à consolider les fondements des mathématiques et à garantir au mathématicien un contexte où il peut évoluer sans crainte de se heurter à une contradiction au moindre détour.

Déjà chez Leibniz (1646–1716) se retrouve l'idée de transposer le raisonnement dans un cadre formel à l'aide d'un symbolisme et de règles de déduction appropriés. Et lorsque Hilbert propose son programme, des progrès considérables ont précédemment été accomplis vers la réalisation de cet objectif, surtout depuis le milieu du xixᵉ siècle. Mais, en 1931, coup de théâtre : Gödel ébranle la communauté scientifique en publiant ses fameux *théorèmes d'incomplétude*, qui révèlent des limitations très strictes au formalisme mathématique et portent, par le fait même, un coup fatal au programme de Hilbert.

Le *premier* de ces théorèmes établit l'existence, dans tout système formel satisfaisant à certaines conditions très générales — système englobant par exemple la théorie de l'*arithmétique élémentaire* de l'addition et de la multiplication, ce qui est vraiment minimal si on veut faire un tant soit peu de mathématiques — d'*un énoncé vrai qui n'est pas démontrable* en vertu de ce système.

Quant au *deuxième* théorème d'incomplétude de Gödel, il fournit un exemple précis d'un tel énoncé : il s'agit de l'énoncé exprimant la cohérence du système formel lui-même. Et il est inutile de chercher à corriger ces lacunes du système en adoptant tout bonnement ces énoncés non démontrables comme nouveaux principes de base (*axiomes*), car d'autres énoncés à la fois vrais et indémontrables vont aussitôt surgir.

Les réactions face aux résultats de Gödel furent variées. Certains étaient fascinés par cette prise de conscience des limitations inhérentes au formalisme. Mais le mathématicien « typique » — entendre ici le mathématicien non préoccupé par les questions de nature épistémologique — considérait plutôt le phénomène de l'incomplétude comme étant étranger à son travail. Soit, en effet, qu'il s'agissait de l'explicitation d'une contrainte somme toute raisonnable (deuxième théorème) — pour être crédible, une preuve de cohérence d'un système formel peut difficilement résider à l'intérieur même de ce système — soit encore que l'énoncé indémontrable conçu par Gödel dans son premier théorème, qui est une variation astucieuse sur le thème du *paradoxe du menteur* (*voir* l'encadré *L'énoncé non démontrable de Gödel*), était perçu comme peu susceptible d'être relié aux problèmes étudiés « normalement » en mathématiques. C'est précisément à ce sujet que l'état des lieux a récemment changé. Et c'est là qu'on retrouve Hercule et Sisyphe.

L'énoncé non démontrable de Gödel

On sait depuis l'Antiquité que les phrases qui portent sur elles-mêmes peuvent mener à des situations bizarres. Ainsi en est-il de l'affirmation « cet énoncé est faux », attribuée au philosophe grec Eubulide (IVe s. av. J.-C.) : si l'affirmation en question est vraie, alors elle devient fausse; et réciproquement, si elle est fausse, alors elle devient vraie. Reposant lui aussi sur le phénomène de l'*autoréférence*, l'énoncé de Gödel peut être vu comme une variante de ce paradoxe du menteur; succinctement, il dit : « cet énoncé est non démontrable ». L'élaboration détaillée de l'énoncé de Gödel nécessite de nombreux développements techniques plutôt costauds, mais il n'est pas trop difficile de voir pourquoi il est à la fois *vrai* et *indémontrable*. En effet, si l'énoncé de Gödel était démontrable, il devrait affirmer une vérité, le formalisme ayant précisément été conçu de façon à ne démontrer que des choses vraies. Mais qu'affirme l'énoncé ? Qu'il est non démontrable. Bref, s'il est démontrable, il est non démontrable, donc contradiction ! On en conclut que l'énoncé est indémontrable, et par conséquent vrai, compte tenu qu'il proclame justement son caractère non démontrable. Plusieurs n'ont cependant vu dans l'énoncé de Gödel qu'une sorte de jeu linguistique sans rapport avec la pratique mathématique.

2.   La rencontre d'Hercule et de l'hydre, version nouvelle

Le second des douze travaux qu'Hercule s'était vu infliger fut son combat contre l'hydre de Lerne, monstre à neuf têtes, ou même plus selon les auteurs, qui repoussaient aussitôt coupées — certaines versions prétendent même que deux nouvelles têtes remplaçaient celle élaguée. La légende raconte comment Hercule vint à bout de l'hydre, avec l'aide de son neveu Iolaos qui brûlait sur-le-champ la plaie laissée par une tête tranchée, de manière à empêcher qu'elle ne repousse.

Les logiciens Laurie Kirby et Jeff Paris ont conçu, il y a quelques années, une hydre encore plus diabolique à opposer à Hercule, car le nombre de têtes bourgeonnant croît au fur et à mesure du déroulement de la bataille (*voir* l'encadré *Les règles du combat*). Malgré leur apparence anodine, les règles régissant le combat ont un effet tout simplement dévastateur car, après seulement quelques étapes, Hercule se trouve face à une hydre incroyablement touffue. Peut-il néanmoins la terrasser ? En termes plus crus, se comportera-t-il comme un Hercule mythique ou se verra-t-il, tel le piteux Sisyphe, emporté dans une corvée qui n'en finit plus ?

La réponse est qu'*Hercule va toujours gagner la bataille*, quelles que soient l'hydre qu'il affronte et la stratégie de combat qu'il utilise (sa réputation n'est donc pas surfaite !). Ce résultat, on ne peut plus stupéfiant, vient contredire l'intuition qui se dégage de l'étude de batailles concrètes, qui apparaissent simplement interminables — essayez et vous verrez. Durant son combat contre une hydre, Hercule aura à trancher une quantité formidable, mais *finie*, de têtes. En effet, si l'assemblage des têtes devient très dense, il ne s'élève cependant pas et forme un arbre qui reste près du sol, tel un bonsaï. Avec patience, Hercule pourra en venir à rabattre l'hydre près de sa racine, puis à exterminer les têtes restantes l'une après l'autre, sans qu'elles ne repoussent.

Le phénomène ici n'est pas sans rappeler celui des suites de Goodstein, dont il est question ailleurs dans ce volume (voir De Koninck et Hodgson [1]). Dans les deux cas, on fait face à une situation qui semble exploser de manière incontrôlable. Dans les faits, cependant, même s'il s'agit bel et bien de situations d'une complexité inouïe, il n'en demeure pas moins que ce sont des processus finis, qui se terminent après un certain temps — extrêmement long !

D'apparence sisyphéenne, le combat d'Hercule contre l'hydre est donc à proprement parler une tâche herculéenne (il en va de même du calcul des termes d'une suite de Goodstein : c'est une tâche tout à fait colossale, mais qui se termine, car on atteint toujours 0). Mais il y a plus : la dichotomie entre travaux herculéens et sisyphéens, que ce soit dans le contexte d'Hercule ou de Goodstein, prend une saveur nouvelle lorsqu'on l'aborde selon une autre perspective mettant en évidence le phénomène de l'incomplétude.

Les règles du combat

Une hydre est un arbre, c'est-à-dire un assemblage de points, chacun étant relié par un chemin unique à un point spécifique nommé racine. Une tête est un point autre que la racine situé à l'extrémité d'un chemin. À la n^e étape du combat, Hercule coupe l'une des têtes de l'hydre (marquée ci-après d'une barre oblique), après quoi l'hydre se régénère en faisant pousser, à partir du point situé deux niveaux plus bas vers la racine, n copies de la section contenant la tête amputée; si la tête est rattachée directement à la racine, l'hydre ne fait rien. Hercule gagne le combat si l'hydre est réduite à sa racine.

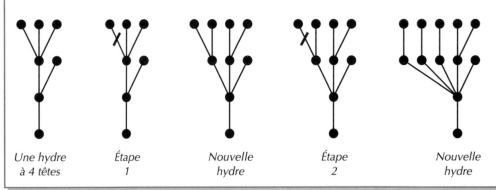

| Une hydre
à 4 têtes | Étape
1 | Nouvelle
hydre | Étape
2 | Nouvelle
hydre |

---

3.   Et l'incomplétude là-dedans ?

La quantité de têtes coupées par Hercule au cours d'un combat est absolument énorme : finie, mais dépassant sans contredit l'imagination la plus débridée. Ainsi, même si Hercule adoptait la cadence déchaînée d'une tête amputée chaque seconde, un combat contre une modeste hydre n'ayant au départ que quelques têtes pourrait durer si longtemps qu'en comparaison le nombre de secondes écoulées depuis le Big Bang semblerait insignifiant ! Et c'est justement cet aspect des choses qui fait surgir l'incomplétude.

Si on prend comme cadre de travail l'arithmétique élémentaire, tel qu'évoqué plus haut, on a en effet le double phénomène suivant. On peut d'abord simuler dans ce contexte les batailles d'Hercule comme des manipulations de nombres : c'est technique, mais pas trop difficile à réaliser (il s'agit d'associer un code numérique à chaque hydre). Il est par contre *impossible* d'y démontrer qu'Hercule gagne toujours : la démonstration rigoureuse de cette invincibilité nécessite des contextes plus riches, telle la théorie des *nombres ordinaux transfinis*. On peut en effet montrer qu'il y a une limite au rythme de croissance des fonctions pouvant être traitées en arithmétique élémentaire, et la fonction exprimant la durée des combats excède cette limite : elle croît beaucoup trop vite ! De la même manière, la fonction donnant la longueur des suites de Goodstein, c'est-à-dire le nombre de termes nécessaires avant d'atteindre 0, prend toujours des valeurs finies, mais sa croissance dépasse le cadre de l'arithmétique élémentaire.

Alors que notre mathématicien « typique » est porté à juger que l'énoncé mis au point par Gödel est artificiel, il perçoit les matchs Hercule contre l'hydre (ou le calcul des suites de Goodstein) comme des problèmes mathématiques légitimes — ils relèvent de la branche des mathématiques nommée *combinatoire*. Ce mathématicien sait démontrer que les batailles se soldent toujours par la victoire d'Hercule (ou que les suites de Goodstein convergent toutes vers 0), mais il ne peut le faire en arithmétique élémentaire, qui est pourtant le cadre formel naturel pour la combinatoire. Il se trouve ainsi en présence d'une proposition *vraie* mais *indémontrable* dans le cadre de la théorie dont elle relève. Bien que ces combats soient en fait herculéens, ils paraîtront donc sisyphéens pour quiconque prend l'arithmétique élémentaire comme « système de référence ». On aura noté que cet état des choses est teinté d'une sorte de relativité : la bataille semble sans fin pour un observateur situé « à l'intérieur » de l'arithmétique élémentaire, mais elle est en réalité finie, ce que l'on constate en se plaçant « en dehors » de l'arithmétique, dans un cadre formel plus puissant.

Le dernier théorème de Fermat, par son contenu, appartient lui aussi à l'arithmétique élémentaire; mais la démonstration qu'en a donnée Wiles utilise des outils mathématiques de très haut niveau, se situant bien au delà de ce cadre théorique. Peut-on espérer démontrer un jour que l'énoncé de Fermat, quoique herculéen, passe pour sisyphéen du point de vue de l'arithmétique élémentaire ? Un tel résultat serait fort révélateur, car il fournirait ainsi une sorte de mesure de la difficulté intrinsèque de ce théorème. Cette possibilité n'est pas exclue, mais les travaux de recherche en logique mathématique n'en sont cependant pas encore là.

Bibliographie

[1] DE KONINCK, Jean-Marie et Bernard R. HODGSON. « Ces nombres qui nous fascinent », dans *Mathématiques d'hier et d'aujourd'hui*, Mont-Royal, Modulo Éditeur, 2000, 220 p.

[2] GARDNER, Martin. *The Last Recreations*, New York, Springer-Verlag, 1998. Voir le chapitre 2 : « Bulgarian Solitaire and Other Seemingly Endless Tasks », p. 27-43 (d'abord paru dans *Scientific American*, août 1983, p. 12-21; traduction française publiée dans *Pour la science*, novembre 1983, p. 154-159).

[3] HOFSTADTER, Douglas. *Gödel, Escher, Bach : les brins d'une guirlande éternelle*, Paris, InterÉditions, 1985.

[4] KENT, Clement F. et Bernard R. HODGSON. « Extensions of Arithmetic for Proving Termination of Computations », *Journal of Symbolic Logic*, 54, 1989, p. 779-794.

[5] KIRBY, Laurie et Jeff PARIS. « Accessible Independence Results for Peano Arithmetic », *Bulletin of the London Mathematical Society*, 14, 1982, p. 285-293.

Pour aller plus loin

On trouvera dans le fascinant ouvrage de Hofstadter [3] un exposé des résultats de Gödel ainsi que le développement d'une analogie avec la musique de Jean-Sébastien Bach et les dessins de l'artiste néerlandais Maurits C. Escher (1898-1972). Nos analogies mythologiques trouvent leur origine dans l'article technique [5] où Kirby et Paris ont présenté leurs résultats, de même que dans le texte de vulgarisation [2] de Martin Gardner. Le texte de De Koninck et Hodgson [1] publié dans le présent volume reprend le thème de l'incomplétude dans le cadre de suites numériques introduites par Goodstein. Quant à l'article [4], il explore la possibilité d'utiliser les propriétés des suites de Goodstein pour définir des cadres formels permettant d'établir que certaines manipulations algorithmiques étudiées en informatique théorique sont finies.

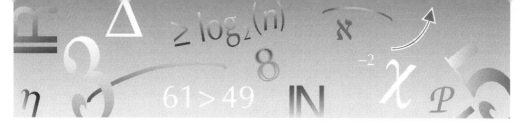

Ces nombres qui nous fascinent

Jean-Marie De KONINCK et Bernard R. HODGSON
Université Laval

L'anecdote est connue, mais elle vaut qu'on la rappelle, car elle met en lumière l'extraordinaire pouvoir de fascination des nombres. S'étant rendu au chevet de son protégé Srinivasa Ramanujan (1887-1920), le grand mathématicien anglais Godfrey H. Hardy (1877-1947) fit plaisamment remarquer combien le nombre 1729 que portait la voiture taxi qui l'avait amené lui semblait banal. Et de s'entendre rétorquer par son ami malade que, au contraire, ce nombre avait beaucoup d'intérêt, puisque c'était le plus petit entier positif pouvant s'écrire de deux manières différentes comme la somme de deux cubes parfaits :

$$1729 = 12^3 + 1^3 = 10^3 + 9^3.$$

On peut bien sûr considérer ce genre de remarque comme singulière, voire futile, mais pour peu que l'on se prête au jeu, on comprendra combien les nombres, la suite des entiers naturels par exemple, sont une intarissable source d'inspiration et d'émerveillement. C'est à ce genre de découverte que vous convie ce texte dans lequel nous relèverons les propriétés étonnantes de certains nombres fascinants[1] et tirerons au passage des conjectures sur des problèmes ouverts.

Une mise en garde s'impose toutefois. Il ne faut pas croire que le type de résultats présentés ici constitue l'essentiel du travail du mathématicien : le nombre n'est certes pas tout pour le mathématicien, et la plupart des recherches mathématiques actuelles portent sur des objets d'une complexité structurelle beaucoup plus vaste. Mais il reste que les nombres naturels, outre leurs applications abondantes et importantes, ont une vie propre et qu'ils représentent en quelque sorte un territoire commun, que partagent volontiers maints usagers des mathématiques (à tout le moins dans leurs « loisirs » mathématiques).

---

1. Insistons sur le fait que nous nous intéressons ici aux nombres *naturels* 0, 1, 2, 3, ..., aussi appelés *entiers non négatifs*; nous nous restreindrons parfois aux *entiers positifs* 1, 2, 3, etc.

Voici d'abord quelques balises pour faciliter la lecture du présent texte.

- Plusieurs des problèmes abordés ici se prêtent bien à une exploration systématique au moyen de l'ordinateur.
- Réciproquement, certaines réflexions théoriques viendront parfois guider l'exploration brute avec l'ordinateur et ainsi restreindre l'ampleur du champ d'investigation — sans quoi plusieurs des recherches indiquées deviendraient tout bonnement impraticables en raison de leur trop grande complexité.
- Les preuves présentées, délimitées par ■, ne sont pas essentielles à la poursuite de la lecture.
- Les sections de ce texte sont essentiellement indépendantes les unes des autres, de sorte qu'il n'est pas nécessaire d'avoir lu une section donnée avant de passer à une autre.

1. Quelques produits étonnants

Nous commençons par examiner quelques séries de produits présentant des régularités intéressantes.

A. Première série

Considérons par exemple le tableau suivant :

$$
\begin{aligned}
1 \times 9 &= 9 \\
12 \times 9 &= 108 \\
123 \times 9 &= 1\,107 \\
1\,234 \times 9 &= 11\,106 \\
12\,345 \times 9 &= 111\,105
\end{aligned}
$$

Une règle semble s'en dégager; pourriez-vous l'identifier et ainsi écrire d'un trait le résultat de la multiplication $123\,456 \times 9$ (sans effectuer le calcul) ?

Le tableau précédent ne vous a guère semblé frappant ? Modifions-le comme suit[2] :

$$
\begin{aligned}
1 \times 9 + 2 &= 11 \\
12 \times 9 + 3 &= 111 \\
123 \times 9 + 4 &= 1\,111 \\
1\,234 \times 9 + 5 &= 11\,111 \\
12\,345 \times 9 + 6 &= 111\,111
\end{aligned}
$$

Il est certainement facile d'écrire directement le résultat de $123\,456 \times 9 + 7$. Mais alors, comment expliquer la régularité apparente ?

Afin d'illustrer les phénomènes sous-jacents, examinons de plus près l'expression $(1\,234 \times 9) + 5$. Réécrivant $1\,234$ sous la forme $1\,111 + 111 + 11 + 1$, nous avons :

$$
\begin{aligned}
(1\,234 \times 9) + 5 &= ((1\,111 + 111 + 11 + 1) \times 9) + 5 \\
&= 9\,999 + 999 + 99 + 9 + (1 + 1 + 1 + 1 + 1) \\
&= (9\,999 + 1) + (999 + 1) + (99 + 1) + (9 + 1) + 1 \\
&= 10\,000 + 1\,000 + 100 + 10 + 1 \\
&= 11\,111.
\end{aligned}
$$

---

2. La régularité qui suit a été observée par le mathématicien français Édouard Lucas (1842-1891) dans ses célèbres *Récréations mathématiques*.

Nous voyons facilement que le même raisonnement[3] s'applique, par exemple, à l'expression $(123\,456\,789 \times 9) + 10$. De là, le passage aux produits du premier tableau, tel $123\,456\,789 \times 9$, se fait aisément.

Nous laissons au lecteur le soin de compléter et d'expliquer les tableaux suivants :

$(9 \times 9) + 7 =$	$(1 \times 8) + 1 =$
$(98 \times 9) + 6 =$	$(12 \times 8) + 2 =$
$(987 \times 9) + 5 =$	$(123 \times 8) + 3 =$

B. Deuxième série

Les deux produits que voici,

$$37\,037\,037\,037 \times 12 = 444\,444\,444\,444 \ \text{ et }$$
$$37\,037\,037\,037 \times 21 = 777\,777\,777\,777,$$

laissent manifestement entrevoir l'existence d'une règle. Mais laquelle au juste ?

Le phénomène observable ici repose simplement sur le fait que $37 \cdot 3 = 111$. Il en résulte que, par exemple,

$$37 \cdot 12 = 37 \cdot 3 \cdot 4 = 444,$$
$$37 \cdot 21 = 37 \cdot 3 \cdot 7 = 777.$$

De là, le passage à un nombre de la forme

$$37\,037\,037...\,037$$

(la séquence « 037 » étant répétée un certain nombre de fois) se fait facilement.

C. Troisième série

La dernière série de produits présentée dans cette section repose sur le nombre naturel $142\,857$. Observons les premiers multiples de ce nombre :

$$142\,857 \times 1 = 142\,857,$$
$$142\,857 \times 2 = 285\,714,$$
$$142\,857 \times 3 = 428\,571.$$

Nous pouvons tout de suite remarquer que les chiffres de ces produits sont toujours les mêmes et qu'ils se succèdent avec régularité. Mais pourquoi en est-il ainsi ?

Le phénomène sous-jacent est lié au développement décimal de la fraction $1/7$, la séquence de chiffres « 142857 » constituant justement la *période* de cette fraction :

$$\frac{1}{7} = 0,142\,857\,142\,857\,142\,857...$$

---

3. Voici une façon équivalente de formuler l'argument :
$$(1\,234 \times 9) + 5 = (1 \cdot 10^3 + 2 \cdot 10^2 + 3 \cdot 10 + 4) \times (10 - 1) + 5$$
$$= 10^4 + 2 \cdot 10^3 + 3 \cdot 10^2 + 4 \cdot 10 - 1 \cdot 10^3 - 2 \cdot 10^2 - 3 \cdot 10 - 4 + 5$$
$$= 10^4 + 10^3 + 10^2 + 10 + 1$$
$$= 11\,111.$$

Il en résulte que

$$\frac{2}{7} = 0,285\ 714\ 285\ 714\ 285\ 714...$$

$$\frac{3}{7} = 0,428\ 571\ 428\ 571\ 428\ 571...$$

$$\frac{4}{7} = 0,571\ 428\ 571\ 428\ 571\ 428...$$

$$\frac{5}{7} = 0,714\ 285\ 714\ 285\ 714\ 285...$$

$$\frac{6}{7} = 0,857\ 142\ 857\ 142\ 857\ 142...$$

Il peut être utile, pour bien voir ce qui se passe ici, d'effectuer à la main la division $1 \div 7$. Notons que les périodes des fractions précédentes peuvent toutes se lire par permutation cyclique des chiffres de « 142857 »; par exemple, la période de 3/7 est « 428571 ».

Il n'est donc pas surprenant que notre premier tableau se complète comme suit :

$$142\ 857 \times 1 = 142\ 857,$$
$$142\ 857 \times 2 = 285\ 714,$$
$$142\ 857 \times 3 = 428\ 571,$$
$$142\ 857 \times 4 = 571\ 428,$$
$$142\ 857 \times 5 = 714\ 285,$$
$$142\ 857 \times 6 = 857\ 142.$$

Mais alors, qu'advient-il du produit de $142\ 857 \times 7$? Nous obtenons

$$142\ 857 \times 7 = 999\ 999.$$

Étonnant ? Pas vraiment, s'il est établi qu'il y a un lien avec la fraction 7/7 = 1; n'oublions pas en effet qu'une des représentations possibles de 1 est[4]

$$1 = 0,999\ 999\ 999\ 999...$$

Terminons cette section par quelques remarques.

- Nous pourrions poursuivre le calcul des multiples de 142 857 et trouver ainsi

$$142\ 857 \times 12 = 1\ 714\ 284,$$

le produit présentant de nettes affinités avec le développement décimal de la fraction

$$\frac{12}{7} = 1,714\ 285\ 714\ 285\ 714\ 285...$$

---

4. La manipulation suivante vient étayer cette égalité, qui paraît sans doute bizarre à première vue. Posant $x = 0,999\ 999...$, nous avons $10x = 9,999\ 999...$, de sorte que $10x - x = 9$ (les deux parties décimales s'annulent); il s'ensuit que $9x = 9$ et que $x = 1$.

- Observez bien le développement décimal suivant :

$$\frac{1}{142\ 857} = 0,000\ 007\ 000\ 007\ 000\ 007...,$$

qui n'est guère étonnant si nous multiplions chaque membre de cette égalité par 142 857.

- La très étroite parenté entre les développements décimaux des fractions 1/7, 2/7, ..., 6/7 (ainsi qu'entre les multiples de 142 857) est liée au fait que la longueur de la période de la fraction 1/7 est 6, la longueur maximale possible. Une fraction telle que 1/11 = 0,090 909 090 909..., dont la période n'est pas maximale, ne se prête donc pas à l'expression des mêmes régularités. Après 1/7, la fraction suivante ayant une période maximale est

$$\frac{1}{17} = 0,058\ 823\ 529\ 411\ 764\ 705\ 882\ 352\ 941\ 176\ 470\ 588\ 235\ 294\ 117\ 647...$$

Nous laissons le lecteur faire le calcul des développements décimaux des fractions 2/17, 3/17, ..., 16/17, ainsi que des multiples du nombre 588 235 294 117 647.

2. Quelques « gros » nombres

Nous aimerions énoncer ici des problèmes qui relèvent presque du quotidien et comportent quelques « gros » nombres.

A. Le nombre 13 983 816 devrait être connu de millions de personnes : c'est le nombre de façons de choisir 6 boules parmi 49, numérotées de 1 à 49. Autrement dit, il s'agit du nombre de combinaisons possibles à la loterie 6/49 ; les règles de l'analyse combinatoire nous enseignent en effet que ce nombre est donné par l'expression[5]

$$\frac{49 \cdot 48 \cdot 47 \cdot 46 \cdot 45 \cdot 44}{6!} = 13\ 983\ 816.$$

Il en résulte que celui ou celle qui joue à la 6/49 a exactement une chance sur 13 983 816 d'obtenir la combinaison gagnante. Vraiment pas fameux !

B. Nous tenons une bande de trois timbres ; de combien de façons différentes pouvons-nous plier cette bande de manière à la ramener aux dimensions d'un seul timbre, les trois timbres étant alors superposés ? Dans le cas présent, les plis sont faits le long des deux séries de perforations situées respectivement à la gauche et à la droite du timbre central. Le résultat obtenu dépend des critères que nous avons retenus pour déterminer si deux

---

5. Il y a ici 49 façons de choisir la première boule, 48 pour la deuxième, etc., et ces choix « se multiplient » les uns les autres. Il faut ensuite diviser par 6!, car l'ordre du choix ne compte pas ; par exemple, les séquences de boules 10-15-20-25-30-35 et 30-20-10-15-25-35 correspondent à la même combinaison — et il y a 6! façons différentes de nommer ces six boules selon l'ordre d'énumération. Rappelons qu'étant donné le naturel k la *factorielle de k*, notée $k!$, est le produit de la multiplication de tous les entiers positifs jusqu'à k ; en symboles, $k! = 1 \cdot 2 \cdot 3... (k-1) \cdot k$. Ainsi $6! = 1 \cdot 2 \cdot 3 \cdot 4 \cdot 5 \cdot 6 = 720$.

pliages sont distincts ou non. Nous adoptons ici le point de vue suivant : les timbres sont numérotés consécutivement, leur recto (la figure) étant distinct de leur verso (la face gommée)[6].

Nous vérifions alors qu'une bande de trois timbres donne lieu à six pliages différents; c'est donc dire que toutes les 3! = 6 permutations des entiers 1, 2 et 3 correspondent à des pliages. Si nous passons à une bande de quatre timbres, nous observons que seulement 16 des 4! = 24 permutations des entiers 1, 2, 3, 4 correspondent aux pliages d'une bande. Plus généralement, si n_k désigne le nombre de façons de plier une bande de k timbres, nous obtenons la suite de nombres ci-dessous :

$$n_1 = 1, \ n_2 = 2, \ n_3 = 6, \ n_4 = 16, \ n_5 = 50, \ n_6 = 144,$$
$$n_7 = 462, \ n_8 = 1\ 392, \ n_9 = 4\ 536, \ n_{10} = 14\ 060$$

(voir [14], suite M1614). Il est à remarquer qu'aucune formule exacte pour le terme général n_k n'est connue.

Qu'arrive-t-il maintenant si nous utilisons une feuille de timbres, plutôt qu'une bande ? Par exemple, de combien de façons pouvons-nous plier une feuille de timbres de format 2×2 (c'est-à-dire une feuille de quatre timbres), de manière à la ramener aux dimensions d'un seul timbre ? Nous pouvons sans trop de peine identifier huit pliages différents (autrement dit, parmi les 4! = 24 permutations des entiers 1, 2, 3, 4, seules huit d'entre elles correspondent à un pliage d'une feuille de 4 timbres). Qu'en est-il d'une feuille de timbres de format 3×3 (9 timbres) ou 4×4 (16 timbres) ? Si m_k désigne le nombre de façons de plier une feuille de timbres de format $k \times k$, nous avons la suite de nombres

$$m_1 = 1, \ m_2 = 8, \ m_3 = 1\ 368, \ m_4 = 300\ 608 \ \text{et} \ m_5 = 186\ 086\ 600$$

([14], suite M4587). Ainsi, neuf timbres en forme de bande peuvent être pliés de $n_9 = 4\ 536$ façons différentes, mais ce nombre tombe à $m_3 = 1\ 368$ s'ils forment une feuille de format 3×3. On ne connaît pas la valeur de m_k si $k \geq 6$.

Comme quoi plier une feuille de timbres n'est pas une opération aussi banale qu'on pourrait le penser !

C. La première fois qu'on s'amuse avec un cube de Rubik[7], on a d'abord l'impression qu'on peut rapidement faire le tour de toutes les configurations possibles du cube. Aussi est-on étonné lorsqu'on apprend que le nombre total de configurations du cube de Rubik de format $3 \times 3 \times 3$ est de

$$43\ 252\ 003\ 274\ 489\ 856\ 000 = \frac{8! \ \cdot \ 12! \ \cdot \ 3^8 \ \cdot \ 2^{12}}{2 \ \cdot \ 2 \ \cdot \ 3}$$

---

6. Mathématiquement parlant, le pliage d'une bande de k timbres équivaut à l'énumération des entiers 1, 2, ..., k dans un certain ordre; la question consiste donc à identifier parmi les $k!$ énumérations ordonnées, ou *permutations,* des entiers 1 à k, celles qui correspondent au pliage d'une bande de k timbres.

7. Nous supposons ici que le lecteur connaît assez bien cet objet, si populaire durant les années 1980, même s'il est un peu tombé en désuétude.

La démonstration de ce résultat peu banal se retrouve dans de nombreux ouvrages de vulgarisation traitant du cube de Rubik[8].

3. Les nombres de Goodstein

Poursuivons maintenant ces aventures numériques en compagnie d'un nombre extra-ordinairement gros !

Le nombre $3 \cdot 2^{402\,653\,211} - 3$ est un nombre gigantesque[9] qui a fait son apparition dans la littérature mathématique il y a quelques années, en rapport avec l'étude de la complexité de certains phénomènes combinatoires. En voici l'histoire.

En 1944, le logicien anglais R. L. Goodstein a présenté un processus permettant d'engendrer des suites d'entiers naturels qui, contrairement aux apparences, convergent forcément vers 0. Le nombre $3 \cdot 2^{402\,653\,211} - 3$ correspond justement au nombre d'étapes à franchir avant que la suite de Goodstein obtenue à partir de 4 atteigne 0.

Le processus de Goodstein peut être décrit à l'aide de la notion de *représentation complète* d'un naturel en base b : il s'agit d'écrire ce naturel comme une somme de multiples de puissances de b, puis de faire de même avec les exposants présents dans cette somme, avec les exposants de ces exposants, etc., jusqu'à ce que la représentation devienne stable. Par exemple, la représentation complète en base 2 de 266 (qui peut s'écrire $2^8 + 2^3 + 2^1$) est $2^{2^{2+1}} + 2^{2+1} + 2^1$.

Étant donné l'entier positif n, la *suite de Goodstein* commençant à n est la suite des naturels $g_1(n)$, $g_2(n)$, $g_3(n)$, ... définie comme suit :

- pour obtenir le premier terme, $g_1(n)$, il faut partir de la représentation complète de n en base 2, remplacer partout 2 par 3, puis soustraire 1;
- pour obtenir le second terme, $g_2(n)$, il faut partir de la représentation complète de $g_1(n)$ en base 3, remplacer partout 3 par 4, puis soustraire 1;
- plus généralement, le terme $g_k(n)$ est défini comme suit :
  - si $g_{k-1}(n) = 0$, alors $g_k(n) = 0$;
  - sinon, pour obtenir $g_k(n)$ il faut partir de la représentation complète de $g_{k-1}(n)$ en base $k + 1$, remplacer partout $k + 1$ par $k + 2$, puis soustraire 1.

---

8. Ainsi, pour illustrer la taille de ce nombre assez imposant, Bandelow [1] mentionne qu'en alignant à la queue leu leu des cubes de Rubik de toutes les configurations possibles, chacun ayant une arête de 5,6 cm, on formerait une chaîne de plus de 2 000 000 000 000 000 km de longueur, soit environ 256 années-lumière — par comparaison, *Alpha Centauri*, l'étoile la plus proche du Soleil, est à « seulement » 4,3 années-lumière. Notons cependant que la difficulté du cube de Rubik ne tient pas tant à la taille du nombre de configurations possibles qu'à la structure même du cube; ainsi, il est facile d'ordonner alphabétiquement 21 mots, mais ces mots peuvent être énumérés de 21! = 51 090 942 171 709 440 000 façons différentes, soit un nombre supérieur au nombre de configurations du cube de Rubik.

9. Ce nombre est de l'ordre de $10^{121\,210\,695}$ et comprend plus de 121 000 000 de chiffres en écriture décimale usuelle. À raison de 100 chiffres par ligne et de 50 lignes par page, cela ferait un livre de plus de 24 000 pages ! En comparaison, le nombre de configurations du cube de Rubik (*voir* section 2) « n'est que » de l'ordre de 10^{19}.

Après chaque soustraction de 1, il ne faut pas oublier de réécrire le naturel alors en présence comme une somme de multiples de puissances de la base en cours — voir le calcul de $g_4(10)$ ci-après.

Les premiers termes de la suite de Goodstein commençant à $10 = 2^{2+1} + 2^1$ sont

$$
\begin{aligned}
g_1(10) &= 3^{3+1} + 3^1 - 1 \\
&= 3^{3+1} + 2 \cdot 3^0 \\
&= 83,
\end{aligned}
$$

$$
\begin{aligned}
g_2(10) &= 4^{4+1} + 2 \cdot 4^0 - 1 \\
&= 4^{4+1} + 1 \cdot 4^0 \\
&= 1\ 025,
\end{aligned}
$$

$$
\begin{aligned}
g_3(10) &= 5^{5+1} + 1 \cdot 5^0 - 1 \\
&= 5^{5+1} \\
&= 15\ 625,
\end{aligned}
$$

$$
\begin{aligned}
g_4(10) &= 6^{6+1} - 1 \\
&= 5 \cdot 6^6 + 5 \cdot 6^5 + 5 \cdot 6^4 + 5 \cdot 6^3 + 5 \cdot 6^2 + 5 \cdot 6^1 + 5 \cdot 6^0 \\
&= 279\ 935,
\end{aligned}
$$

$$
\begin{aligned}
g_5(10) &= 5 \cdot 7^7 + 5 \cdot 7^5 + 5 \cdot 7^4 + 5 \cdot 7^3 + 5 \cdot 7^2 + 5 \cdot 7^1 + 5 \cdot 7^0 - 1 \\
&= 5 \cdot 7^7 + 5 \cdot 7^5 + 5 \cdot 7^4 + 5 \cdot 7^3 + 5 \cdot 7^2 + 5 \cdot 7^1 + 4 \cdot 7^0 \\
&= 4\ 215\ 754.
\end{aligned}
$$

Comme le montre cet exemple, la croissance des termes d'une suite de Goodstein semble très rapide. Mais Goodstein [7] a néanmoins démontré que toute suite de Goodstein atteint 0, ce qui, il faut le reconnaître, est tout à fait contraire à l'intuition.

Certaines suites de Goodstein sont plutôt courtes; c'est le cas notamment de la suite obtenue à partir de 3, qui devient rapidement 0. En voici les cinq termes successifs :

$$
\begin{aligned}
3 &= 2^1 + 1 \cdot 2^0 \\
&\rightarrow g_1(3) = 3^1 + 1 \cdot 3^0 - 1 = 3 = 1 \cdot 3^1 \\
&\rightarrow g_2(3) = 1 \cdot 4^1 - 1 = 3 = 3 \cdot 4^0 \\
&\rightarrow g_3(3) = 3 \cdot 5^0 - 1 = 2 = 2 \cdot 5^0 \\
&\rightarrow g_4(3) = 2 \cdot 6^0 - 1 = 1 = 1 \cdot 6^0 \\
&\rightarrow g_5(3) = 1 \cdot 7^0 - 1 = 0.
\end{aligned}
$$

On obtient donc un terme nul dès $g_5(3)$. Mais le phénomène n'est pas du tout le même si on part de 4 : le plus petit k tel que $g_k(4) = 0$ est justement le nombre $k = 3 \cdot 2^{402\ 653\ 211} - 3$ mentionné ci-dessus[10]. Et l'effet est encore plus spectaculaire si la source de la suite est un naturel plus grand.

Il n'est pas facile d'expliquer en termes simples le comportement étrange des suites de Goodstein. Nous pouvons quand même souligner que, si la partie exponentielle du processus de Goodstein semble provoquer une véritable explosion numérique, celle-ci n'en

---

10. Ce résultat n'est pas très difficile à établir et fait l'objet d'un exercice guidé dans [9].

demeure pas moins restreinte car la croissance illimitée n'est qu'apparente. À un certain point, la soustraction de l'unité viendra gruger les nombres gigantesques obtenus. Observons, dans le calcul précédent de la suite de Goodstein à partir de 3, que, le terme $g_2(3) = 3 \cdot 4^0$ étant en quelque sorte indépendant de la base 4, les termes suivants échappent aux changements successifs de base et que la suite décroît alors tout bonnement vers 0.

Kirby et Paris [11] ont établi que la très lente convergence des suites de Goodstein vers 0 est liée au fait que, dans le cadre de ce qu'on appelle l'*arithmétique élémentaire*, il est impossible de démontrer le résultat suivant dû à Goodstein[11] : toute suite engendrée par le processus de Goodstein atteint forcément 0. Ce phénomène est tout à fait analogue à celui des batailles herculéennes dont il est question ailleurs dans ce volume (voir Hodgson [10]).

4. Des nombres et des chiffres

Dans cette section, nous examinerons une série de problèmes relatifs aux chiffres utilisés pour représenter un nombre donné. Notre premier problème fait intervenir les factorielles[12] des chiffres composant un nombre. Observons l'égalité suivante.

$$145 = 1! + 4! + 5!$$

Frappant, n'est-ce pas ? On peut se demander si d'autres nombres sont, comme 145, égaux à la somme des factorielles de leurs chiffres.

Il y a bien sûr les solutions banales $1 = 1!$ et $2 = 2!$. Mais quoi d'autre ?

L'ordinateur peut être d'un grand secours pour résoudre les problèmes de ce type. Il est facile de rédiger un petit programme, dans quelque langage de programmation que ce soit, permettant de tester tous les naturels jusqu'à, disons, 10 000 000; il n'apparaîtra alors dans cet intervalle (après un long calcul de l'ordinateur) qu'une seule nouvelle solution.

$$40\ 585 = 4! + 0! + 5! + 8! + 5!$$

Est-ce à dire que nous avons épuisé toutes les possibilités ? Ou existe-t-il au contraire d'autres naturels, au delà de 10 000 000, qui soient égaux à la somme des factorielles de leurs chiffres ?

En fait, les quatre nombres indiqués ci-dessus représentent les seules solutions au problème posé !

Preuve

Pour démontrer cela, supposons que $n = d_1 d_2 ... d_r$ est un tel nombre, où d_1, d_2, ..., d_r désignent les r chiffres de n (par exemple le nombre 145 est de la forme $d_1 d_2 d_3$ avec $d_1 = 1$, $d_2 = 4$ et $d_3 = 5$). Alors, n doit satisfaire à la double inégalité

$$10^{r-1} < n = d_1! + d_2! + ... + d_r! \leq r \cdot 9! = 362\ 880r. \tag{1}$$

---

11. Pour démontrer son théorème, Goodstein fait appel à la théorie des *nombres ordinaux transfinis,* qui fournit un environnement plus riche que l'arithmétique élémentaire.

12. La notation factorielle a été présentée à la note 5. On pose, par convention, que $0! = 1$.

En effet, l'inégalité de gauche résulte du fait que le plus petit nombre de r chiffres est précisément

$$10^{r-1} = \underbrace{100...0}_{r-1 \text{ fois le chiffre } 0},$$

qui ne satisfait manifestement pas à la propriété considérée ; quant à l'inégalité de droite, elle s'obtient à partir du plus grand nombre possible de r chiffres :

$$\underbrace{99...9}_{r \text{ fois le chiffre } 9}.$$

Mais pour que la double inégalité (1) soit vérifiée, il faut que le nombre r de chiffres de n soit inférieur à 8, c'est-à-dire $n < 10^7$; en effet, pour $r \geq 8$, on a $10^{r-1} > 362\,880r$, ce qui contredit (1). N'oublions pas qu'une fonction exponentielle de type $y = a^x$, avec $a > 1$, finit forcément par surpasser toute fonction linéaire de type $y = bx$.

On en conclut donc que les seuls nombres égaux à la somme des factorielles de leurs chiffres sont les nombres 1, 2, 145 et 40 585. ∎

On peut imaginer de nombreuses variantes à partir du lien entre un nombre et une certaine somme faisant intervenir ses chiffres. En voici quelques-unes.

A. Le nombre 153 satisfait à l'égalité suivante :

$$153 = 1^3 + 5^3 + 3^3.$$

Étant donné un nombre n de r chiffres, nous convenons de l'appeler nombre *narcissiste* s'il est égal à la somme des puissances r-ièmes de ses chiffres. Outre le cas banal des nombres d'un seul chiffre, 153 est le plus petit nombre narcissiste.
On peut démontrer qu'il existe seulement un nombre fini de nombres narcissistes.

Preuve
En effet, comme ci-dessus, un tel nombre $n = d_1 d_2 ... d_r$ doit satisfaire à

$$10^{r-1} < n = d_1^r + d_2^r + ... + d_r^r \leq r \cdot 9^r,$$

laquelle double inégalité ne tient plus si $r > 60$. Cette dernière observation est facile à vérifier avec un ordinateur qui parcourt les valeurs entières de r. L'ordinateur rend également possible la comparaison entre les graphes des deux fonctions 10^{x-1} et $x\,9^x$; la première surpasse l'autre lorsque $x > 60,85$ (approximativement). ∎

D. Winter (*voir* E. W. Weisstein [15, p. 1216]) a démontré en 1985 qu'il existe seulement 88 nombres narcissistes et que le plus grand est le nombre de 39 chiffres suivant :

115 132 219 018 763 992 565 095 597 973 971 522 401.

B. Le nombre 598 est tel que

$$598 = 5^1 + 9^2 + 8^3.$$

Étant donné un nombre $n = d_1 d_2 ... d_r$ de r chiffres, demandons-nous s'il est tel que

$$n = d_1^1 + d_2^2 + d_3^3 + ... + d_r^r. \tag{2}$$

Une recherche par ordinateur révélera que la relation (2) est satisfaite dans le cas des nombres suivants : 89, 135, 175, 518, 598, 1 306, 1 676 et 2 427. S'agit-il là des seuls nombres $n > 9$ ayant cette propriété ? À ce jour, la question demeure sans réponse.

C. Qu'arrive-t-il si, dans (2), on inverse la suite des exposants ? Il est facile de démontrer qu'il n'existe aucun nombre $n > 9$ tel que

$$n = d_1 d_2 ... d_r = d_1^r + d_2^{r-1} + d_3^{r-2} + ... + d_{r-1}^2 + d_r^1. \tag{3}$$

Preuve

En effet, si $n = d_1 d_2 ... d_r$ satisfait à (3), alors

$$n = 10^{r-1} d_1 + 10^{r-2} d_2 + ... + 10 d_{r-1} + d_r = d_1^r + d_2^{r-1} + d_3^{r-2} + ... + d_{r-1}^2 + d_r^1,$$

auquel cas il apparaît, si le troisième membre est soustrait du deuxième membre de cette série d'égalités, que

$$0 = d_1(10^{r-1} - d_1^{r-1}) + d_2(10^{r-2} - d_2^{r-2}) + ... + d_{r-1}(10 - d_{r-1}) > d_1 + d_2 + ... + d_{r-1} > 0;$$

mais cette dernière ligne donne $0 > 0$, ce qui est une contradiction. Il n'existe donc pas de nombre $n > 9$ satisfaisant à (3). ∎

D. On vérifie aisément que $3\,435 = 3^3 + 4^4 + 3^3 + 5^5$. Y a-t-il un autre nombre $n = d_1 d_2 ... d_r$ tel que

$$n = d_1^{d_1} + d_2^{d_2} + ... + d_r^{d_r} ? \tag{4}$$

Il est même possible de permettre ici que n contienne le chiffre 0, s'il est posé[13] par convention que $0^0 = 0$.

Il s'agit de démontrer qu'il n'existe qu'un nombre fini de naturels satisfaisant à (4); plus précisément, un tel nombre n doit être inférieur à 10^{10}.

Preuve

À partir du type d'argument déjà utilisé, il est facile de voir qu'un tel nombre n doit satisfaire à

$$10^{r-1} < n = d_1^{d_1} + d_2^{d_2} + ... + d_r^{d_r} \le r \cdot 9^9 = 387\,420\,489r,$$

laquelle double inégalité ne tient plus lorsque $r \ge 11$, c'est-à-dire lorsque $n \ge 10^{10}$. Il s'ensuit donc qu'il ne peut exister qu'un nombre fini de naturels vérifiant l'égalité (4). ∎

L'examen par ordinateur de tous les nombres $n < 10^{10}$ en vue d'identifier ceux qui satisfont à (4) nécessiterait plusieurs jours de calcul sur un ordinateur personnel; or, il est possible de réduire cette recherche à quelques minutes de calcul. Supposons en effet

---

13. Rigoureusement parlant, l'expression 0^0 est une *forme indéterminée*. La convention $0^0 = 0$ n'est choisie ici que par commodité.

qu'un nombre $n = d_1 d_2 ... d_r > 1$ satisfait à (4); en éliminant d'abord les d_i nuls (s'il en est !) et en réordonnant ensuite les chiffres d_i restants, nous pouvons voir que n s'exprime sous la forme

$$n = e_1^{e_1} + ... + e_s^{e_s} \text{ avec } 1 \leq e_1 \leq e_2 \leq ... \leq e_s \leq 9 \text{ et } s \leq r \leq 10. \tag{5}$$

Ainsi, $3\,435 = 3^3 + 3^3 + 4^4 + 5^5$. Or, il existe relativement peu de nombres $< 10^{10}$ qui sont de la forme (5); nous pouvons montrer que, en fait, il y en a moins de 100 000. Voici pourquoi.

Preuve

Chaque nombre de la forme (5) correspond en effet à une suite $(e_1, e_2, ..., e_s)$ de s éléments telle que

$$1 \leq e_1 \leq e_2 \leq ... \leq e_s \leq 9 \tag{6}$$

avec $1 \leq s \leq 10$. Il s'agit donc de compter le nombre de telles suites.

Lorsque $s = 1$, il y a évidemment 9 suites de la forme (e_1). Pour $s = 2$, il est facile de vérifier, par une énumération systématique, qu'il y a exactement 45 suites de la forme (e_1, e_2); voici la liste des nombres n correspondants :

$$99, 88, 89, 77, 78, 79, 66, ..., 55, ..., 44, ...,$$
$$33, ..., 22, ..., 11, 12, 13, 14, 15, 16, 17, 18, 19.$$

Si on répartit cette liste en fonction du chiffre des dizaines, on voit bien qu'on y trouve
$$1 + 2 + 3 + 4 + 5 + 6 + 7 + 8 + 9 = 45$$
éléments[14].

De façon analogue, nous trouvons que, pour $s = 3$, le nombre de suites (e_1, e_2, e_3) est donné par
$$1 + 3 + 6 + 10 + 15 + 21 + 28 + 36 + 45 = 165.$$

Nous laissons au lecteur le soin de vérifier plus généralement que le nombre total de suites $(e_1, e_2, ..., e_s)$ satisfaisant à (6), lorsque s balaie les valeurs de 1 à 10, est donné par

$$9 + 45 + 165 + 495 + 1\,287 + 3\,003 + 6\,435 + 12\,870 + 24\,310 + 43\,758 = 92\,377,$$

le j-ième terme de la somme, à partir de la gauche, donnant le nombre de suites à j éléments, pour $j = 1, 2, ..., 10$. ∎

Pour chacun de ces 92 377 cas possibles, il reste à vérifier (à l'aide de l'ordinateur) si le nombre $n = e_1^{e_1} + ... + e_s^{e_s}$, correspondant à la suite $(e_1, e_2, ..., e_s)$, satisfait à la condition (4), ou encore, ce qui revient au même, si n peut s'écrire exactement à l'aide des s chiffres $e_1, ..., e_s$ (pas nécessairement dans cet ordre) et éventuellement du chiffre 0. Outre le cas trivial où $n = 1$ et le cas où $n = 3\,435$, mentionné plus haut, il n'y a qu'une situation fructueuse, soit à $n = 438\,579\,088$.

---

14. Le lecteur aura peut-être reconnu ici un *nombre triangulaire*, c'est-à-dire un nombre de la forme

$$1 + 2 + 3 + ... + k = \frac{k(k+1)}{2} \text{ (où } k = 9\text{)}.$$

E. Concluons cette section avec un problème qui nous mènera à d'autres questions à explorer avec l'ordinateur. Les neuf plus petits nombres $n > 1$ qui ne contiennent pas le chiffre 0 et qui sont divisibles[15] à la fois par la somme des carrés de leurs chiffres et par le produit des carrés de leurs chiffres sont les suivants :

$$111, \; 11\,112, \; 1\,122\,112, \; 111\,111\,111, \; 122\,121\,216, \; 1\,111\,112\,112,$$
$$1\,111\,211\,136, \; 1\,116\,122\,112 \text{ et } 1\,211\,162\,112.$$

Il est assez facile de le vérifier avec un ordinateur. Appelons nombres *insolites* les nombres qui jouissent de cette propriété. En existe-t-il une infinité ?

La réponse à cette question est connue : il existe bel et bien une infinité de nombres insolites. À titre de preuve, nous allons montrer que les nombres

$$111, \; \underbrace{111...1}_{9}, \; \underbrace{111...1}_{27}, \; \underbrace{111...1}_{81}, \; ..., \; \underbrace{111...1}_{3^{\alpha}}, \; ...,$$

c'est-à-dire les nombres formés de 3^{α} fois le chiffre 1, où α prend successivement les valeurs 1, 2, 3, 4, ..., sont tous insolites.

Preuve

D'abord, il est clair que chacun de ces nombres est divisible par le produit des carrés de ses chiffres, car ce produit vaut toujours 1. Il faut donc montrer que chacun de ces nombres est aussi divisible par la somme des carrés de ses chiffres. Or, pour $n = 11 \dots 1$ (3^{α} fois le chiffre 1), la somme des carrés des chiffres de n donne justement 3^{α} ; par ailleurs, notons que ce même n peut s'écrire sous la forme

$$n = \underbrace{111...1}_{3^{\alpha}} = \frac{10^{3^{\alpha}} - 1}{9}.$$

Nous devons donc vérifier que

$$\text{la fraction } \frac{10^{3^{\alpha}} - 1}{9} \text{ est divisible par } 3^{\alpha}, \text{ pour chaque entier positif } \alpha. \tag{7}$$

Il est clair que cette affirmation est vraie pour diverses valeurs concrètes de α, par exemple pour $\alpha = 1$ ou 2. Pour établir la validité générale de l'affirmation (7), nous allons utiliser une technique de démonstration connue sous le nom de *raisonnement par récurrence*[16].

---

15. On dit que a est *divisible* par b s'il existe un entier c tel que $a = bc$. Autres expressions synonymes : a est un *multiple* de b ; b est un *diviseur* ou un *facteur* de a, ce qui s'écrit $b \,|\, a$. Par exemple, 12 est divisible par 3, car $12 = 3 \cdot 4$.

16. Cette technique est aussi dénommée *raisonnement par induction mathématique*; c'est une méthode argumentative souvent efficace quand il faut établir qu'un certain fait est vérifié pour chaque entier positif. Après avoir constaté directement que le fait en question est vrai pour 1 (le cas de base), il faut s'assurer qu'il le demeure lors du passage d'un naturel à son successeur. De proche en proche s'établit alors la validité de ce fait pour n'importe quel entier positif.

Nous supposons à cette fin que l'affirmation (7) est vraie pour une valeur arbitraire de α, disons r, et nous tentons de vérifier qu'elle doit alors être vraie pour l'entier suivant, soit $r + 1$. Or, en posant $x = 10^{3^r}$, nous pouvons écrire

$$\frac{10^{3^{r+1}} - 1}{9} = \frac{(10^{3^r})^3 - 1}{9} = \frac{x^3 - 1}{9} = \frac{(x-1)}{9}(x^2 + x + 1).$$

Si nous posons maintenant que $A = \dfrac{x-1}{9}$ et $B = x^2 + x + 1$, les égalités précédentes deviennent

$$\frac{10^{3^{r+1}} - 1}{9} = A \cdot B.$$

Mais comme $x = 10^{3^r}$, on a donc $A = \dfrac{10^{3^r} - 1}{9}$, de sorte que, selon notre hypothèse de récurrence sur r, $3^r \,|\, A$. Il nous suffit donc de montrer que $3 \,|\, B$ pour obtenir le résultat souhaité.

Il est commode, pour établir que $3 \,|\, B$, de faire appel à la notion de *congruence*[17]. Notons que $10 \equiv 1 \pmod 3$, de sorte que $10^{3^r} \equiv 1^{3^r} \pmod 3$; comme $x = 10^{3^r}$ et $1^{3^r} = 1$, nous en concluons que $x \equiv 1 \pmod 3$, et également que $x^2 \equiv 1 \pmod 3$; il en résulte enfin que

$$B = x^2 + x + 1 \equiv 1 + 1 + 1 \equiv 0 \pmod 3,$$

ce qu'il fallait démontrer. ■

Nous avons donc établi l'existence d'une infinité de nombres insolites. Mais existe-t-il une infinité de nombres insolites contenant au moins un chiffre différent de 1 ? La réponse est oui, car il est possible de démontrer l'existence d'une infinité de nombres insolites contenant tous le chiffre 9; la preuve de ce résultat est toutefois beaucoup plus difficile à apporter.

Voici d'autres questions plus accessibles, que le lecteur peut explorer avec l'ordinateur.

- Le nombre 11 111 113 116 est-il le dixième nombre insolite ? En d'autres mots, existe-t-il un autre nombre insolite entre 1 211 162 112 et 11 111 113 116 ?
- Le nombre 11 121 114 112 est-il le plus petit nombre insolite contenant le chiffre 4 ?
- Quel est le plus petit nombre insolite contenant les chiffres 7, 8, ou 9 ?

---

17. La notation $a \equiv b \pmod c$, qui se lit « a est congru à b modulo c », signifie que $a - b$ est divisible par c ou, ce qui revient au même, que a et b donnent le même reste après leur division par c. Par exemple, $16 \equiv 1 \pmod 3$. En particulier, $a \equiv 0 \pmod 3$ signifie que $3 \,|\, a$. Cette notation, qui est un outil de travail fort utile en théorie des nombres, fut introduite en 1801 par le grand mathématicien Carl Friedrich Gauss dans ses *Disquisitiones arithmeticae* (*Recherches arithmétiques*).

5. Entiers positifs et facteurs premiers

Rappelons qu'un nombre *premier* est un entier positif ayant exactement deux diviseurs. Par exemple, 17 est un nombre premier, mais pas 15 (on dit que 15 est *composé*). Voici la liste des nombres premiers jusqu'à 100 :

$$2, 3, 5, 7, 11, 13, 17, 19, 23, 29, 31, 37,$$
$$41, 43, 47, 53, 59, 61, 67, 71, 73, 79, 83, 89, 97.$$

Il est toujours possible d'exprimer un naturel quelconque sous la forme d'un produit dont les facteurs sont tous des nombres premiers. Par exemple,

$$360 = 2 \cdot 2 \cdot 2 \cdot 3 \cdot 3 \cdot 5 = 2^2 \cdot 3^2 \cdot 5.$$

Il est possible de jongler avec toutes sortes de propriétés reliant un nombre et ses facteurs premiers[18]; en voici un exemple.

Observons les égalités suivantes :

378	$= 2 \cdot 3^3 \cdot 7$	$= 2^3 + 3^3 + 7^3,$
2 548	$= 2^2 \cdot 7^2 \cdot 13$	$= 2^3 + 7^3 + 13^3,$
2 836 295	$= 5 \cdot 7 \cdot 11 \cdot 53 \cdot 139$	$= 5^3 + 7^3 + 11^3 + 53^3 + 139^3.$

Le recours à l'ordinateur révèle que, dans le cas des naturels ne dépassant pas 10^9, ce sont là les seuls nombres n, différents d'un cube, qui correspondent à la somme des cubes de leurs facteurs premiers.

Il en découle alors une autre question : existe-t-il d'autres naturels (au-delà de 10^9) possédant cette propriété ? Il s'agit là d'un problème ouvert qui pourrait s'avérer assez difficile à résoudre. Voici cependant certaines propriétés auxquelles doit satisfaire un naturel n différent d'un cube et égal à la somme des cubes de ses facteurs premiers[19].

- De toute évidence, le plus grand facteur premier de n est inférieur à $n^{1/3}$, soit la racine cubique de n.
- Le nombre n doit avoir un nombre impair de facteurs premiers distincts.

Preuve

En effet, supposons qu'il existe un entier n tel que

$$n = q_1^{\alpha_1} \cdot q_2^{\alpha_2} \cdot ... \cdot q_r^{\alpha_r} = q_1^3 + q_2^3 + ... + q_r^3 \qquad (q_1 < q_2 < ... < q_r, \; q_i \text{ premiers}),$$

et que r, le nombre de facteurs premiers distincts de n, est un nombre pair. Il y a ici deux cas à considérer.

---

18. Outre, bien entendu, la propriété fondamentale selon laquelle un nombre est le produit de ses facteurs premiers !

19. La recherche par ordinateur se trouvera grandement facilitée par ces propriétés établies à l'aide d'un raisonnement mathématique. (Voilà une autre illustration du bénéfice qu'on retire à allier la puissance de calcul de l'ordinateur à celle de l'« esprit mathématique ».)

1. Si $q_1 = 2$, alors n est évidemment pair, puisqu'il est divisible par 2. Notons par ailleurs que $n = 2^3 + q_2^3 + ... + q_r^3$; or, cette somme est impaire, puisque le premier terme, 2^3, est pair et que les $r - 1$ autres termes sont tous impairs (car q_i est impair pour $i \geq 2$) et sont en nombre impair (à savoir, $r - 1$)[20]. Mais alors, n est simultanément pair et impair, ce qui est impossible.
2. Si $q_1 > 2$, alors n est un nombre impair, puisqu'il n'est pas divisible par 2. Mais n est en même temps la somme de r nombres impairs et correspond donc à un nombre pair, dans l'hypothèse où r est pair. Encore une fois, cela est impossible.

Il s'ensuit que r, soit le nombre de facteurs premiers distincts de n, doit forcément être impair. ∎

• Le nombre n ne peut être le produit exacte de trois facteurs premiers distincts.

Preuve
Supposons, au contraire, que n est de la forme $n = q_1 q_2 q_3$ avec $q_1 < q_2 < q_3$; il est alors clair que

$$q_1 < q_2 < q_3 < n^{1/3}; \tag{8}$$

on a donc

$$n^{1/3} > q_3 > q_2 = \frac{n}{q_1 q_3} > \frac{n}{q_1 n^{1/3}} = \frac{n^{2/3}}{q_1},$$

ce qui implique que

$$q_1 > \frac{n^{2/3}}{n^{1/3}} = n^{1/3},$$

ce qui contredit (8). ∎

Plus généralement, nous pourrions formuler une question analogue pour d'autres puissances des facteurs premiers de n. Par exemple, existe-t-il un nombre qui n'est pas un carré mais qui est la somme des carrés de ses diviseurs premiers ? L'ordinateur nous révèle qu'un tel nombre doit être supérieur à 10^9 ; mais on n'en connaît pas à ce jour. Nous pouvons encore une fois faciliter la recherche par ordinateur en examinant la parité des facteurs premiers d'un tel nombre n. Nous démontrons ainsi que n doit avoir un nombre impair r de facteurs premiers distincts, et aussi que $r \geq 5$, du fait que $r \neq 3$.

Preuve
Comme dernière démonstration, nous justifions le fait que le nombre r de facteurs premiers d'un tel n doit être différent de 3. Supposons au contraire que $r = 3$; il existe alors des nombres premiers $q_1 < q_2 < q_3$ et des entiers positifs α_1, α_2 et α_3 tels que

$$n = q_1^{\alpha_1} q_2^{\alpha_2} q_3^{\alpha_3} = q_1^2 + q_2^2 + q_3^2.$$

---

20. On répète ici les faits élémentaires suivants : *pair + impair = impair* et *impair + impair = pair*.

Il y a deux cas à considérer, et chacun mène à une contradiction.

1. Si un des q_i est égal à 3, disons $q_1 = 3$, alors $n = 3^2 + q_2^2 + q_3^2$. Or, $3^2 \equiv 0 \pmod 3$; de plus, tout nombre entier x qui n'est pas un multiple de 3 satisfait à $x^2 \equiv 1 \pmod 3$. Il s'ensuit que $n \equiv 1 + 1 = 2 \pmod 3$. Ici surgit la contradiction : nous avons en effet $3 \mid n$, puisque $q_1 = 3$.

2. Si aucun des q_i ne vaut 3, alors

$$n = q_1^2 + q_2^2 + q_3^2 \equiv 1 + 1 + 1 = 0 \pmod 3,$$

et ainsi $3 \mid n$, ce qui est impossible car aucun des facteurs premiers de n n'est égal à 3. ∎

6. Les nombres de Sierpinski

Le mathématicien polonais Waclaw Sierpinski (1882-1969) a étudié des nombres qui portent maintenant son nom; le plus petit nombre connu de cette espèce est 78 557.

Un nombre impair k est appelé *nombre de Sierpinski* si l'entier $k \cdot 2^n + 1$ est composé (c'est-à-dire non premier) pour chaque entier $n \geq 1$. Sierpinski a démontré en 1960 qu'il existe une infinité de tels entiers k, et en particulier que 201 446 503 145 165 177 est l'un d'entre eux; en 1962, J. L. Selfridge a démontré que 78 557 est aussi un nombre de Sierpinski. Il est possible qu'il en existe de plus petits, mais on ne le sait pas !

Pour démontrer que 78 557 est un nombre de Sierpinski, Selfridge a montré qu'au moins un des nombres premiers 3, 5, 7, 13, 19, 37, 73 divise n'importe quel entier de la forme 78 557 $\cdot 2^n + 1$, où $n \geq 1$. Plus précisément, il a montré ce qui suit :

$$n \equiv 0 \pmod 2 \Rightarrow 3 \mid 78\ 557 \cdot 2^n + 1,$$

$$n \equiv 1 \pmod 4 \Rightarrow 5 \mid 78\ 557 \cdot 2^n + 1,$$

$$n \equiv 1 \pmod 3 \Rightarrow 7 \mid 78\ 557 \cdot 2^n + 1,$$

$$n \equiv 11 \pmod{12} \Rightarrow 13 \mid 78\ 557 \cdot 2^n + 1,$$

$$n \equiv 15 \pmod{18} \Rightarrow 19 \mid 78\ 557 \cdot 2^n + 1,$$

$$n \equiv 27 \pmod{36} \Rightarrow 37 \mid 78\ 557 \cdot 2^n + 1,$$

$$n \equiv 3 \pmod 9 \Rightarrow 73 \mid 78\ 557 \cdot 2^n + 1.$$

Comme ces congruences sont respectivement équivalentes à

$n \equiv 0, 2, 4, 6, 8, 10, 12, 14, 16, 18, 20, 22, 24, 26, 28, 30, 32, 34 \pmod{36}$,
$n \equiv 1, 5, 9, 13, 17, 21, 25, 29, 33 \pmod{36}$,
$n \equiv 1, 4, 7, 10, 13, 16, 19, 22, 25, 28, 31, 34 \pmod{36}$,
$n \equiv 11, 23, 35 \pmod{36}$,
$n \equiv 15, 33 \pmod{36}$,
$n \equiv 27 \pmod{36}$,
$n \equiv 3, 12, 21, 30 \pmod{36}$,

elles recouvrent tous les cas possibles, modulo 36, ce qui établit bien que 78 557 $\cdot 2^n + 1$ est composé, quel que soit $n \geq 1$.

Il reste encore aujourd'hui 35 entiers positifs impairs $k < 78\,557$ qui sont candidats au titre de nombre de Sierpinski; le plus petit est $k = 4\,847$. Pour chacun de ces nombres k, il a été prouvé que $k \cdot 2^n + 1$ est toujours composé lorsque $n \leq 18\,000$. Le lecteur désireux d'en apprendre davantage sur les nombres de Sierpinski ou de faire connaissance avec les *nombres de Riesel* — ce sont les nombres k tels que les nombres $k \cdot 2^n - 1$ sont composés pour chaque entier $n \geq 1$ — pourra consulter le livre de P. Ribenboim (*voir* bibliographie).

7. Une conjecture d'Euler

Le grand mathématicien suisse Leonhard Euler (1707-1783) fut le premier à établir que l'équation de Fermat[21] $x^3 + y^3 = z^3$ n'a pas de solution où x, y, z sont des entiers positifs. Il en a tiré la conjecture suivante :

Tout comme il n'existe pas de solution non triviale de l'équation

$$x^3 + y^3 = z^3,$$

il n'en existe pas pour les équations

$$x^4 + y^4 + z^4 = u^4$$

et

$$x^5 + y^5 + z^5 + u^5 = v^5,$$

et ainsi de suite pour des puissances plus élevées. (Il est à remarquer que le nombre de termes dans le membre de gauche augmente avec la puissance.)

En 1966, L. J. Lander et T. R. Parkin fournissaient un premier contre-exemple[22] à l'affirmation d'Euler :

$$27^5 + 84^5 + 110^5 + 133^5 = 144^5.$$

Vers 1988, R. Frye (voir R. K. Guy [8, p. 140] fournissait le contre-exemple suivant :

$$95\,800^4 + 217\,519^4 + 414\,560^4 = 422\,481^4.$$

Même avec les ordinateurs extrêmement puissants et rapides d'aujourd'hui, aucun contre-exemple n'a encore été trouvé pour les puissances égales ou supérieures à 6. Ou serait-ce qu'Euler n'avait pas entièrement tort ?

---

21. Pierre de Fermat (1601-1665) a affirmé que la seule valeur possible de n telle que l'équation $x^n + y^n = z^n$ ait des solutions entières non nulles est $n = 2$. La justification de cette conjecture fameuse n'a été obtenue qu'en 1994 par Andrew Wiles. Euler a donné une démonstration de l'affirmation de Fermat dans le cas particulier où $n = 3$; cette démonstration contenait cependant une erreur méthodologique, car Euler avait omis d'examiner une certaine propriété à laquelle doivent satisfaire les ensembles de nombres qu'il manipulait, propriété qu'il avait acceptée sans vérification. Cet épisode célèbre dans l'histoire de la théorie des nombres a été amplement analysé; on pourra consulter par exemple [5] pour des commentaires généraux et [4] pour un exposé plus détaillé.

22. Notons au passage la différence essentielle entre la *vérification* d'un contre-exemple (facile !) et la *découverte* d'un contre-exemple (difficile !).

8. Hors de portée et (peut-être) sans espoir !

Nous terminons avec deux problèmes qui semblent bien loin d'être résolus.

A. Tout le monde connaît les puissances de 2, les 15 premières étant

2, 4, 8, 16, 32, 64, 128, 256, 512, 1 024, 2 048, 4 096, 8 192, 16 384, 32 768.

Avec un ordinateur, il est facile d'obtenir rapidement le développement décimal d'une puissance de 2. Nous pouvons alors constater que le nombre

$$2^{71} = 2\ 361\ 183\ 241\ 434\ 822\ 606\ 848$$

ne contient pas le chiffre 7, alors que toutes les puissances de 2 qui suivent, tout au moins jusqu'à 2^{3000}, le contiennent. Aussi, il semblerait raisonnable de conjecturer que 2^{71} est la plus grande puissance de 2 qui ne contient pas 7 parmi ses chiffres, comme l'a observé D. Gale [6].

La même question se pose pour tout autre chiffre que 7. Ainsi, le nombre

$$2^{168} = 374\ 144\ 419\ 156\ 711\ 147\ 060\ 143\ 317\ 175\ 368\ 453\ 031\ 918\ 731\ 001\ 856$$

est-il la plus grande puissance de 2 ne contenant pas le chiffre 2 ? Des vérifications expérimentales à l'aide de l'ordinateur le laissent croire !

Voici un tableau donnant les plus grands nombres k connus tels que 2^k ne contient pas le chiffre c :

c	k	c	k
0	86	5	71
1	91	6	93
2	168	7	71
3	153	8	78
4	107	9	108

Bien malin qui montrera que ces nombres ne sont pas les bons !

B. Étant donné un nombre premier p arbitraire, faisons l'exercice d'additionner ses chiffres et désignons cette somme par $s(p)$. Ainsi,

$$s(11) = 2,\ s(13) = 4,\ s(23) = 5,\ s(31) = 4 \text{ et } s(389) = 20.$$

Il est clair que si p est un nombre premier différent de 3, alors $s(p)$ ne sera jamais un multiple de 3 ; en effet, il est bien connu que, lorsque la somme des chiffres d'un nombre est divisible par 3, ce nombre doit forcément être lui-même un multiple de 3 et ne peut donc être premier.

Quel est le plus petit nombre premier p tel que $s(p) = 14$? On trouve facilement qu'il s'agit de $p = 59$. De manière générale, étant donné un entier positif k qui n'est pas un multiple de 3, quel est le plus petit nombre premier p tel que $s(p) = k$?

Si $\rho(k)$ désigne ce nombre premier « privilégié », le tableau est alors le suivant :

k	$\rho(k)$	k	$\rho(k)$	k	$\rho(k)$	k	$\rho(k)$	k	$\rho(k)$
2	2	19	199	35	8 999	52	799 999	68	59 999 999
4	13	20	389	37	29 989	53	989 999	70	189 997 999
5	5	22	499	38	39 989	55	2 998 999	71	89 999 999
7	7	23	599	40	49 999	56	2 999 999	73	289 999 999
8	17	25	997	41	59 999	58	4 999 999	74	389 999 999
10	19	26	1 889	43	79 999	59	6 999 899	76	689 899 999
11	29	28	1 999	44	98 999	61	8 989 999	77	699 899 999
13	67	29	2 999	46	199 999	62	9 899 999	79	799 999 999
14	59	31	4 999	47	389 999	64	19 999 999	80	998 999 999
16	79	32	6 899	49	598 999	65	29 999 999	82	2 999 899 999
17	89	34	17 989	50	599 999	67	59 899 999	83	3 999 998 999

Un fait est visuellement frappant : le chiffre 9 apparaît très souvent dans ce tableau. La raison est en fait assez simple, et c'est d'ailleurs ce qui nous a permis de construire assez rapidement, à l'aide de l'ordinateur, le tableau ci-dessus. Prenons par exemple $k = 22$, et trouvons d'abord le plus petit nombre n dont la somme des chiffres est 22. Il est facile de voir que ce sera un nombre de trois chiffres, dont les deux derniers sont 9 et dont le premier est $22 - 2 \cdot 9 = 22 - 18 = 4$; il s'agit donc de $n = 499$. Comme 499 est un nombre premier, nous pouvons conclure que $\rho(22) = 499$. Choisissons maintenant $k = 25$; par le même raisonnement, nous trouvons facilement que 799 est le plus petit nombre dont la somme des chiffres est 25 ; malheureusement, 799 n'est pas premier, car $799 = 17 \cdot 47$. Nous avons tout de même établi que $\rho(25) = 799$; en regardant un peu plus loin que 799, nous concluons que $\rho(25) \geq 997$. En exploitant cette idée, nous pouvons établir une borne inférieure[23] pour $\rho(k)$.

Voilà qui n'était pas trop difficile. Mais il demeure une question beaucoup plus troublante à propos de $\rho(k)$: est-il certain que, pour chaque entier positif k qui n'est pas un multiple de 3, on puisse trouver un nombre premier p dont la somme des chiffres est k ? En d'autres mots, la fonction $\rho(k)$ est-elle bien définie ? Certes, comme en fait foi le tableau ci-dessus, le problème ne se pose pas pour les entiers inférieurs à 84 qui ne sont pas des multiples de 3. Mais qu'en est-il au delà de 83 ? La question dans son ensemble n'a pas encore reçu de réponse.

Tout doute sur le fait que la fonction $\rho(k)$ prend une valeur précise pour tout k qui n'est pas un multiple de 3 peut paraître surprenant; de prime abord, en effet, étant donné un tel nombre $k > 2$, il est tentant de croire qu'il doit exister une infinité de nombres premiers p dont la somme des chiffres est k. Cette « intuition » prend sa source dans quelques constatations. Prenons par exemple $k = 14$; il s'avère que la somme des chiffres de chacun

---

23. Il peut être démontré que $\rho(k) \geq (a+1)10^b - 1$, où $b = [k/9]$ (c'est-à-dire la partie entière de la fraction $k/9$) et $a = k - 9b$.

des nombres premiers 59, 149, 167, 239, 257, 293, 347, 383, 419, 491 et 509 est 14. Peut-être y a-t-il beaucoup de nombres premiers dont la somme des chiffres est 14, voire une infinité !

Mais considérons maintenant le cas où $k = 2$. Les seuls nombres premiers connus dont la somme des chiffres donne 2 sont 2, 11 et 101; démontrer qu'il y en a une infinité reviendrait à établir l'existence d'une infinité de nombres premiers de la forme $10^m + 1 = 100...01$ ($m - 1$ fois le chiffre 0), ce qui n'a pas été fait.

9. Quelques problèmes ouverts

Voici, pour conclure, deux autres conjectures encore non résolues [3].

A. Nous avons vu à la section 4 qu'il existe quatre entiers positifs qui sont égaux à la somme des factorielles de leurs chiffres. Il est facile de montrer qu'aucun entier $n > 9$ n'est égal au produit de ses chiffres (car il est facile de montrer par récurrence sur r que, pour tout nombre n dont les chiffres sont d_1, d_2, ..., d_r, lorsque $r \geq 2$, on a $n > d_1 \cdot d_2 \cdot ... \cdot d_r$). Existe-t-il un nombre entier positif qui soit égal au produit des factorielles de ses chiffres ? Comme les nombres 1!, 2!, ..., 9! ne contiennent que les facteurs premiers 2, 3, 5 et 7, il est facile de voir qu'un tel nombre n doit s'écrire sous la forme

$$n = 2^\alpha \cdot 3^\beta \cdot 5^\gamma \cdot 7^\delta$$

où α, β, γ et δ sont des entiers non négatifs. Et alors, pourquoi un tel nombre ne serait-il pas possible ? Quoi qu'il en soit, on n'en connaît pas.

B. À chaque entier $n > 1$ écrit sous la forme standard du produit de ses facteurs premiers, c'est-à-dire

$$n = q_1^{\alpha_1} \cdot q_2^{\alpha_2} \cdot ... \cdot q_r^{\alpha_r},$$

associons le nombre $B(n) = \alpha_1 q_1 + \alpha_2 q_2 + ... + \alpha_r q_r$. Par exemple, $B(12) = 2 \cdot 2 + 1 \cdot 3 = 7$ et $B(15) = 8$. Nous nous posons la question suivante en ce qui concerne la fonction B : est-il possible de trouver trois nombres consécutifs pour lesquels la fonction B prend la même valeur ? En d'autres mots, existe-t-il un nombre n tel que $B(n) = B(n + 1) = B(n + 2)$? La réponse est oui, car[24] $B(417\,162) = B(417\,163) = B(417\,164) = 533$. En utilisant un ordinateur, on constate qu'il n'existe pas d'autre nombre $n < 10^8$ jouissant de cette propriété. Mais en existe-t-il d'autres plus loin ? Et qu'en est-il de plusieurs nombres consécutifs pour lesquels B aurait toujours la même valeur ?

---

24. Ces égalités découlent du fait que les décompositions en facteurs premiers de ces nombres sont

$417\,162 = 2 \cdot 3 \cdot 251 \cdot 277$,
$417\,163 = 17 \cdot 53 \cdot 463$,
$417\,164 = 2^2 \cdot 11 \cdot 19 \cdot 499$.

Bibliographie

[1] BANDELOW, Christoph. *Inside Rubik's Cube and Beyond*, Birkhäuser, 1982.

[2] CONWAY, John H. et Richard K. GUY. *Le Livre des nombres*, Eyrolles, 1998.

[3] DE KONINCK, Jean-Marie. *Ces Nombres qui nous fascinent*, version préliminaire, Québec, Université Laval, 1999, 320 p.

[4] EDWARDS, Harold M. *Fermat's Last Theorem. A Genetic Introduction to Algebric Number Theory*, New York, Springer-Verlag, 1977.

[5] EDWARDS, Harold M. « Pierre de Fermat », dans *Les Mathématiciens*, Paris, Pour la science, 1996, p. 22-31.

[6] GALE, David. « Mathematical Entertainement », *The Mathematical Intelligencer*, 18, 1996, p. 23-27.

[7] GOODSTEIN, Reuben L. « On the Restricted Ordinal Theorem », *Journal of Symbolic Logic*, 9, 1944, p. 33-41.

[8] GUY, Richard K. *Unsolved Problems in Number Theory*, 2e éd., New York, Springer-Verlag, 1994.

[9] HENLE, James M. *An Outline of Set Theory*, New York, Springer-Verlag, 1986.

[10] HODGSON, Bernard R. « Tâches herculéennes ou sisyphéennes ? Un regard neuf sur le phénomène d'incomplétude en logique mathématique », dans *Mathématiques d'hier et d'aujourd'hui*, Mont-Royal, Modulo Éditeur, 2000, 220 p.

[11] KIRBY, Laurie et Jeff PARIS. « Accessible Independence Results for Peano Arithmetic », *Bulletin of the London Mathematical Society*, 14, 1982, p. 285-293.

[12] LE LIONNAIS, François. *Les Nombres remarquables*, Hermann, 1983.

[13] RIBENBOIM, Paulo. *The New Book of Prime Number Records*, New York, Springer-Verlag, 1996, p. 335-360.

[14] SLOANE, Neil J. A. et Simon PLOUFFE. *The Encyclopedia of Integer Sequences*, Academic Press, 1995.

[15] WEISSTEIN, Eric W. *CRC Concise Encyclopedia of Mathematics*, Boca Raton, CRC Press, 1999.

[16] WELLS, David. *Le Dictionnaire Penguin des nombres curieux*, 2e éd., Eyrolles, 1998.

Pour aller plus loin

Le lecteur désireux de découvrir d'autres « nombres fascinants » pourra se régaler en consultant l'un des nombreux ouvrages accessibles qui abordent l'univers numérique sous cet angle. Nous aimerions particulièrement signaler à cet égard les livres de J. H. Conway et R. K. Guy [2], de F. Le Lionnais [12], de D. Wells [16], ainsi que le document de J.-M. De Koninck [3]. Le livre de R. K. Guy [8], quoique plus avancé, est une précieuse source d'information. Pour celui ou celle qui aime les records, le livre de P. Ribenboim [13] est tout à fait indiqué. Enfin, l'encyclopédie de N. J. A. Sloane et S. Plouffe [14] donne une liste de plus de 5 000 suites de nombres naturels[25].

---

25. On pourra aussi consulter dans Internet le site « L'encyclopédie électronique des suites entières » (http://www.research.att.com/~njas/sequences/indexfr.html).

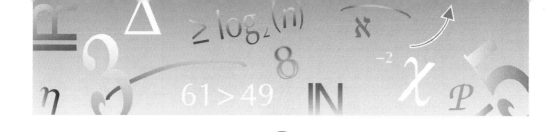

14

Et si les mathématiques nous aidaient à mieux comprendre la musique ?

Chantal BUTEAU
Université de Zurich

Les gens s'étonnent parfois qu'on établisse des liens entre les mathématiques et la musique, car ils opposent naturellement art et émotion à science et raison ! Pourtant, la musique a des liens très prosaïques avec les mathématiques, ne serait-ce que sur le plan de la rythmique (« Un, deux, trois, quatre, un ... ») ou sur celui de la physique, la musique étant l'art des sons, lesquels sont des ondes que des fonctions mathématiques décrivent. D'ailleurs, ce n'est pas d'hier que les mathématiciens s'intéressent à la musique. En l'an 500 av. J.-C., Pythagore utilisait déjà les mathématiques pour tenter de comprendre les tempéraments musicaux (gammes). Et depuis les années 1960, de nombreux musicologues nord-américains ont couramment recours, par exemple, à la théorie des ensembles, pour étudier certains problèmes. Mais ce n'est pas de ce genre de recherche que je veux vous entretenir ici. Non, je veux plutôt vous intéresser à une question de voisinage... quasiment de commérage dans les œuvres musicales !

Mais moi, je ne suis qu'une chanson
Ni plus ni moins qu'un élan de passion
Ginette RENO

La musique nous fait rire, danser, rêver et pleurer. Sa richesse nous éblouit et l'on aspire à la comprendre. C'est de cette soif de comprendre qu'est née l'analyse musicale. L'analyse nous aide certainement à mieux interpréter la musique, mais elle nourrit aussi notre désir de connaître et notre amour de la musique, justifiant ainsi pleinement que l'on se consacre à cet art.

Pour essayer de comprendre la structure d'une composition musicale, on peut par exemple en examiner les mélodies de 2 notes, de 3 notes, de 4, et même d'environ 15 notes. Ces courtes mélodies sont appelées motifs. Or, certains motifs reviennent très souvent dans un morceau : ils se répètent, identiques, légèrement modifiés ou carrément transformés. Ils sont là, partout, pour créer un sentiment d'unité dans la composition. Quand le musicologue entreprend une analyse motivique, il cherche essentiellement à comprendre une œuvre en dégageant l'organisation de ses motifs. En pratique, il tente de découvrir ces motifs « moteurs » pour en déduire la structure de la pièce.

Les répétitions qu'il veut détecter et examiner ne sont pas des répétitions de motifs dans le sens littéral du terme, mais de certains traits des motifs. Par exemple, il pourrait ne s'arrêter qu'au rythme des motifs, qu'à la suite de sons sans le rythme, qu'à la variation de la mélodie, etc. Dans cette recherche de répétitions, il ignore parfois le timbre de l'instrument de musique qui est utilisé ou l'intensité des sons, par exemple. Et cela, vu l'essence même de la musique, est difficile. En effet, il n'est pas aisé de faire abstraction des infinies couleurs de la musique dans lesquelles les répétitions de motifs se fondent subtilement. Par contre, les mathématiques se plaisent dans l'abstraction, comme ces quelques exemples de traductions mathématiques utiles en analyse musicale le montrent.

Abstraction de certaines caractéristiques d'un motif.

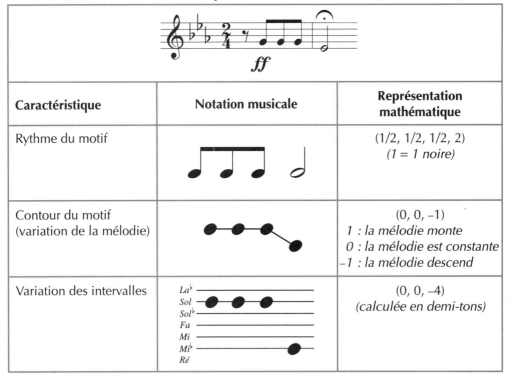

Caractéristique	Notation musicale	Représentation mathématique
Rythme du motif		(1/2, 1/2, 1/2, 2) *(1 = 1 noire)*
Contour du motif (variation de la mélodie)		(0, 0, –1) *1 : la mélodie monte* *0 : la mélodie est constante* *–1 : la mélodie descend*
Variation des intervalles		(0, 0, –4) *(calculée en demi-tons)*

Le pouvoir d'abstraction inhérent aux mathématiques permet de déceler l'essence d'un concept en passant outre à son apparence. C'est un peu comme si l'on pouvait soudain analyser un dessin animé de Disney uniquement sur le plan formel. Laborieusement, les musicologues qui font de l'analyse traditionnelle parviennent à « faire abstraction » du bleu, quelquefois du rouge, quelquefois du jaune, mais c'est un peu comme si, bien qu'estompées, les couleurs restaient attachées à la pellicule. Les mathématiques, elles, changent de pellicule et contemplent le film en noir et blanc. D'un monde multicolore (espace réel de dimension 2 à 6), les motifs d'une partition de musique sont alors *projetés* dans un espace fade : « premier couplet » de notre modèle mathématique de l'analyse motivique de la musique.

Je vous répéterai
vos parlers et vos dires
vos propos et parlures
Gilles Vigneault

Mais comment les mathématiques, science des nombres et des formes, permettent-elles de découvrir les motifs « moteurs » d'une pièce musicale ? Et d'abord, que sont ces « moteurs » ? Expliquons à l'aide d'une analogie. Imaginons que nous voulons qu'une nouvelle se répande rapidement dans un village. Nous en ferons sûrement l'annonce aux habitants des quartiers les plus populeux, et surtout à ceux qui sont les plus influents, ceux qui se trouvent au centre : ce sont les moteurs du commérage. Cette idée intuitive de voisinage est à la base de la théorie mathématique appelée topologie (l'étude des lieux) et c'est à l'établissement d'un système cohérent de construction de topologies motiviques (villages de motifs *séjournant* dans un espace fade) que j'ai consacré mon projet de maîtrise. Ce système mathématique a pour but d'établir une structure hiérarchique des motifs (comparer les voisinages des motifs et en déterminer les moteurs du commérage) d'une composition musicale.

Examinons par exemple quatre des célèbres motifs du début de la *Cinquième Symphonie* de Beethoven.

1. Définissons la distance entre deux motifs :

$$\text{distance}_{contour}(Motif_1, Motif_4) = \frac{\sqrt{(0-0)^2 + (0-(-1))^2 + ((-1)-(-1))^2}}{4} = \frac{1}{4}$$

où
$contour(Motif_1) = (0, 0, -1)$,
$contour(Motif_4) = (0, -1, -1)$
et 4 est la cardinalité (nombre de notes) des deux motifs.

2. Définissons le voisinage de rayon r du motif $Motif_1$:
c'est l'ensemble de tous les motifs qui sont soit r-près[1], ou qui contiennent un sous-motif qui est r-près, de $Motif_1$.

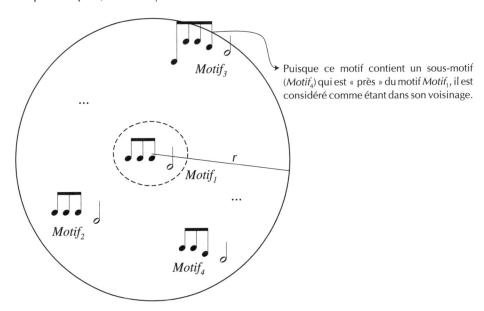

$Motif_3$

Puisque ce motif contient un sous-motif ($Motif_4$) qui est « près » du motif $Motif_1$, il est considéré comme étant dans son voisinage.

$Motif_1$

r

$Motif_2$

$Motif_4$

Ce travail multidisciplinaire, qui exige à la fois rigueur et intuition, n'est pas sans difficulté. La différence des langages et des méthodologies crée des « dissonances ». En effet, en sciences, particulièrement en mathématiques, les concepts sont toujours précisément définis, alors qu'en musique on utilise souvent des termes qui ne l'ont jamais été et dont le sens, de surcroît, diffère selon le contexte et l'interlocuteur. Quant aux méthodologies respectives de ces deux disciplines, elles sont aussi différentes l'une de l'autre que les musiques des chansons de Plume Latraverse le sont de celles de Céline Dion. Le travail du mathématicien-musicologue s'en trouve donc compliqué *a priori*.

Pour lecteurs avertis

L'idée de construction de la topologie sur les motifs d'une composition musicale est de projeter les motifs dans un espace où tous les calculs seront effectués et ensuite retournés aux motifs. Les motifs d'un morceau de piano sont par exemple des sous-ensembles finis non vides de $\mathbb{R}^4$, où les vecteurs représentent les notes paramétrisées par le temps d'attaque, la hauteur, la durée et l'intensité du son. Ces motifs, dans le cas du contour (*voir* tableau) par exemple, sont envoyés dans $\bigcup_n \{-1, 0, 1\}^n$, appelé espace de motifs abstraits. Cette étape modélise l'abstraction de traits particuliers des motifs.

---

1. C'est-à-dire à distance plus petite que r.

L'opération d'un groupe sur l'espace des motifs abstraits, formant des classes de motifs par l'image inverse des classes dans $\bigcup_n \{-1,\ 0,\ 1\}^n$, modélise les imitations de motifs. Les variations et les transformations sont quant à elles modélisées pas le biais d'une suite de pseudo-métries (fonctions de distance) sur $\{-1, 0, 1\}^n$, qui est de nouveau renvoyée sur les motifs. Les voisinages de motifs

$$V_\varepsilon(M) = \{N \text{ motif} \mid \exists \text{ sous-motif } N^* \subset N \text{ tel que } d(M, N^*) < \varepsilon\}$$

formeront une base pour une topologie sur l'ensemble de tous les motifs s'ils satisfont à une certaine propriété de continuité, laquelle n'est pas automatiquement satisfaite par notre construction (cela dépend entre autre du type d'abstraction). Rappelons qu'une topologie, qui, en fait, donne une structure à un ensemble, est définie par ses ensembles ouverts : dans le plan réel $\mathbb{R}^2$, les boules

$$B_\varepsilon(p) = \left\{q \in \mathbb{R}^2 \mid \sqrt{(x_1 - x_0)^2 + (y_1 - y_0)^2} < \varepsilon\right\}, \text{ où } p = (x_0, y_0) \text{ et } q = (x_1, y_1),$$

engendrent tous les ensembles ouverts pour la topologie usuelle, appelée *topologie euclidienne*, du plan réel.

J'te lance un barbo sans lumière
En espérant qu'tu y vois clair

Lynda LEMAY

Qu'est-ce que les mathématiques apportent de plus à l'analyse musicale ? Elles permettent de mieux observer les relations entre les motifs, d'établir les liens qui les unissent tout en mettant à la disposition du musicologue une terminologie précise. La topologie, une théorie déjà bien développée et dont les résultats abondent, permet de nuancer les rapports d'importance à accorder aux motifs, tant sur le plan qualitatif (un tel motif est une « vraie pie »!), que sur le plan quantitatif (il y a 52 voisins à l'écoute de « la pie » !).

L'analyse motivique soumise à l'examen du topologue

Les topologues s'intéresseront par exemple au fait que l'espace topologique obtenu est loin d'être intuitif (contrairement à l'espace euclidien), car il n'est que de type T_0 (étant donné deux points, il existe un ensemble ouvert contenant un des points et ne contenant pas l'autre). Dans cet espace « tordu » la fermeture d'un motif contient plusieurs autres motifs de même cardinalité et de cardinalité inférieure (ce sont exactement les motifs qui sont dans la relation dite de « petite classe » avec le motif). Une autre propriété intéressante est que l'espace quotient sur les classes de motifs est sobre : tous les ensembles irréductibles fermés contiennent un et un seul point générique, ces derniers jouant d'ailleurs un rôle central dans la détermination du motif d'une composition.

Mais le plus important, c'est que ce modèle topologique nous fournit enfin une méthode explicite pour analyser motiviquement toute composition musicale et en découvrir la structure. Qui plus est, cette méthode est utilisable par ordinateur. RUBATO®, logiciel sur l'analyse et l'interprétation de compositions musicales, fait ainsi l'analyse motivique d'une pièce par le biais de son module, appelé MéloRubette. Il se veut l'application technologique de la MaMuTh (*Mathematical Music Theory*), une théorie mathématique de la musique, créée en 1984 par le mathématicien et musicien professionnel suisse Guerino Mazzola.

Aujourd'hui, des musicologues, des sémiologues, des informaticiens, des mathématiciens et des statisticiens, principalement en Suisse et en Allemagne, travaillent en étroite collaboration sur le développement de cette théorie et du logiciel RUBATO®.

... de Cookie, qui aimait trop la couleur rouge ou jaune
Jean LELOUP

Pourquoi la MaMuTh est-elle encore si méconnue ? Probablement parce qu'elle requiert de solides connaissances mathématiques (topos, module, topologie, catégorie, etc.) et qu'elle ne s'est longtemps laissé lire qu'en allemand. Peut-être est-elle aussi victime de ce que musiciens et musicologues considèrent souvent qu'étudier la musique à l'aide des mathématiques est par trop réducteur ! Pourtant, il serait faux de prétendre que les mathématiciens croient pouvoir tout expliquer par leur science. Personne n'ignore que la musique est beaucoup plus que de la logique. Simplement, les mathématiques permettent de magnifier la beauté, la complexité de la musique en soulignant et en dévoilant certaines de ses finesses. Elles sont pour l'analyste un outil objectif, général et précis.

La prochaine fois que vous écouterez la *Cinquième Symphonie* de Beethoven, immergez-vous dans ce majestueux déluge de couleurs euphorisantes. Vous comprendrez alors que la structure enchevêtrée de ces merveilleuses couleurs qui font l'amour inlassablement est à la fois musique et mathématiques.

> *La musique est un exercice occulte*
> *de l'arithmétique de l'âme*
> *qui ne sait pas qu'elle compte.*
> LEIBNIZ, 1712

Bibliographie
HODGSON, Bernard R. « Tâches herculéennes ou sisyphéennes ? Un regard neuf sur le phénomène d'incomplétude en logique mathématique », dans *Mathématiques d'hier et d'aujourd'hui*, Mont-Royal, Modulo Éditeur, 2000, 220 p.

Pour aller plus loin
MAZZOLA, G. et O. ZAHORKA. « The RUBATO Performance Workstation on NEXTSTEP », dans *Proceedings of 1994 ICMC*, San Francisco, International Computer Music Association, septembre 1994, p. 102-108.

MAZZOLA, G. et J. BERAN. « Timing Microstructure in Schumann's Träumerei as an Expression of Harmony, Rhythm, and Motivic Structure in Music Performance », dans *CAMWA*, vol. 39, 2000, p. 99-130.

– http://www.math.ethz.ch/~cbuteau/

– http://www.ifi.unizh.ch/groups/mml/musicmedia/rubato/rubato.html

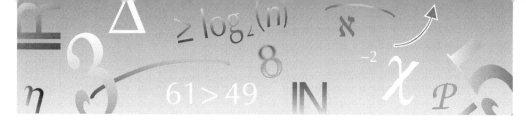

15

À quoi ça sert ?

La place des mathématiques

Hélène KAYLER
UQÀM

D'innombrables élèves du secondaire nous posent la même question : « À quoi ça sert de faire des maths ? » Pourtant, nul d'entre eux ne nous demande jamais : « À quoi ça sert de faire du patin à roues alignées ou de jouer au Nintendo ? » Ici, curieusement, l'utilité de la chose est sans objet : ça ne sert à rien, mais au moins, c'est agréable !

Sans prétendre épuiser le sujet, ni examiner le rôle de l'école, ce qui serait plutôt du ressort des didacticiens des mathématiques, je vais néanmoins tenter d'apporter ici des éléments de réponse, en considérant le rôle des mathématiques dans les programmes scolaires et la place qu'elles y occupent. Il s'agit en effet d'une place et d'un rôle importants : on y consacre un nombre d'heures considérable, et la réussite ou l'échec dans cette matière est lourde de conséquences pour l'élève.

Les mathématiques à l'école

Dès ses première années scolaires, l'élève ne passe guère une journée sans consacrer une période de travail à l'étude des mathématiques. Et il en sera longtemps ainsi, car les *matières de base,* dont les mathématiques font partie, ont une place importante dans les programmes. Ces derniers ont beaucoup changé, et c'est peut-être en mathématiques que les maîtres ont le plus progressé sur le plan de l'enseignement.

Au secondaire, les cours de mathématiques sont obligatoires et nécessaires pour accéder soit aux cours professionnels, soit aux études collégiales. Au cégep, de très nombreuses filières comportent aussi des cours de mathématiques, qui seront ensuite nécessaires pour être admis à l'université.

En résumé, pour accéder à la plupart des carrières ou des programmes offerts aux diplômés du secondaire ou du collège, il faut avoir réussi les mathématiques du secondaire, voire celles du collège. On le voit, on n'échappe pas facilement aux maths.

D'ailleurs, il ne faut pas se cacher que les mathématiques servent de filtre au moment de la sélection des candidatures. Par exemple, pour être admis en médecine, il faut avoir réussi en mathématiques au niveau antérieur, bien qu'il ne semble pas que les cours de ce programme fassent appel à des connaissances mathématiques particulières.

Voilà donc un premier élément de réponse : *Les mathématiques, ça sert à passer les examens et à satisfaire aux conditions d'admission de nombreux programmes d'études.* Évidemment, on peut être en désaccord avec cette exigence. Pour ma part, je dirais que l'on fait jouer là un bien mauvais rôle aux mathématiques. En effet, que diraient les musiciens si, tout à coup, on décrétait que tous doivent apprendre à jouer du piano, car c'est à partir d'une épreuve commune en piano que se fera la sélection des meilleurs candidates et candidats à l'ensemble des programmes. Je suis convaincue qu'une telle pratique n'augmenterait pas le nombre de bons musiciens, mais sûrement le nombre de ceux qui détestent la musique.

Cependant, comme il faut admettre les faits, on ajoutera maintenant un autre élément de réponse à notre question : *Faire des math à l'école, ça sert à passer des examens qu'il faut réussir pour passer les suivants.*

Les mathématiques dans notre société

Mais pourquoi les mathématiques occupent-elles une telle place à l'école ? L'une des raisons est certainement qu'elles font partie de notre patrimoine culturel et qu'elles sont primordiales dans notre monde de technologie.

Les mathématiques sont en effet une discipline très actuelle, mais il est souvent difficile de le prouver aux néophytes, car son activité débordante est souvent plus manifeste dans des publications savantes ou des conférences qui ne touchent pas le grand public. Pourtant, la production mathématique — sur le plan des nouvelles théories et des nouveaux théorèmes — a été plus abondante ces dernières décennies qu'au cours des siècles passés ! Il existe en effet de nombreux sous-domaines qui donnent lieu à des échanges durables et passionnants. Ainsi, il y a quelques années, la controverse à propos de la résolution de la conjecture de Fermat en a tenu plus d'un en haleine.

Cette intensité, cette effervescence, importent parce que les nombreuses disciplines qui sont tributaires des mathématiques finissent généralement par influer sur notre quotidien, qu'il s'agisse de sciences comme la physique ou de domaines tels que la linguistique ou la géographie. Aux spécialistes et aux chercheurs de toutes ces disciplines, les mathématiques fournissent des outils formels, modèles ou langages, qui leur permettent de progresser. Voici ce qu'il ressort de tout cela : *Les mathématiques, ça sert à connaître une partie de ce qui est la base de notre civilisation.*

Quant à la pertinence de cette connaissance, chacun peut l'évaluer selon ses valeurs personnelles, son appréciation de l'état de notre civilisation et la fonction de l'école dans ce domaine.

Il est vrai cependant que, dans la vie de tous les jours, de nombreuses activités pourraient nous amener à utiliser des connaissances mathématiques habituellement acquises... à l'école primaire, le remplissage d'une piscine, la confection d'un mélange fertilisant, la réalisation d'une recette de cuisine, la disposition d'un patron sur du tissu, le calcul d'intérêts, l'échange d'argent, etc. Mais dans presque tous les cas, on recourt à quelque expédient, décrit dans un mode d'emploi ou bien expliqué par un « spécialiste ». Alors, à quoi nous servent les mathématiques ?

Les mathématiques dans le développement de l'individu

La principale raison, à mon sens, de l'importance que l'école accorde à l'enseignement des mathématiques est qu'il peut favoriser le développement de certaines habiletés intellectuelles. Mais hélas, les conditions de l'enseignement ne sont pas toujours propices à la réalisation de ce bel objectif auprès de la majorité des jeunes, pas plus que l'école, en général, ne réussit dans ses autres louables finalités. Il y a toujours trop de jeunes adultes qui n'ont que des souvenirs négatifs des mathématiques, qu'ils aient ou non réussi dans cette matière à l'école.

En fait, l'activité mathématique fait le pont entre les idées et la technique. Elle fait appel aussi bien à l'intuition qu'à l'abstraction. Par exemple, quand on étudie l'ellipse ou la parabole, on peut imaginer la trajectoire des planètes, ou bien l'antenne parabolique ou bien une représentation graphique résultant d'une construction géométrique ou d'une équation algébrique, ces deux derniers aspects étant liés à la fois aux idées et aux calculs concernant ces coniques. Ces idées et cette technique, les mathématiciens en font un usage harmonieux, et ce pourrait aussi être le cas des élèves de l'école primaire. Voilà qui constitue un autre élément de réponse : *Les mathématiques, ça sert à développer l'intuition et la rigueur.*

En général, on peut dire que l'activité mathématique développe le sens critique et le goût du questionnement. Ne dit-on pas parfois que les mathématiques sont l'étude des relations ? En effet, une personne qui a appris à réfléchir ne se laissera pas berner par les arguments fallacieux de certains idéologues, des publicitaires ou d'autres démagogues (*voir* l'encadré). On peut donc aussi dire que : *Les mathématiques, ça sert aussi à apprendre à réfléchir.*

L'augmentation des demandes est de 75 % !

Le titre peut renvoyer à un accroissement de 75 % du nombre des demandes. Par exemple, de 12 400 demandes en 1997, on serait passé à 21 700 en 1998 (75 % de 12 400 donne 9 300 et 12 400 + 9 300 donnent 21 700). L'augmentation de 12 400 à 21 700 demandes est bien de 75 % (75% de 12 400). Mais il pourrait aussi s'agir de l'augmentation de la croissance, c'est-à-dire de la différence entre les demandes de deux années successives : la croissance serait alors passée de 100 à 175. On pourrait illustrer cela ici en supposant que cette croissance était de 100 en 1997 (le nombre des demandes serait alors passé de 12 300 à 12 400 demandes); puis elles auraient augmenté de 175 en 1998 (le nombre des demandes passant de 12 400 à 12 575). L'augmentation de la croissance, de 100 à 175 est bien de 75 % (75 % de 100).

Ici, on utilise les calculs de pourcentages, mais ce qui importe surtout, c'est de savoir à partir de quel nombre il faut calculer 75 %. Est-ce du nombre 100 (la croissance) ou du nombre 12 400 (les demandes) ? Selon l'interprétation, le résultat est bien différent. Ce genre d'énoncé peut être utilisé dans le but de manipuler la population.

Bref, si les mathématiques ne constituent pas le seul domaine de connaissances qui aide au développement des habiletés intellectuelles de bon niveau, elles y contribuent incontestablement. C'est dans ce rôle que réside peut-être l'essentiel de la réponse à notre question initiale.

L'exposant zéro

Capsule didactique... à prendre avec un verre d'eau !

Joane ALLARD
Commission scolaire de la Côte-du-Sud

En 1484, Nicolas Chuquet fait observer dans son livre *Le triparty en la science des nombres* que le produit de deux termes de la progression géométrique

$$1, r, r^2, r^3, \ldots$$

est un terme dont l'exposant est la somme des termes correspondants dans la progression arithmétique

$$0, 1, 2, 3, \ldots$$

Ce rapport entre les deux progressions, l'Allemand Michael Stifel va le généraliser en 1553, dans son livre *Arithmetica integra*, pour y inclure les exposants négatifs et fractionnaires. (Par exemple, la division de r^2 par r^3 donne r^{-1}, ce qui correspond au terme -1 dans la progression artihmétique.) Ces observations vont permettre d'instaurer la convention selon laquelle tout nombre réel non nul doté de l'exposant 0 est égal à 1. Ainsi :

$$r^2 \div r^2 = r^{2-2} = r^0 = 1.$$

Cependant, que l'on accepte par convention que toute quantité affectée de l'exposant zéro est égale à 1 ($1^0 = 1$, $2^0 = 1$, $10^0 = 1$...) n'élimine pas les difficultés qu'ont de nombreux élèves à comprendre cet exposant. Il est en effet facile de confondre « a sans exposant » (en réalité a^1) avec « a avec exposant nul », c'est-à-dire a^0. On apprend aux élèves que $a^0 = 1$, et $a^1 = a$, car cela assure la cohérence de la théorie des exposants, mais certains ont besoin de comprendre le raisonnement sur lequel se fonde la convention. Et pourquoi pas ? L'enseignement systématique de l'exposant zéro n'est pas au programme d'études primaires, mais si les élèves sont curieux et intéressés, on pourra les amener à des observations qui leur permettront de faire des déductions et de progresser dans l'exploration des nombres.

Voici donc des éléments de réponse que j'ai proposés à une enseignante de sixième primaire qui me demandait comment démontrer à ses élèves que $10^0 = 1$.

Éléments de réponse

En classe, les élèves rencontrent des décompositions de nombres :

$$324 \quad = \quad 3 \times 100 \quad + \quad 2 \times 10 \quad + \quad 4 \times 1$$
$$324 \quad = \quad 3 \times 10^2 \quad + \quad 2 \times 10^1 \quad + \quad 4 \times 10^0$$
$$324 \quad = \quad 300 \quad + \quad 20 \quad + \quad 4$$

Au moment de ces décompositions en base 10, ils utilisent les puissances de dix. C'est alors que l'étrange 10^0 surgit dans leur univers.

En sixième année du primaire, les élèves maîtrisent plusieurs notions liées à la numération en base dix, dont :

- la valeur de position;
- la multiplication et la division par 10, 100, 1000;
- la composition et la décomposition d'un nombre en base 10;
- la décomposition d'un nombre en facteurs premiers;
- l'écriture d'un nombre à l'aide d'exposants ou de puissances.

Ainsi, ils peuvent représenter 24 de toutes les façons suivantes.

1. Par la décomposition selon la valeur de position

$$24 \quad = \quad 2 \times 10 \quad + \quad 4 \times 1$$
$$24 \quad = \quad 20 \quad + \quad 4$$

2. Par les puissances de 10

$$24 \quad = \quad 2 \times 10^1 \quad + \quad 4 \times 10^0$$
$$24 \quad = \quad 20 \quad + \quad 4$$

3. En facteurs premiers

$$24 \quad = \quad 2 \times 2 \times 2 \times 3$$

4. Par la puissance des facteurs premiers

$$24 \quad = \quad 2^3 \times 3^1$$

Préalables et premières observations

Les élèves doivent avoir une bonne compréhension de la multiplication et de la division ainsi qu'une solide connaissance des nombres qui sont des puissances de deux et de trois pour réaliser les observations concluantes.

Nous effectuerons les premières observations à l'aide d'exemples dans lesquels on multipliera et on divisera de petits nombres exprimés par la puissance des facteurs premiers, car il est plus facile de faire un travail d'observation avec de petits nombres. Il s'agira de noter des faits et de faire d'autres vérifications, et de se demander si cela est vrai, si cela est toujours vrai, si cela *marche* toujours. On pourra par la suite utiliser la calculatrice pour reprendre les observations sur de plus grands nombres et vérifier ainsi la justesse de nos généralisations.

Première observation

Multiplication   En multipliant par lui-même un nombre affecté d'exposants différents, on constate que le produit de cette opération sera ce nombre affecté de la somme de ses exposants. Est-ce que cela *marche* toujours ? Est-ce vrai ? Est-ce toujours vrai ?

Exemples

$$4 \times 8 = 32$$
$$2^2 \times 2^3 = 2^{(2+3)} = 2^5 = 32$$
$$3 \times 9 = 27$$
$$3^1 \times 3^2 = 3^{(1+2)} = 27$$

Deuxième observation

Division   En divisant par lui-même un nombre affecté d'exposants différents, on constate que le quotient de cette opération sera ce nombre affecté de la différence de ses exposants. Est-ce que cela *marche* toujours ? Est-ce vrai ? Est-ce toujours vrai ?

Exemples

$$64 \div 4 = 16$$
$$2^6 \div 2^2 = 2^{(6-2)} = 2^4 = 16$$
$$81 \div 27 = 3$$
$$3^4 \div 3^3 = 3^{(4-3)} = 3^1 = 3$$

Il serait pertinent d'écrire d'autres égalités et de vérifier ces nouvelles données.

Maintenant divisons un nombre par lui-même. Nous savons que le quotient est 1. Compte tenu de cela et de ce que nous avons expérimenté précédemment, nous pouvons écrire ce qui suit :

$$125 \div 125 = 1$$
$$5^3 \div 5^3 = 5^{(3-3)} = 5^0 = 1$$

Une dernière observation *plus fantaisiste*

Un collègue me faisait remarquer ce qui suit :

10^5	100 000	un et cinq *zéros*	cent mille
10^4	10 000	un et quatre *zéros*	dix mille
10^3	1 000	un et trois *zéros*	mille
10^2	100	un et deux *zéros*	cent
10^1	10	un et un *zéro*	dix
10^0	1	un et zéro *zéro*	un

Et pourquoi pas ? À vous de jouer maintenant !

Bibliographie

DUFORT, J.-G., V. GODBOUT et D. PARADIS. *Contributions mathématiques de l'Antiquité*, Montréal, Télé-université, Permama 4003, 1976, 169 p.

Note de l'éditeur : Ce texte est paru dans *Instantanés mathématiques*, vol. 33, n° 4, 1997, sous le titre « L'exposant zéro en classe de primaire ».

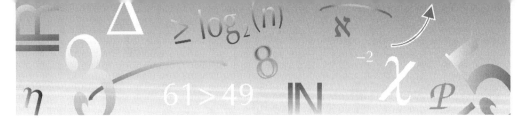

Petites calculatrices, grands nombres

Jean M. Turgeon
Université de Montréal

Ayant appris dans l'enfance une certaine façon d'additionner, de soustraire, de multiplier et de diviser, on peut facilement s'imaginer que ces algorithmes sont dans la nature des choses et qu'on les utilise depuis des temps immémoriaux. Pourtant, le traité de Luca Pacioli, *Summa de arithmetica*, publié en 1494, à l'époque de la découverte de l'Amérique par Christophe Colomb, ne présentait pas moins de huit méthodes de multiplication. Il s'agissait alors de convaincre la population européenne de troquer les chiffres romains et l'abaque contre les chiffres arabes et la nouvelle arithmétique.

Toutes ces méthodes peuvent paraître également périmées avec l'avènement de la calculatrice électronique et des ordinateurs. Mais un jour où j'avais entre les mains une calculatrice à huit chiffres, j'ai été bien embêté pour vérifier la proposition suivante.

> Le produit de deux nombres qui se terminent par 81 787 109 376 se termine lui-même par ces chiffres.

Mon problème était de tirer le meilleur parti de ma calculatrice pour effectuer ce calcul, de m'en faire, en quelque sorte, une alliée pour calculer à la main. Nous verrons que dans les quatre opérations arithmétiques de base il est assez simple de contourner les difficultés liées aux calculs avec des grands nombres. Mais, comme il vaut mieux connaître le fonctionnement de l'addition pour bien comprendre les autres opérations, commençons par le commencement !

L'addition

Vous avez une calculatrice à huit chiffres et je vous demande d'effectuer l'addition suivante.

$$7\ 974\ 294\ 923\ 090\ 514\ 748\ 410\ 896$$
$$+\ 1\ 169\ 284\ 831\ 078\ 687\ 046\ 407\ 031$$

Pour tirer le meilleur parti de la calculatrice, vous y entrerez le plus grand nombre possible de chiffres à la fois. La somme de deux nombres à n chiffres est soit un nombre à n chiffres, soit un nombre à $n+1$ chiffres. Pour que la somme ne dépasse pas la capacité de traitement de la calculatrice, vous procéderez par blocs de sept chiffres à la fois. Vous exprimerez donc les nombres donnés en base 10^7, où les « chiffres » vont de 0, 1, 2, ... à 9 999 999, comme suit.

$$7974\ 2949230\ 9051474\ 8410896$$
$$+\ 1169\ 2848310\ 7868704\ 6407031$$

Comme dans une addition à la main, vous commencerez par la colonne de droite. La calculatrice donne

$$8410896 + 6407031 = 14\ 817\ 927.$$

Vous avez donc une retenue de 1 à reporter à la deuxième colonne de droite. Cette fois, la calculatrice donne

$$1 + 9051474 + 7868704 = 1\ 6920179.$$

Vous continuez ainsi et obtenez la somme

$$9\ 143\ 579\ 754\ 169\ 201\ 794\ 817\ 927.$$

Soustraction

On pourrait penser que la soustraction permet de procéder par blocs de huit chiffres. Mais ce serait oublier qu'il faut parfois « emprunter chez le voisin », comme dans l'exemple suivant.

$$8691000\ 1560832\ 5615570$$
$$-\ 3157539\ 1560841\ 7223199$$

À des fins de calculs, on remplacera donc le premier nombre par l'expression bizarre suivante.

$$8690999\ (1)1560831\ (1)5615570$$

On peut maintenant utiliser la calculatrice pour effectuer les soustractions, un bloc à la fois, et obtenir la différence

$$553\ 346\ 099\ 999\ 908\ 392\ 371.$$

Multiplication

Au moment d'aborder la multiplication, nous devons de nouveau nous demander en quelle base travailler pour tirer le meilleur parti de la calculatrice.

Le produit de deux nombres à n chiffres est soit un nombre à $2n$ chiffres, soit un nombre à $2n-1$ chiffres. Comme nos produits ne doivent pas comporter plus de huit chiffres, nous aurons $n=4$.

Dans les calculs effectués à l'aide de la méthode que nous avons tous apprise à l'école, et qui remonte à Pacioli, on garde en mémoire les reports de dizaines. C'est un inconvénient lorsqu'on travaille en base 10^4, c'est-à-dire avec des « chiffres » qui varient de 0 à 9 999. Voyons deux façons de contourner cette difficulté : *gelosia* (*jalousie* ou *persienne*, en français) et le procédé *Z*.

Gelosia

Dans la méthode que Pacioli appelait *gelosia*, « on dispose les nombres autour d'un quadrilatère divisé en carrés où s'inscrivent les totaux partiels de part et d'autre des diagonales de ces carrés, orientées suivant la position des nombres au départ. L'addition des nombres en diagonale donne le produit qui s'inscrit élégamment sur les côtés restés libres de la *gelosia*. Ce mot désignait le treillis de bois ou de fer qui, comme le moucharebiah arabe, permet de voir de l'intérieur d'une maison sans être vu et protège la pudeur des femmes » (Allard, 1995, p. 748).

Voici, pour illustrer la méthode, le produit de 9 801 × 9 182.

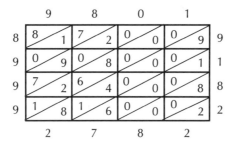

La réponse est

89 992 782.

Appliquons la méthode *gelosia* au produit de deux nombres qui se terminent par

81 787 109 376,

et que nous écrirons en base 10^4, disons

5 4817 8710 9376 × 938 5817 8710 9376.

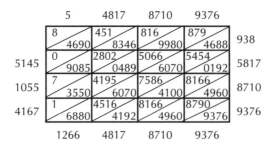

La réponse est donc

5145 1055 4167 1266 4817 8710 9376

et se termine bien par

81 787 109 376.

Produits de polynômes

Dans un article récent (1999, p. 51), Jeff Suzuki applique la méthode *gelosia* au produit de polynômes. Voici par exemple la multiplication de

$$x^3 - 2x^2 + 3x - 5$$

par

$$x^2 - 2x - 3.$$

On dispose les termes du polynôme autour du rectangle. En l'absence de reports de dizaines à retenir, on n'a pas à dessiner de diagonales.

	x^3	$-2x^2$	$3x$	-5	
	x^5	$-2x^4$	$3x^3$	$-5x^2$	x^2
x^5	$-2x^4$	$4x^3$	$-6x^2$	$10x$	$-2x$
$-4x^4$	$-3x^3$	$6x^2$	$-9x$	15	-3
	$4x^3$	$-5x^2$	x	15	

On obtient le produit

$$x^5 - 4x^4 + 4x^3 - 5x^2 + x + 15.$$

Multiplier les polynômes de cette façon présente plusieurs avantages. Premièrement, les méthodes de calcul habituelles sont entièrement différentes l'une de l'autre lorsqu'on multiplie deux entiers ou deux polynômes. Ici, on emploie la même méthode dans les deux cas. Deuxièmement, les calculs sont facilement vérifiables. Troisièmement, lorsqu'on a pris l'habitude de calculer les produits de polynômes de cette façon, on peut se dispenser d'écrire toutes les puissances de x : il suffit d'inscrire les coefficients dans les cases appropriées et d'effectuer les sommes le long des diagonales.

Le quatrième avantage me semble être le plus important. Nous obtenons un algorithme de division où il apparaît clairement que cette opération est l'inverse de la multiplication.

Pour donner un exemple, divisons

$$x^5 - 4x^4 + 4x^3 - 5x^2 + x + 15$$

par

$$x^2 - 2x - 3.$$

On inscrit d'abord les deux polynômes autour de la grille, comme dans la figure ci-dessous.

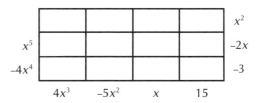

Il est clair que le contenu de la case à l'intersection de la première ligne et de la première colonne de la grille sera x^5. Ainsi, il faudra inscrire x^3 au-dessus de la première colonne, ce qui nous permet de remplir la première colonne de la grille.

	x^3				
	x^5				x^2
x^5	$-2x^4$				$-2x$
$-4x^4$	$-3x^3$				-3
	$4x^3$	$-5x^2$	x	15	

On a $-4x^4$ à gauche de la troisième ligne, qui doit être la somme d'une diagonale qui contient déjà $-2x^4$. Le contenu de la deuxième case de la première ligne sera donc aussi $-2x^4$. On aura donc $-2x^2$ au-dessus de la deuxième colonne, que nous pouvons maintenant remplir.

	x^3	$-2x^2$			
	x^5	$-2x^4$			x^2
x^5	$-2x^4$	$4x^3$			$-2x$
$-4x^4$	$-3x^3$	$6x^2$			-3
	$4x^3$	$-5x^2$	x	15	

On procède ainsi pour les deux autres colonnes du tableau. Le résultat final est identique au tableau qui a servi à la multiplication, au point que l'on ne peut savoir s'il a servi à une multiplication ou à une division !

	x^3	$-2x^2$	$3x$	-5	
	x^5	$-2x^4$	$3x^3$	$-5x^2$	x^2
x^5	$-2x^4$	$4x^3$	$-6x^2$	$10x$	$-2x$
$-4x^4$	$-3x^3$	$6x^2$	$-9x$	15	-3
	$4x^3$	$-5x^2$	x	15	

J'ai cherché en vain un algorithme de division d'entiers de type *gelosia* qui soit nettement l'inverse d'un algorithme de multiplication d'entiers. La difficulté provient des reports de dizaines, qui ne se laissent pas facilement calculer.

Le procédé Z

La méthode *gelosia* « ne présente pas que des avantages : dans certains cas, le tracé du tableau demande plus de temps et de minutie que les calculs eux-mêmes » (Chabert et coll.,1994, p. 32). D'après Smith (1925, p. 115) et Suzuki (1999, p. 51), la méthode *gelosia* est très ancienne et fut longtemps populaire, mais les difficultés de reproduire la grille dans un texte imprimé furent telles qu'on a graduellement cessé d'en parler dans les traités d'arithmétique.

Le procédé que j'appelle Z, à cause de la forme que prend le tableau des nombres, diffère de la méthode *gelosia* par l'arrangement des calculs. Pour l'illustrer, revenons au produit

$$5\ 4817\ 8710\ 9376 \times 938\ 5817\ 8710\ 9376.$$

Avec l'aide de la calculatrice, on multiplie les « chiffres » de la première ligne par 9376, qui est le dernier « chiffre » de la deuxième ligne, et on dispose les résultats les uns au-dessous des autres en respectant les positions. On recommence avec 8710, qui est l'avant-dernier « chiffre » de la deuxième ligne, en respectant de nouveau les positions. Une fois tous les produits obtenus, on additionne les colonnes. Ce procédé ressemble à l'algorithme habituel, sauf que les retenues sont incluses dans le tableau des calculs.

				5	4817	8710	9376
			× 938	5817	8710	9376
					8790	9376
				8166	4960	
			4616	4192		
		4	6880			
				8166	4960	
			7586	4100		
		4195	6070			
	4	3550				
			5454	0192		
		5066	6070			
	2802	0489				
2	9085					
		879	4688			
	816	9980				
451	8346					
4690						
5145	1055	4167	1266	4817	8710	9376

Division

C'est le procédé *Z* qui nous servira pour la division. Comme dans la multiplication, nous traiterons les chiffres par blocs de quatre. Prenons comme exemple la division de

6521 0365 8214 0879 9548 3084

par

7153 3084 9773.

Comment deviner que le premier chiffre (en base 10^4) du quotient sera 9116 ? Il suffit de diviser, à l'aide de la calculatrice, le nombre formé des deux premiers chiffres du dividende, 6521 0365, par le nombre 7153,3084 (cette virgule est importante) :

6521 0365 ÷ 7153,3084 → 9116,1126.

On oublie les décimales et on garde 9116. Il arrive que le nombre obtenu par cette méthode soit légèrement trop grand ou trop petit, mais il constitue toujours une bonne approximation.

```
6521   0365   8214   0879   9548   3084 │ 7153   3084   9773
       8909   0668                      │ 9116   1126   1308
       2811   3744
6520   6748
       ──────────────────────────
        805   5561   0211   9548
               1100   4398
                347   2584
        805   4278
       ──────────────────────────
                935   6527   5150   3084
                      1278   3084
                       403   3872
                935   6124
                                     0
```

Conclusion

Bien des gens considèrent que l'arithmétique est une chose triviale que les enfants apprennent et que les ordinateurs exécutent mieux que les humains. Il se publie pourtant chaque année de nombreux articles, dans des revues spécialisées, sur la science du calcul numérique, qui fait aussi l'objet de conférences et de colloques internationaux. Il vaut aussi la peine de nous pencher sur ces questions dans leurs rapports avec notre vie personnelle, afin de mieux comprendre les processus de pensée dont nous nous servons tous les jours.

Bibliographie

ALLARD, André. « La révolution arithmétique du Moyen Âge », *La recherche*, n° 278, 1995, p. 742-748.

CHABERT, Jean-Luc et coll. *Histoire d'algorithmes*, Paris, Belin, 1994, 591 p.

SMITH, David Eugene. *History of Mathematics, vol. 2*, New York, Dover, 1925, 725 p.

SUZUKI, Jeff. « Multiplying and Dividing Polynomials Using Geloxia », *The College Mathematics Journal*, vol. 30, n° 1, 1999, p. 50-53.

Pour aller plus loin

L'histoire des algorithmes de multiplication est passionnante. Le lecteur intéressé la trouvera exposée en détails dans les trois premières références bibliographiques ci-dessus.

Si le défi de tirer le meilleur parti d'une calculatrice pour traiter des nombres très grands vous intéresse, attaquez-vous au calcul de la racine carrée du nombre suivant :

175 958 611 081 587 144 588 996.

Note de l'éditeur : Ce texte est paru dans *Bulletin AMQ*, vol. 39, n° 1, 1999, sous le titre « Petites calculatrices, grands nombres ».

Le grand jeu

Un homme
une femme
un trapèze

Nouveau triangle
cérébral   animal   génial

Un coup de balancier
L'un se lance
L'autre attrape   parfois

Jean GRIGNON
        (extrait de *L'Effet mère*)

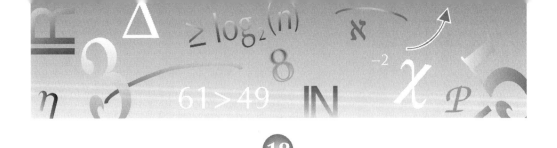

18

Comment calcule votre calculatrice

André-Jean ROY
Université Laval

Il existe plusieurs types de calculatrice, mais il sera question ici de cet instrument de la grosseur de quelques cartes à jouer, alimenté le plus souvent par une cellule photoélectrique et que l'on garde sur soi tout aussi naturellement qu'un stylo ou un bloc-notes. Comment cette petite merveille réussit-elle à obtenir si rapidement le résultat d'une opération arithmétique sur des grands nombres ?

Cette question, je me la suis posée dès l'avènement des premières calculettes, à la fin des années soixante. À l'époque, j'avais naïvement retiré le couvercle d'une calculatrice, espérant y trouver des réponses, comme ça avait été le cas avec les machines à calculer mécaniques dont j'avais pu suivre le mouvement des roues dentelées, des leviers et des crémaillères. Évidemment, imperturbable, la calculatrice électronique, avec ses plaquettes, pastilles, résistances et condensateurs ne m'avait livré aucun secret. Et les modèles récents sont encore plus hermétiques.

Tout comme un micro-ordinateur, une calculatrice comporte un clavier, un écran, une mémoire vive, (dans laquelle on peut stocker un nombre), une mémoire morte (contenant des instructions) et pour certaines, une imprimante. Là s'arrête la similitude si la calculette n'est pas programmable.

Entrons par l'écran, le miroir de l'âme électronique ! On le sait, il fonctionne à l'aide de cristaux liquides comme l'afficheur des montres et celui de nombreux appareils de mesure ou de contrôle. On se sert aussi de cette technologie dans les ordinateurs portables, dans une version plus perfectionnée. Voyons comment cela fonctionne.

Vous avez remarqué que tous les symboles peuvent être formés à partir de bâtonnets rassemblés en forme de huit.

Figure 1 Affichage à sept segments.

Lorsqu'on appuie sur une touche-chiffre comme $\boxed{7}$, on a l'impression que les bâtonnets correspondant à la forme « sept » s'allument. En fait, ce qui se produit, c'est un obscurcissement. En effet, l'écran n'utilise pas l'éclairage que pourrait fournir la pile ou la cellule photoélectrique, mais la lumière naturelle ou artificielle du milieu ambiant que réfléchit un miroir placé sous la surface de l'écran. Quand on appuie sur le $\boxed{7}$, on ferme (ici, « fermer » veut dire mettre sous tension) un circuit qui transmet un courant électrique à chacun des bâtonnets contenant les cristaux liquides qui forment le 7. Le passage du courant entraîne une modification dans les cristaux qui, dès lors, ne laissent plus passer la lumière. Le chiffre apparaît alors en noir.

Supposons qu'à ce 7, on veuille ajouter 5. On appuie alors sur $\boxed{+}$, puis sur $\boxed{5}$, et le 5 remplace le 7 à l'écran. Où donc est passé le 7 ? La calculatrice le conserve en mémoire, mais sous une autre forme. Ce qui est visible à l'écran, ce ne sont que des symboles exprimant une valeur et c'est sur les valeurs que les opérations se réalisent.

Pour représenter cette valeur, des enfants pourraient déposer sept billes dans une boîte ou encore, tracer sept X sur une feuille. La calculatrice, elle, se sert du courant électrique, qui ne lui donne que 2 possibilités : il passe ou ne passe pas. Si on attribue, par convention, la valeur de 1 lorsque le courant passe et celle de 0 lorsqu'il ne passe pas, on comprend qu'il faudra composer avec une numération ne comportant que « zéro » et « un » comme chiffres.

Le système de numération que nous utilisons quotidiennement comporte dix chiffres : 0, 1, 2, 3, 4, 5, 6, 7, 8 et 9. On dit que ce système est décimal ou encore, qu'il est à base dix parce qu'il y a regroupement par dix et ses puissances pour exprimer des quantités supérieures à 9. Ce sont les dizaines, les centaines, les milliers, etc. Mais qu'arrive-t-il si on ne dispose que de deux chiffres, 0 et 1 ? On aura recours au système binaire dans lequel les regroupements se font par deux et ses puissances, soit quatre, huit, seize, etc. Dans ce système, les nombres 1 à 5 s'écrivent de la façon suivante :

Écriture décimale	Représentation graphique	Écriture binaire
0		0
1	●	1
2	 ▣	10
3	 ▣ ●	11
4	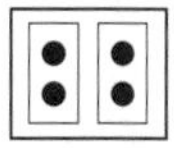 ▣▣	100
5	 ▣▣ ●	101

Figure 2 Correspondance entre l'écriture décimale et l'écriture binaire.

Trouver 3 + 5 correspond donc à faire la somme suivante :

$$+ \begin{array}{r} 11 \\ 101 \\ \hline 1000 \end{array}$$

Comment une calculatrice va-t-elle exécuter cette opération ? Pour y voir plus clair, utilisons une addition plus simple : 1 + 1, par exemple, dont le résultat est 10 dans le système binaire. Voici un diagramme qui en montre le traitement logique.

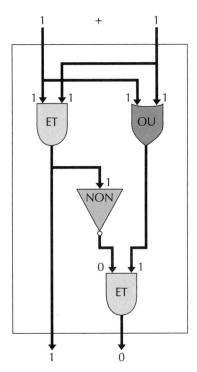

Figure 3 Diagramme de l'addition binaire.

Si cela paraît compliqué pour une addition aussi élémentaire, il faut comprendre que le diagramme sert à effectuer toute addition de deux nombres d'un chiffre : 0 + 0, 1 + 0, 0 + 1 et 1 + 1. En outre, les divers éléments de ce diagramme peuvent être agencés de multiples façons pour traiter toute information pouvant être qualifiée de vraie ou de fausse ou toute question à laquelle on peut répondre par oui ou par non (au guichet automatique, par exemple). Dans ces cas, VRAI et OUI prendront la valeur 1, FAUX et NON, la valeur 0. Ils ont donc des applications qui dépassent de beaucoup ce que peut faire une calculatrice. Enfin, il ne faut pas oublier que l'instrument ne réfléchit pas et qu'il faut lui dire tout ce qu'il doit faire.

C'est l'algèbre de Boole qui s'est révélée être le langage idéal pour converser avec l'électronique. En effet, cette algèbre repose sur l'emploi de la conjonction ET, de la disjonction OU et de la négation NON. Les tables qui suivent montrent ce qui se passe quand on combine 0 et 1 avec ces liens logiques, aussi appelés portes logiques. La porte ET ne donne 1 en sortie que si 1 est simultanément présent aux deux entrées. La porte OU donne 1 à sa sortie si 1 est présent à l'une ou l'autre des entrée(s) ou aux deux. La porte NON inverse l'information présentée à son entrée.

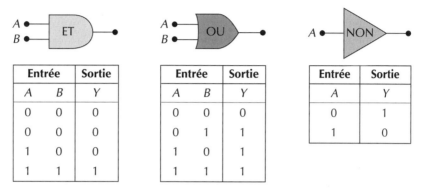

Entrée		Sortie
A	B	Y
0	0	0
0	0	0
1	0	0
1	1	1

Entrée		Sortie
A	B	Y
0	0	0
0	1	1
1	0	1
1	1	1

Entrée	Sortie
A	Y
0	1
1	0

Figure 4 Table de vérité de l'addition binaire.

Appliquons maintenant ces tables dans le diagramme de l'addition pour bien constater qu'il permet d'obtenir le résultat attendu. Pour additionner de plus grands nombres, il faut ajouter et interrelier entre eux plusieurs diagrammes comme celui-là.

Voilà pour la représentation abstraite du processus de traitement logique de l'addition comme l'exécute une calculatrice. Or, une calculatrice est un objet concret, totalement dépourvu de fonctions intellectuelles. Pour vraiment comprendre ce qui se passe, il nous faudra nous approcher de la micro-électronique.

Voici le schéma familier : une source de courant électrique provenant, par exemple, d'une centrale hydroélectrique, d'une pile ou d'une cellule photoélectrique, comme c'est le cas pour la majorité des calculatrices, fait fonctionner une ampoule. Entre les deux, un interrupteur qui a deux positions : le changement d'une position à l'autre permet d'éteindre l'ampoule allumée, ou d'allumer l'ampoule si elle est éteinte.

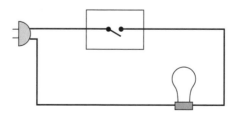

Figure 5 Circuit logique de base.

Le schéma suivant représente le circuit de la porte ET. On voit clairement que l'ampoule ne s'allumera que si les deux interrupteurs sont fermés. Chacun d'eux peuvent correspondre à une condition comme : a) la pièce (où se trouve l'ampoule) est-elle obscure ? oui (1), non (0); b) est-ce que j'utiliserai cette pièce ? oui (1), non (0).

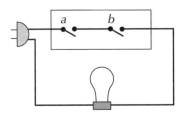

Figure 6　Circuit logique de la porte ET.

La porte OU est schématisée de la façon suivante. Il est visible qu'un seul interrupteur en position de contact suffit pour allumer l'ampoule. C'est dire qu'une seule condition suffirait, sans qu'il ne soit toutefois exclu que les deux puissent être présentes.

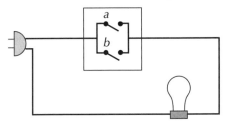

Figure 7　Circuit logique de la porte OU.

Reste encore la porte NON. C'est le cas le plus simple. Il suffit de changer la position d'un interrupteur pour amener l'inversion d'une valeur. Zéro prendra alors la valeur 1 et 1, la valeur 0 (voir figure 5).

Le diagramme de l'addition de la figure 3 était un diagramme purement logique. Si on remplace les portes ET, OU, NON par les agencements d'interrupteurs qui leur correspondent, on obtient un diagramme électrique capable d'exécuter une opération.

Dans une calculatrice, il y a quelques dizaines de milliers d'interrupteurs qui ouvrent ou ferment des circuits. Ce sont les transistors. S'il peut y en avoir tant sur une puce de quelques millimètres carrés, c'est qu'on a réussi à réduire leur taille au point qu'ils sont devenus invisibles à l'œil nu. La figure suivante vous donnera une idée de la structure d'un transistor.

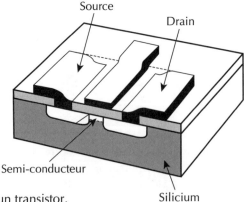

Figure 8　Schéma d'un transistor.

Dans ce type d'« interrupteur », il n'y a plus de pièce mobile qui bascule. C'est la présence ou l'absence d'électrons entre la source et le drain qui permet ou non au courant de passer. Comment ce phénomène est-il possible à une si minuscule échelle ? Il l'est parce qu'on a découvert les semi-conducteurs. Un semi-conducteur est un mauvais conducteur qu'un courant électrique peut, en quelques millionièmes de seconde transformer temporairement en bon conducteur. Le silicium est le matériau le plus utilisé à cette fin. (Silicon Valley, ça vous dit quelque chose ?) Les procédés de fabrication des transistors sont avant tout chimiques. Oubliez le technicien assembleur muni d'un fer à souder, de pinces et de bouts de fil. Les transistors sont connectés en réseaux interreliés au moment de leur fabrication. Voilà pourquoi on parle de microcircuits intégrés. Et comme le courant qui passe dans ces microcircuits n'a que des distances infimes à parcourir, on comprend que le temps de réaction soit si rapide.

Le diagramme de la figure 3 montrait comment la calculatrice effectue une addition. Pour la soustraction, il est tout à fait possible de concevoir des circuits propres à cette tâche. Mais généralement, il est plus économique d'utiliser les circuits de l'addition. Pour cela, la calculatrice remplace le nombre à soustraire par un nombre complémentaire, effectue une addition et corrige le résultat. Pour mieux comprendre, imaginons qu'il y ait sur une table 15 pommes, dont 10 qui sont dans un sac. Or, j'ai besoin de 7 pommes, mais plutôt que de retirer cette quantité, j'ajoute 3 pommes et je prends le sac. Ainsi :

$$15 - 7$$

est devenu

$$15 + 3 - 10.$$

Le 3, c'est le complément de 7 par rapport à 10. Mais en l'ajoutant à 15 au lieu d'enlever 7, j'ai créé un « surplus » de 10 qu'il faut corriger en retranchant 10 par la suite.

Mais voici un exemple qui se rapproche encore davantage de la façon de procéder de la calculatrice :

$$\begin{array}{r} 354 \\ -\ \ 76 \\ \hline \end{array}$$

Inscrivons un 0 à gauche du 7 de manière que les deux expressions numériques comportent le même nombre de chiffres. Le complément de 076 par rapport à 999 (la suite de l'explication vous permettra de comprendre ce choix) est 923. Suivez bien.

$$\begin{array}{r} 354 \\ +\ 923 \\ \hline 1277 \end{array}$$

Ce résultat ne correspond pas (encore) à celui de la soustraction : il le dépasse par 999; il faudra donc le lui soustraire. Pour ce faire, on ajoute 1 à 1277, puis on enlève 1000 en barrant le 1 dans le résultat.

$$\begin{array}{r} 1277 \\ +\ \ \ \ 1 \\ \hline \cancel{1}278 \end{array}$$

Cette fois, ça y est ! Appliquons maintenant le procédé au système binaire pour en bien saisir tout l'intérêt. Faisons la soustraction suivante :

$$28 - 13$$

dont l'équivalent dans le système binaire est :

$$11100 - 1101$$

Première étape : inscrire 0 immédiatement avant le 1 le plus à gauche du nombre à soustraire.

Deuxième étape : trouver le complément de ce nombre. Dans le système binaire, il n'y a que 2 chiffres, 0 et 1 qui sont le complément l'un de l'autre. Les 0 sont donc remplacés par des 1 et vice versa. On obtient 10010.

Troisième étape : additionner ce complément à 11100, soit :

$$11100 + 10010 = 101110$$

Quatrième étape : ajouter 1 à ce résultat :

101111.

Cinquième étape : supprimer le 1 le plus à gauche, ce que la calculatrice fera en le remplaçant par 0. On obtient : 001111 ou plus simplement 1111, soit 15 dans le système décimal.

Une pure merveille ! La calculatrice a soustrait sans savoir soustraire, en comptant sur sa capacité à additionner et à substituer 0 à 1 et 1 à 0, la porte NON dont il a été question plus haut.

Pour la multiplication, il est, encore-là, tout à fait possible de créer des circuits propres à cette opération. Mais, le plus souvent, la multiplication est traitée comme une addition répétée de sorte que pour résoudre 5×43, la calculatrice exécutera dans le système binaire : $43 + 43 + 43 + 43 + 43$ avec le circuit additionneur. Par contre, elle aura besoin d'un circuit compteur qui contrôlera la répétition des additions.

L'économie est aussi de mise avec la division, que l'on traite comme une soustraction répétée. Diviser 4705 par 37 revient à soustraire 37, c'est-à-dire à additionner le complément de 37 autant de fois que possible. Dans ce cas-ci, le circuit compteur enregistre ce nombre de fois, et ce nombre est le quotient. Quant aux nombres à virgule binaire, ils obéissent à une structure équivalente à celle des nombres décimaux. Dans notre système, la valeur positionnelle des chiffres à droite de la virgule correspond successivement aux dixièmes, aux centièmes, aux millièmes, etc. Dans un système binaire, ce seront des demies, des quarts, des huitièmes, etc. Par exemple, le nombre à virgule binaire 101,011 a comme équivalent décimal : 5,375.

Quand nous effectuons des calculs, nous devons souvent fouiller notre mémoire pour y retrouver les tables d'addition, de soustraction, de multiplication et de division que nous avons un jour apprises par cœur. Il serait tout à fait possible qu'une calculatrice fonctionne ainsi, à partir de tables logées en mémoire, mais cela serait plus lourd que l'exécution de tout calcul ne passant pas par quoi que ce soit de déjà connu.

Une calculette d'une cinquantaine de centimètres cubes est aussi puissante qu'un ordinateur des années cinquante qui aurait occupé une pièce entière et en aurait assuré, de surcroît, le chauffage grâce à ses lampes triodes, ancêtres des transistors. Mais ces calculettes, et à plus forte raison les PC, sont devenues de véritables boîtes noires. Leurs capacités croissantes ne font que creuser l'écart entre leur puissance et notre connaissance de leur fonctionnement. Puisse cet article faire reconquérir aux lecteurs et lectrices une microparcelle de ce terrain perdu depuis l'apparition de la machine à calculer de l'épicier du coin.

Pour aller plus loin

Axis, l'Univers documentaire : dossiers, Paris, Hachette, 1993.

On trouvera dans cet ouvrage conçu comme une encyclopédie un complément d'information sur des sujets comme l'électronique, les microprocesseurs, les semi-conducteurs, etc.

BACHELIS, G. et coll. « Bringing Algorithms to Life : Cooperative Computing Activities Using Students as Processors », dans *School Science and Mathematics,* vol. 94, avril 1994, p. 176-186.

Contient des activités propres à familiariser des élèves du secondaire avec la manière dont les microprocesseurs exécutent différentes opérations logiques et processus de calcul.

BARDEN, W. *Mathématique pour micro-ordinateur,* trad. de l'américain par G. Revelin, Paris, Dunod-Bordas, 1984, 115 p.

BRIDGMAN, R. *L'Électronique,* trad. de l'anglais par E. Pinard, coll. Passion des sciences, Paris, Gallimard, 1994.

GILMORE, C.-M. *Le Fonctionnement des microprocesseurs,* trad. de l'américain par J. C. Fantou, Paris, Dunod-Bordas, 1984, 133 p.

Pour se documenter plus avant sur le système binaire et les quatre opérations arithmétiques sur les grands nombres et pour explorer le rôle que jouent dans les calculs les décodeurs, les registres, les compteurs et les mémoires.

GORDON, D. K. et coll. *Les Ordinateurs,* coll. L'Aventure technologique, trad. de l'anglais par E. Awad et R. De la Taille, Amsterdam, Time-Life, 1991, 144 p.

Ces albums illustrés et bien vulgarisés touchent à l'ensemble des sujets dont il a été question dans cet article.

GUNTHER, J. *Structure et technologie des ordinateurs,* Paris, Hermès, 1993, 415 p.

L'un des rares ouvrages à consacrer des pages (179 à 195) à la calculette courante, à la calculatrice scientifique et à la calculatrice programmable.

MAY, Mike. « How the Computer Got into Your Pocket », dans *American Heritage of Invention and Technology,* vol. 15, printemps 2000.

L'histoire passionnante de la mise au point de la première calculatrice, la Cal-Tech par Texas Instruments.

TAURISSON, A. *Du Boulier à l'informatique,* coll. Explore, Paris, Presses Pocket, 1991, 128 p.

Un plaisir pour qui s'intéresse à l'histoire et à l'évolution des machines à calculer.

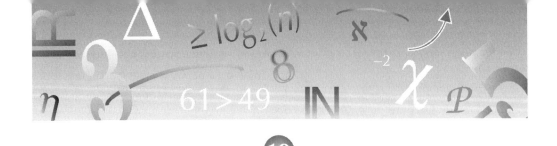

19

Une vision télescopée du temps

Richard Pallascio
UQÀM

Nous avons tous une conception personnelle des mathématiques. Bernard Charlot (1978) dégage trois conceptions épistémologiques différentes : les « mathématiques du ciel » (selon l'expression du philosophe des sciences Jean T. Desanti), perçues comme des structures existant en soi, les « mathématiques de la terre », perçues comme la structure du monde naturel ou social, et les mathématiques perçues comme des instruments, comme une création.

Une conception instrumentale des mathématiques

La personne qui adhère à la première conception, la plus répandue, cherche à se représenter le « monde des mathématiques » comme un monde existant indépendamment de notre esprit, lequel doit être formé (c'est-à-dire « prendre la forme de ») à celles-ci. Selon la deuxième conception, les mathématiques sont incorporées dans les choses elles-mêmes. En les manipulant concrètement, on finit par s'approprier les éléments mathématiques qu'elles contiennent. Il suffit d'y mettre le temps. Selon la dernière conception, les mathématiques n'ont pas été découvertes mais créées, inventées. Elles sont une métaphore du monde réel parmi d'autres, comme celles de nature artistique !

Or, la connaissance, tout en étant utilitaire car elle doit servir à la réalisation d'un projet personnel, d'une « projection » volontaire dans le temps, s'établit tout de même par la construction de représentations de la réalité. Personnellement, la conception qui me sourit le plus est celle des mathématiques qui ont été faites, construites. Les personnes qui adhèrent à cette conception et qui agissent en conséquence sont souvent celles qui réussissent à aimer et à faire aimer les mathématiques. Il faut malheureusement l'avouer, la notion, probablement majoritaire, de mathématiques achevées et immuables ne vient pas de la matière elle-même, mais de l'enseignement, réalisé, sauf à de rares exceptions près, dans le contexte « de mathématiques toutes faites et non de mathématiques à faire », pour reprendre l'expression de Maurice Glayman, lors d'une conférence prononcée au congrès de l'Association mathématique du Québec, à Hull, en 1979.

Dans le cadre d'une conception utilitaire des mathématiques, et de toutes les sciences d'ailleurs, l'idée de modèle est centrale. Le mathématicien, la mathématicienne seraient de véritables constructeurs de modèles cherchant à mieux appréhender la réalité, c'est-à-dire à résoudre des problèmes que cette réalité nous pose. L'idée de modèle, de métaphore de la réalité, de construction de représentations de cette réalité, est importante en mathématiques.

Une ligne du temps multiplicative

Pour illustrer mon point de vue, je vais décrire un événement qui s'est produit au sein d'un groupe d'élèves âgés de 10 à 12 ans (5e et 6e année), travaillant dans le contexte d'une pédagogie du projet*. Ces jeunes avaient comme champ d'étude « le passé ». Dès les premiers jours de l'année, chaque élève devait apporter à l'école un objet « du passé ». Les objets recueillis étaient très variés : montre de poche d'un arrière-grand-père, vieilles photographies d'automobiles, vieux objets ménagers, comme des fers à repasser sans fil, etc. Le premier travail des élèves consistait à identifier l'année ou la période d'origine ou de fabrication de chaque objet et de situer cette datation sur une ligne du temps : une première exploration dans un passé relativement récent, les objets datant de moins de 100 ans, dans la plupart des cas.

La ligne du temps ne posa pas de problème... jusqu'au moment où une élève apporta des fossiles : une ammonite datant de la période du crétacé (100 millions d'années) et un trilobite de la période du dévonien (350 millions d'années) ! Une première activité mathématique a permis de constater qu'il n'y avait vraiment pas moyen d'étendre la ligne du temps jusqu'à cette période. En effet, si les 100 dernières années étaient représentées sur un carton d'un mètre (une année correspondant à un centimètre), alors 350 millions d'années allaient nécessiter une bande de 350 millions de centimètres, soit 3,5 millions de mètres ou 3 500 km, soit encore la distance approximative entre Montréal et Miami !

Le fait de changer d'échelle ne réglait pas le problème, car tous les objets apparus au siècle dernier s'entassaient alors indistinctement sur un même point ! De même, l'imbrication de sous-échelles dans une échelle principale apparaissait plus utile pour créer des « zooms » sur une période donnée que pour régler le télescopage qui nous occupe. Les élèves convinrent alors avec l'enseignante d'utiliser des points de suspension (...) pour situer les fossiles sur la ligne du temps. Mais, même là, la distance entre les deux fossiles s'avérait encore plus longue que celle entre notre époque et le plus « récent » des deux fossiles ! De plus, l'élève qui avait apporté les fossiles n'appréciait pas du tout de les retrouver dans les pointillés ! Que faire ? Comme il s'agissait de ma fille, je lui suggérai alors d'utiliser une échelle non pas « additive » mais « multiplicative », en multipliant par 10 à chaque intersection de l'échelle plutôt qu'en additionnant 10 ans à chaque intersection ! Elle n'eut

---

* École Les Petits Castors, Longueuil, commission scolaire Marie-Victorin.

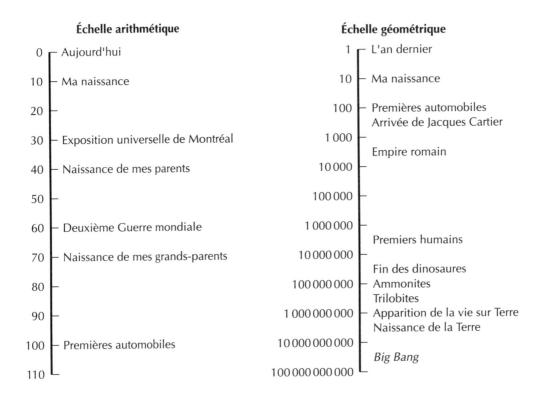

aucune difficulté à convaincre les autres élèves de son groupe d'utiliser une telle ligne du temps et put ainsi placer ses objets du passé sur la nouvelle échelle.

Mais les conséquences de cette suggestion allaient dépasser de beaucoup mes prévisions. Cet incident imprévu a permis aux élèves d'examiner sous un autre angle la différence entre l'addition et la multiplication, de constater que, si l'élément neutre de l'addition est 0, celui de la multiplication est 1, car une échelle géométrique ne peut pas démarrer à 0 et qu'avec 100 divisions de 10 années d'une échelle linéaire, nous ne pouvons représenter qu'un millénaire, alors qu'avec 100 divisions sur une échelle géométrique, nous pouvons représenter un « googol » d'années (1 suivi de 100 zéros), et que tout au plus nous n'avons besoin que d'une dizaine d'intervalles multiplicatifs pour remonter jusqu'au *Big Bang* ! Quelle économie !

Les bons coups, comme parfois les mauvais, nous tombent dessus sans crier gare. le nôtre a amené un groupe de « petits matheux » à expérimenter un nouveau type de ligne du temps, plus pratique dans certains cas. Mais il y a plus à tirer de cette construction. D'une part, les multiplications proposées aux élèves ont souvent des résultats proches des additions utilisant les mêmes quantités. Par exemple, en faisant des calculs comme $2 + 3 = 5$ et $2 \times 3 = 6$, les élèves en viennent à se dire qu'il n'y a pas une grande différence entre l'addition et la multiplication. Or, le travail décrit ci-dessus a rapidement infirmé cette impression auprès des élèves. La motivation subséquente pour maîtriser cette opération, par exemple pour apprendre les tables de multiplication, leur est ainsi venue plus aisément. Le fait d'établir, au moins de temps en temps, certains liens entre les mathématiques et la réalité facilite les pratiques algorithmiques moins drôles, mais quand même nécessaires.

De plus, en ce qui concerne le concept de temps, nous en avons rétroactivement une conception plus télescopée que linéaire. En effet, l'importance de la dernière année vécue, à cause de la proximité des événements et de la multiplicité des points de repère frais à notre mémoire, est équivalente à celle des années qui l'ont précédée. De même, historiquement, le siècle dernier nous semble plus déterminant que les précédents sur le plan de la situation économique, sociale et politique actuelle et donc aussi important que le dernier millénaire. D'aucuns affirment même que le temps s'accélère, faisant référence aux changements sociaux, technologiques, etc., qui se succèdent à un rythme de plus en plus effréné. Cette impression, bien que le temps soit incompressible dans la réalité qui nous occupe, correspond bien à la perception que nous en avons. Et une ligne du temps est bel et bien un modèle et non la réalité, permettant aux individus, et particulièrement aux jeunes élèves, de se représenter un concept long à comprendre et de se l'approprier.

Les mathématiques comme outils

On le voit, les mathématiques sont bien des outils dont nous pouvons nous servir dans certaines circonstances pour résoudre certains des problèmes qui se présentent à nous. Nous ne devrions pas hésiter à inventer de nouveaux outils mathématiques, car c'est ainsi que les mathématiques se développent : les mathématiques sont en grande partie une invention, et non une découverte ayant été réalisée par d'autres, que nous devons maintenant apprendre par cœur, souvent sans rien y comprendre. Il est sans doute important de dire à un enfant que la communauté internationale s'est entendue pour définir la mesure d'un angle droit comme étant égale à 90 degrés, qu'il s'agit là d'une convention. Mais lorsqu'il quittera l'école, il devrait être convaincu que les mathématiques sont des outils mis à sa disposition, aussi souples et aussi adaptables que les règles de la grammaire française. De la même façon que nous pouvons utiliser la syntaxe, l'alphabet, la grammaire, etc., pour écrire (ou inventer ?) un texte comme celui-ci, nous pouvons utiliser le symbolisme mathématique, les systèmes de numération, les résultats établis (ou théorèmes), les règles d'inférence (exemple : deux choses égales à une troisième sont égales entre elles) pour décrire, illustrer ou expliciter une réalité, comme celle du temps à l'aide d'une échelle non linéaire.

L'individu a besoin, avant tout, de mieux se comprendre. Or, comme le dit Michel Aubé (1974), « une connaissance compréhensible, c'est essentiellement une connaissance utilisable ». En ce sens, il apparaît important que nous réfléchissions à nos processus mentaux. C'est ainsi que les mathématiques peuvent se présenter comme un outil de travail qui permette d'élaborer des modèles rationnels métaphorisant divers éléments de connaissance et d'explorer la réalité à l'aide de raisonnements analogiques. De cette façon, nous devrions pouvoir accroître la durabilité des modèles explicatifs du monde environnant que nous tentons d'élaborer et d'enseigner à nos élèves.

Bibliographie

AUBÉ, Michel. « Psychologie et mathématiques : projets communs », *Bulletin AMQ,* vol. 16, n° 1, 1974, p. 63-64.

CHARLOT, Bernard. « Les contenus non mathématiques dans l'enseignement mathématique », *Bulletin de l'IREM de Nantes*, n° 7, 1978, p. 1-8.

GLAYMAN, Maurice. « Une mathématique que l'on construit ou la mathématique achevée ?... », *Bulletin AMQ* , vol. 20, n° 1, 1980, p. 11-18.

PALLASCIO, Richard., « Puissance et limite des modèles », *Instantanés mathématiques,* vol. 27, n° 3, 1991, p. 9-13.

PALLASCIO, Richard. « Pédagogie du projet et mathématiques », dans *Apprendre différemment !,* Pallascio, R. et Leblanc, D. (dir.), Laval, Agence d'Arc, 1993, 246 p.

PALLASCIO, Richard. « Les mathématiques, une invention », *Bulletin de l'APMEP,* n° 400, 1995, p. 809-817.

Pour aller plus loin

PALLASCIO, Richard. *Mathématiques instrumentales et projets d'enfants,* Mont-Royal, Modulo, Bruxelles, De Boeck Université, 1997, 100 p.

Le lecteur y trouvera plusieurs exemples de mathématiques construites par des élèves de 8 à 12 ans.

Note de l'éditeur : Ce texte est paru dans *Instantanés mathématiques,* vol. 29, n° 4, 1993, sous le titre « Une ligne du temps... multiplicative ».

La continuité

à cent cinquante
      kilomètres-heure
l'étroite travée de bitume
défile son ruban jaune
      dans la nuit noire
insidieuse narcose

Jean GRIGNON
(extrait de *Au premier sens*)

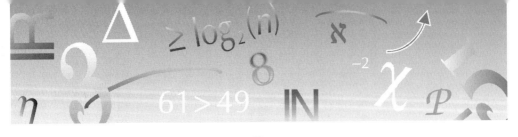

20

Au jardin mathématique

Stéphanie LANTHIER
UQÀM

Saviez-vous qu'il existe une relation aussi étonnante que concrète entre l'arrangement des feuilles sur les branches et une suite de nombres entiers fort connue en mathématiques ? C'est ce que j'ai découvert lors d'un pique-nique au Jardin botanique de Montréal. Assise sous un grand érable, n'ayant d'autre souci que d'observer les plantes, je fis remarquer à Marie-Lyne, une copine biologiste qui m'accompagnait ce jour-là, combien j'aime l'exubérance des plantes, combien la façon dont les feuilles poussent au hasard sur les branches des arbres symbolise pour moi la totale liberté.

« Pourtant cette belle liberté n'existe pas en biologie végétale, me répondit en riant mon amie. Apprends, ma chère, que les branches des arbres sont disposées selon certains principes et que chaque espèce de plante a son cycle foliaire !

— Ah ? Euh ?... Qu'est-ce que tu veux dire ?
— Regarde les pins là-bas : leurs branches sont disposées par étages le long du tronc. Le hasard n'a rien à voir là-dedans. Et puis, regarde les feuilles de cet érable : elles apparaissent deux par deux, l'une opposée à l'autre sur les petites branches. Tu verras le même phénomène sur les lilas. Sur d'autres espèces, comme le laurier-rose, les feuilles sont disposées par étages ressemblant à des collerettes.

« D'ailleurs, contrairement aux apparences, il y a toujours une loi. Les feuilles ne sont pas disposées pêle-mêle, comme tu te plaisais à le penser. Imagine une branche le long de laquelle une spirale monte régulièrement, un peu comme si on l'entourait d'une ficelle dans un mouvement de vis. Eh bien, les feuilles du prunier, du peuplier et de bien d'autres espèces ne pousseront qu'en certains endroits sur cette spirale.

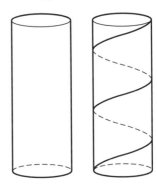

« J'ai bien dit en certains endroits, pas n'importe où ! Imagine maintenant que deux lignes droites montent de part et d'autre d'une tige. Les feuilles du lys, par exemple, poussent à chaque nœud où la spirale rencontre ces lignes. Ainsi, à chaque tour complet de la spirale autour de la tige, il y aura deux feuilles. On dit dans ce cas qu'on a une fraction 1/2.

« Imagine maintenant qu'il y a plutôt cinq lignes droites réparties de façon égale le long de la branche. Sur un chêne, les feuilles pousseront tous les deux nœuds où la spirale rencontre ces lignes. Ainsi, après deux tours complets de la spirale autour de la branche, on a rencontré cinq feuilles. On dit alors qu'on a une fraction 2/5.

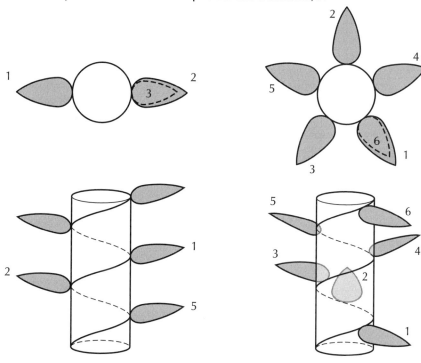

Exemple d'une fraction 1/2. Exemple d'une fraction 2/5.

« Pour un peuplier, il faut imaginer huit lignes droites réparties de façon régulière le long de la branche. En effet, les feuilles de cet arbre croissent tous les trois nœuds où la spirale rencontre ces lignes. Ainsi, après trois tours complets de la spirale autour de la branche, on a rencontré huit feuilles. On dit alors qu'on a une fraction 3/8. »

J'avoue que ma simple remarque philosophique du début ne m'avait pas préparée à cet exposé en règle.

« D'ailleurs, reprit ma volubile amie, il y a un mot pour désigner l'étude de la disposition des feuilles sur les végétaux. C'est grâce à la *phyllotaxie* que l'on sait maintenant que les dispositions les plus fréquentes des espèces de plantes ont des fractions phyllotaxiques 1/2, 1/3, 2/5, 3/8, 5/13, ...

— Tiens, c'est curieux : les chiffres qui composent tes fractions me rappellent la suite des nombres de Fibonacci dont les premiers sont 1, 1, 2, 3, 5, 8, 13, 21, 34, 55, 89, ... »

J'avais toute l'attention de mon amie. Étions-nous sur le point de découvrir quelque chose ?

« Quel lien y a-t-il entre les nombres de cette suite ? me demanda précipitamment Marie-Lyne. Qui a inventé cette suite et pourquoi ?

— À part les deux 1 initiaux, chacun des nombres de cette suite est la somme des deux qui le précèdent. Par exemple, $1 + 1 = 2$, $1 + 2 = 3$, $2 + 3 = 5$, $3 + 5 = 8$, etc. Et c'est Léonard de Pise qui l'a inventée en 1202, parce qu'il avait besoin d'un modèle pour évaluer la reproduction des lapins ! En fait, il voulait savoir combien de couples de lapins il obtiendrait au bout d'un an à partir d'un couple de lapins qui, dès l'âge de deux mois, donnerait naissance chaque mois à un autre couple, lequel se reproduirait de la même façon et ainsi de suite. C'est ainsi qu'il en est venu à construire cette suite de nombres.

— Et ce Léonard de Pise, il a inventé la suite de... Fibonacci, c'est bien ça ? Je reconnais bien là la logique mathématique, railla Marie-Lyne, qui n'en rate jamais une.

— Léonard de Pise était le fils d'un homme qui se nommait Bonacci... Mais ce qui me fascine dans cette fameuse suite, c'est que le rapport entre un nombre et celui qui le précède tend de plus en plus vers le nombre d'or (la divine proportion). »

Emportées par cette discussion, nous n'avions pas remarqué les nuages menaçants qui s'étaient amoncelés dans le ciel. Un coup de tonnerre nous ramena à la réalité et nous courûmes nous réfugier à la bibliothèque du Jardin botanique. En consultant le livre phytomathématique, nous avons compris qu'il y avait belle lurette que les nombres de Fibonacci étaient associés à la phyllotaxie et qu'il est entendu que la disposition fibonaccienne des feuilles des plantes est celle qui leur assure l'exposition maximale au soleil, laquelle favorise un dégagement maximal d'oxygène dans l'air, et donc une production maximale de nourriture pour la plante.

Nous avons même trouvé le tableau suivant qui présentait les fractions phyllotaxiques de certaines espèces.

Fraction phyllotaxique	Espèce
1/2	Orme, tilleul, lys, aloès, glaïeul, blé
1/3	Aulne, hêtre, noisetier, bouleau
2/5	Prunier, chêne, cerisier, pommier
3/8	Plantain, peuplier, poirier
5/13	Saule, amandier

Bien sûr, il faut quand même admettre qu'une fraction phyllotaxique donnée caractérise une espèce, mais qu'elle peut être plus ou moins exacte sur une plante individuelle, selon les sols ou le milieu de vie spécifique. Aussi, malgré la beauté de la suite de Fibonacci, il ne faut pas croire qu'on la retrouvera partout ! Reste que nous nous sommes bien promis de retourner à la bibliothèque, car juste avant la fermeture, nous avions mis la main sur un livre dans lequel on établissait un rapport entre les nombres de Fibonacci et les spirales qui constituent le cœur des tournesols !

Bibliographie

CLEYET-MICHAUD, Marius. *Le Nombre d'or*, 4ᵉ éd. mise à jour, Paris, Presses universitaires de France, 1982, 125 p.
Pour se documenter sur les aspects mathématiques de la suite de Fibonacci et du nombre d'or.

DAVIS, B. S. et T. A. DAVIS. « Fibonacci Numbers and the Golden Mean in Nature », dans *Math. Scientist*, vol. 14, 1989, p. 89-100.

DÉCHÈNE, Isabelle, « De Divina Proportione », dans *Mathématiques d'hier et d'aujourd'hui*, Mont-Royal, Modulo Éditeur, 2000, 220 p.

ROGER, Jean. *Phytomathématique*, Montréal, Presses de l'Université du Québec, 1978, 267 p.
La première partie de cet ouvrage est accessible à quiconque veut se renseigner sur la phyllotaxie.

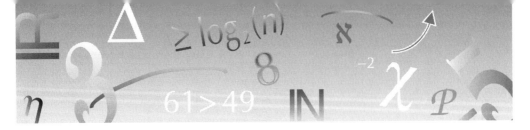

Visions kaléidoscopiques

Bernard R. Hodgson
Université Laval

Klaus-Dieter Graf
Freie Universität Berlin

Les mathématiques sont souvent perçues comme la science de l'abstraction par excellence, probablement parce qu'elles font appel à des concepts qui le sont souvent aussi. En effet, on comprend que les non-initiés aient de la difficulté à se créer une image mentale des groupes de Lie complexes simples, des espaces préhilbertiens séparés complets ou des cardinaux réguliers inaccessibles, par exemple. Évidemment, pour le mathématicien qui les fréquente au quotidien, ces objets ont acquis une réalité indéniable et lui sont devenus aussi familiers que les nombres 5, –3, 1/8, $\sqrt{2}$, voire π, le sont pour le grand public. D'où son désir de faire partager son intérêt en dehors du cercle restreint des experts.

Heureusement, il arrive que l'objet d'étude des mathématiciens se prête remarquablement bien à une représentation concrète, grâce à laquelle on pourra « voir » cet objet et mieux en saisir les propriétés. Cette représentation concrète de l'objet mathématique, on l'accomplira souvent à l'aide de figures géométriques. Et la chose sera parfois si séduisante que, pris de court, l'observateur n'aura d'autre envie que de s'y arrêter. C'est le cas, nous semble-t-il, des figures pouvant être observées dans un kaléidoscope.

Qui dans son enfance — ou même plus tard — n'a pas été fasciné par l'infinie variété des motifs que crée la réflexion de fragments de verre mobiles sur les miroirs angulaires d'un kaléidoscope ? Ce plaisir intense qu'il éprouvait à l'âge de six ans à manipuler un kaléidoscope, l'écrivain français André Gide l'a ainsi décrit :

> « Un autre jeu dont je raffolais, c'est cet instrument de merveilles qu'on appelle kaléidoscope : une sorte de lorgnette qui, dans l'extrémité opposée à celle de l'œil, propose au regard une toujours changeante rosace, formée de mobiles verres de couleur emprisonnés entre deux vitres translucides. L'intérieur de la lorgnette est tapissé de miroirs où se multiplie symétriquement la fantasmagorie des verres, que déplace entre les deux vitres le moindre mouvement de l'appareil. Le changement d'aspect des rosaces me plongeait dans un ravissement indicible.

(…)

Mes cousines qui partageaient mon goût pour ce jeu, mais s'y montraient moins patientes, secouaient à chaque fois l'appareil afin d'y contempler un changement total. Je ne procédais pas de même : sans quitter la scène des yeux, je tournais le kaléidoscope doucement, doucement, admirant la lente modification de la rosace. Parfois l'insensible déplacement d'un des éléments entraînait des conséquences bouleversantes. J'étais autant intrigué qu'ébloui, et bientôt voulus forcer l'appareil à me livrer son secret. Je débouchai le fond, dénombrai les morceaux de verre, et sortis du fourreau de carton trois miroirs[1]; puis les remis; mais, avec eux, plus que trois ou quatre verroteries. L'accord était pauvret; les changements ne causaient plus de surprise; mais comme on suivait bien les parties ! comme on comprenait bien le pourquoi du plaisir !

(…)

Bref, je passais des heures et des jours à ce jeu. Je crois que les enfants d'aujourd'hui l'ignorent, et c'est pourquoi j'en ai si longuement parlé. »

André GIDE, Si le grain ne meurt, (I,I), [6], p. 35-36

Au début du XIXᵉ siècle, peu de temps après avoir été inventé par le physicien écossais Sir David Brewster (1781–1868), le kaléidoscope[2] connut un succès populaire phénoménal, comme en témoigne Victor Hugo dans *Les Misérables*, lorsqu'il décrit la salle basse de l'auberge Thénardier où Jean Valjean va chercher Cosette :

« Cette salle ressemblait à toutes les salles de cabaret; des tables, des brocs d'étain, des bouteilles, des buveurs, des fumeurs; peu de lumière, beaucoup de bruit. La date de l'année 1823 était pourtant indiquée par les deux objets à la mode alors dans la classe bourgeoise qui étaient sur une table, savoir un kaléidoscope et une lampe de fer-blanc moiré. »

Victor HUGO, Les Misérables, (II,III,I), [11], p. 97

Les figures 1 et 2 reproduisent des gravures qui sont tirées d'une encyclopédie [3] datant des années 1820 et qui nous montrent l'anatomie d'un kaléidoscope ainsi qu'une image typique pouvant être observée dans un kaléidoscope.

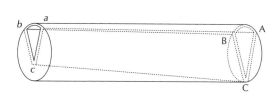

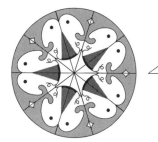

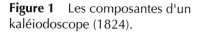
Figure 1   Les composantes d'un kaléiodoscope (1824).

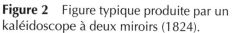
Figure 2   Figure typique produite par un kaléidoscope à deux miroirs (1824).

---

1. Comme on le verra plus loin, il suffit cependant de deux miroirs pour former un kaléidoscope.
2. C'est Brewster lui-même qui, en faisant breveter son invention en 1817, a forgé le mot *kaléidoscope* à partir des racines grecques « kalos », *beau*, « eidos », *aspect*, et « skopein », *regarder*.

Le kaléidoscope apparaît comme un instrument privilégié pour visualiser et explorer certains phénomènes de la géométrie élémentaire; il permet également de voir en action des concepts reliés à la notion de groupe; il se prête enfin à diverses généralisations, par exemple lorsqu'il devient un « kaléidoscope virtuel » que l'on peut manipuler à l'aide de l'ordinateur. Ce sont là quelques *visions kaléidoscopiques* que nous proposons au lecteur.

1. Le « bon vieux » kaléidoscope

On trouve sur le marché de nombreux modèles de kaléidoscope, certains peu coûteux, d'autres des plus sophistiqués — la qualité optique étant souvent à l'avenant. Il est assez facile de construire un kaléidoscope rudimentaire à partir d'un rouleau d'essuie-tout vide : il s'agit d'insérer dans le tube deux miroirs rectangulaires longs et étroits qui soient reliés en forme de « V », tel que le suggère la figure 1.

Les figures 3 et 4 illustrent un kaléidoscope dont les deux miroirs forment un angle de 60°; dans le premier cas, on a placé symétriquement entre les miroirs un motif symétrique, tandis que dans l'autre, on est parti d'un motif non symétrique. Pour faciliter la discussion, nous dirons que, dans chacun de ces cas, la figure engendrée est composée de six *images*, à savoir le motif de départ lui-même et les cinq images obtenues par réflexion dans les miroirs. Ces dernières sont construites en prenant les images, les « images d'images », etc., de toutes les manières possibles. On notera la présence de « miroirs virtuels » (en pointillé) créés par l'interaction des deux miroirs de départ : ils paraissent agir comme autant de miroirs réels, permettant ainsi l'interprétation directe de la génération des images.

Pour mieux comprendre le fonctionnement d'un kaléidoscope, on peut varier aussi bien le motif de départ que l'angle entre les miroirs. Il convient en outre de se placer dans le cas le plus général possible : celui d'un motif *quelconque* placé entre les miroirs — pensons ici aux pièces de verre se déplaçant à qui mieux mieux dans le kaléidoscope de Gide — ou encore à un kaléidoscope permettant simplement d'observer autour de soi. Une telle étude, qui pourrait aisément se réaliser avec crayon et papier et deux petits miroirs de poche, met en évidence le lien direct entre l'angle du kaléidoscope et le type des figures engendrées. Il en résulte les règles suivantes[3].

- En soi, n'importe quel angle peut servir à la formation d'un kaléidoscope et provoquer un foisonnement d'images à partir d'un motif situé entre les deux miroirs; les images d'un point donné se répartissent sur un cercle dont le centre est le point de rencontre des miroirs.

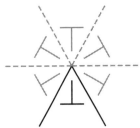

Figure 3

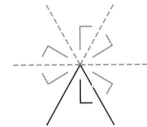

Figure 4

---

3. Ces règles font l'objet d'une exploration guidée dans [10].

- Mais, pour obtenir de bons effets visuels, certaines restrictions s'imposent.
  a) Il convient d'abord de placer les deux miroirs de sorte qu'un cercle dont le centre est le point de rencontre des miroirs soit partagé en secteurs égaux par ces deux miroirs et les miroirs virtuels qu'ils engendrent. À cette fin, on se restreint à des angles de type $360°/n$, où n est un entier positif, qui donnent ainsi une figure formée précisément de n images (y compris le motif de départ).
  b) Pour engendrer des figures possédant de « belles » régularités (en particulier des figures dont les images se superposent sans conflit), il faut se restreindre à des angles de type $180°/n$; la figure qui en résulte comprend alors $2n$ images.

Cette dernière restriction avait d'ailleurs été identifiée par Brewster lui-même lorsqu'il a fait breveter son invention. Les kaléidoscopes que l'on vend aujourd'hui ont généralement des angles de 60°, 45°, 36° ou 30° (c'est-à-dire $180°/n$ pour $n = 3, 4, 5$ ou 6).

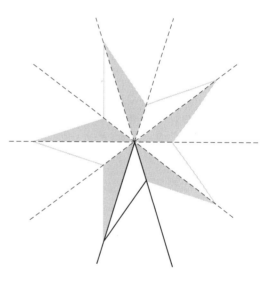

Figure 5

Une façon commode de repérer visuellement les angles favorables consiste à placer une droite oblique entre les miroirs d'un kaléidoscope. Il est préférable que cette droite ne soit perpendiculaire à aucun des deux miroirs et qu'elle soit placée de façon asymétrique entre ceux-ci. On a un « bon » kaléidoscope lorsque le motif engendré est une étoile, le nombre de pointes témoignant de l'angle : un angle de $180°/n$ donne une étoile à n pointes. La figure 5, qui peut être vue comme une version simplifiée de la figure 2, illustre le cas d'un angle de $36° = 180°/5$; on y observe dix demi-pointes alternativement blanches ou grises, selon qu'elles résultent d'un nombre pair ou impair de réflexions à partir de la région triangulaire délimitée par les deux miroirs et le trait oblique initial.

2. Rosaces et groupes de symétrie

Toute figure produite par un kaléidoscope est un exemple de *rosace* : c'est une figure dont les symétries correspondent à des rotations ou à des réflexions[4]. Ainsi, en appliquant une rotation de 60° à la figure 3, celle-ci se trouve renvoyée sur elle-même; on dit alors que cette figure est *fixe* par rotation de 60°, en ce sens qu'elle est restée inchangée globalement en tant

---

4. La définition de rosace interdit donc la symétrie de translation, qui correspond à des motifs infinis tels les *frises* ou les *pavages* (voir plus bas), mais accepte soit la symétrie de rotation, soit la symétrie de réflexion, soit les deux à la fois; une rosace est forcément une figure bornée.

que figure — seuls ses éléments constitutifs ont été déplacés. La figure 3 est fixe aussi dans le cas des rotations dont les angles sont les multiples de cet angle de base : 120°, 180°, 240°, 300° et 360°. Enfin, la figure 3 est fixe par réflexion; il y a six axes de réflexion possibles : les deux miroirs, l'axe horizontal et les trois axes bissecteurs des angles de 60° ainsi formés. La figure 4, par contre, n'est fixe que pour trois rotations (120°, 240° et 360°) et trois réflexions (les deux miroirs et l'axe horizontal) : la perte de symétrie découle de l'asymétrie du motif de départ. Quant aux figures 2 et 5, obtenues avec un kaléidoscope de 36°, elles sont fixes pour cinq rotations (72°, 144°, 216°, 288° et 360°) et cinq réflexions[5].

Pour exprimer plus aisément le lien entre l'angle d'un kaléidoscope et le type de symétrie de la rosace obtenue, il est utile de faire intervenir la notion de *groupe*. Un groupe est un ensemble sur lequel on a introduit une certaine opération jouissant de quelques propriétés bien déterminées[6] et il constitue l'un des cas les plus simples de « structure mathématique ». Les groupes se rencontrent dans les recoins les plus variés de l'univers mathématique.

Les groupes qui nous intéressent ici sont des *groupes de symétrie*. On obtient chacun en prenant l'ensemble de toutes les transformations géométriques qui laissent fixe une certaine figure géométrique (l'opération en cause est la composition de transformations). Ainsi, le groupe de symétrie d'un rectangle non carré (figure 6) comprend quatre éléments : les rotations de 180° et 360° et les deux réflexions dans les axes médiateurs des côtés du rectangle; dans le cas d'un carré, le groupe de symétrie comprend huit éléments, puisque se rajoutent les rotations de 90° et 270° ainsi que les deux réflexions dans les bissectrices des angles. Le *svastika*[7] (figure 7) est un exemple de rosace fixe par rotation, mais non par réflexion; son groupe de symétrie comprend quatre rotations (de 90°, 180°, 270° et 360°).

---

5. Comme les axes de symétrie dont il est question ici sont des *droites*, ils se prolongent à l'infini; ainsi, à la figure 3, les six axes de symétrie en cause sont les trois droites indiquées sur la figure ainsi que les trois droites bissectrices des angles de 60°; la figure 4 possède trois axes de symétrie, qui ont tous été dessinés. Les figures 2 et 5 possèdent chacune cinq axes de symétrie.

6. Pour le lecteur intéressé, précisons qu'un groupe est un ensemble G muni d'une loi de composition $*$ opérant sur les éléments de G qui est telle que

      i) $*$ est *associative* :
   $$(a * b) * c = a * (b * c), \text{ quels que soient } a, b \text{ et } c \text{ dans } G;$$
      ii) $*$ possède un *élément neutre e* dans G :
   $$a * e = a = e * a, \text{ quel que soit } a \text{ dans } G;$$
      iii) tout élément a de G possède un *inverse* a^{-1} dans G :
   $$a * a^{-1} = e = a^{-1} * a.$$

7. Par sa très grande simplicité, le svastika compte parmi les plus vieux symboles de l'humanité; il se retrouve chez de nombreuses civilisations (Asie, Afrique, Europe) et même aux temps préhistoriques. On l'appelle aussi « croix gammée », en raison de ses composantes empruntant la forme de la lettre grecque gamma. Nous avons choisi ici la version avec les branches coudées pointant vers la gauche (dans le sens contraire des aiguilles d'une montre). Dans la Chine ancienne, cette orientation était signe de bonheur et de bonne fortune, l'orientation contraire évoquant le malheur et la malchance (voir [4]); le tristement célèbre symbole du parti nazi avait justement ses branches pointant dans le sens horaire (formant ainsi les lettres « SS »). Le terme svastika dérive d'un mot sanscrit signifiant « de bon augure ».

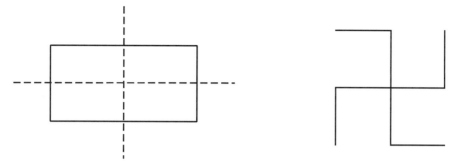

Figure 6 Le rectangle non carré : une rosace fixe par réflexion (deux axes) et rotation (180° et 360°).

Figure 7 Le svastika : une rosace fixe seulement par rotation (90°, 180°, 270° et 360°).

Au contraire du svastika, les rosaces kaléidoscopiques sont toujours symétriques à la fois par rotation et par réflexion. L'usage a consacré l'expression *groupe dièdre*[8] pour désigner le groupe de symétrie d'une telle figure; le groupe dièdre D_n comprend $2n$ éléments, à savoir n réflexions dans des droites concourantes et n rotations autour d'un même centre (le point de concours des droites) et ayant pour angles les multiples de 360°/n. Le groupe D_n, pour $n \geq 3$, est donc le groupe de symétrie du polygone régulier à n côtés, tandis que D_2 est le groupe de symétrie du rectangle (et aussi du losange); D_1 est le groupe de symétrie de la lettre « T ».

On observe ainsi que le groupe de symétrie d'une figure quelconque engendrée par un kaléidoscope d'angle 180°/n est le groupe dièdre D_n; par exemple, la figure 4 a pour groupe de symétrie D_3, tandis que les figures 2 et 5 correspondent à D_5. Le fait que la figure 3 ait pour groupe D_6, bien que l'angle entre les miroirs soit de 60°, découle de la symétrie du motif de départ; on pourrait engendrer la même rosace à partir d'une moitié du motif initial en plaçant convenablement deux miroirs formant un angle de 30°, soit 180°/6.

Sans que cela n'enlève quoi que ce soit à la fascination que peut provoquer l'explosion des figures observées dans un kaléidoscope donné, il n'en demeure pas moins que ces figures sont toutes « pareilles », en ce sens que leurs symétries se ramènent à un même type canonique, correspondant au groupe dièdre déterminé par l'angle entre les miroirs du kaléidoscope en cause.

---

8. Du grec *diedros*, de *di*, « deux », et *edros*, « siège, base » et éventuellement « face » d'un solide (pensons au mot polyèdre). Cette expression met donc en évidence l'idée de bilatéralité, c'est-à-dire de symétrie de réflexion, des figures géométriques en question. Une rosace non symétrique par réflexion, tel le svastika, a pour groupe de symétrie un *groupe cyclique* C_n formé de n rotations de même centre et ayant pour angles les multiples de 360°/n — les angles forment en effet un cycle de longueur n. Ainsi, le svastika a pour groupe C_4. On notera que, pour un n donné, D_n comprend toutes les rotations de C_n : on dit alors que C_n est un *sous-groupe* de D_n. On peut démontrer que tout groupe de symétrie d'une figure plane quelconque ayant un nombre fini d'éléments est soit un groupe dièdre, soit un groupe cyclique; ce résultat était essentiellement connu de Léonard de Vinci ([2] section 2.7).

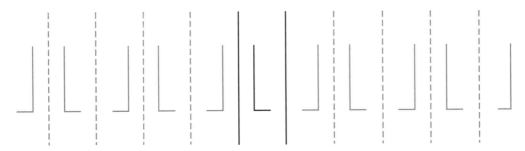

Figure 8 Une ribambelle sans fin produite par deux miroirs.

On aura noté une sorte de va-et-vient entre la notion de groupe et les images produites par les kaléidoscopes. D'une part, les groupes permettent de décrire de façon très économique le « type » d'une image kaléidoscopique; et réciproquement, une telle image constitue un modèle concret du « fonctionnement » du groupe correspondant.

Terminons ces propos sur l'interaction de deux miroirs par l'examen d'une sorte de cas limite : qu'arrive-t-il lorsque ces miroirs ne s'intersectent pas, autrement dit lorsqu'ils sont parallèles ? La figure 8 illustre le phénomène, où l'on a placé entre les deux miroirs de départ (en trait continu) un motif en forme de « L ».

On obtient ainsi une *frise*, c'est-à-dire une sorte de ruban infini. Un tel ruban étant symétrique par translation, il ne s'agit plus d'une rosace à proprement parler, tel qu'indiqué à la note 4. Le groupe dièdre correspondant, noté D_∞, comprend une infinité d'éléments.

3. Prismes kaléidoscopiques

Les kaléidoscopes dont il a été question jusqu'ici étaient formés de deux miroirs concourants. Qu'arrive-t-il si on introduit des miroirs additionnels, formant ainsi une sorte de « prisme kaléidoscopique » (Brewster parlait plutôt de « kaléidoscope polycentral ») ? Outre le cas évident de quatre miroirs placés en forme de carré ou de rectangle, on peut vérifier que les seules combinaisons produisant de « belles » symétries (c'est-à-dire respectant les principes de Brewster quant à la non-superposition des images) sont obtenues avec trois miroirs formant des angles de $60° - 60° - 60°$, de $90° - 45° - 45°$ ou encore de $90° - 60° - 30°$. Dans tous ces cas, les figures engendrées ne sont plus du type rosace, car elles ne sont pas limitées : l'interaction des miroirs a pour effet de propager sans fin le motif initial dans toutes les directions, de sorte qu'on obtient un *pavage* du plan tout entier, c'est-à-dire un recouvrement du plan sans « trou » ni chevauchement. La figure 9, reproduite tout comme les figures 1 et 2 de l'encyclopédie [3], nous montre des pavages de chacun des types correspondant à un « bon » prisme kaléidoscopique. À l'instar de la figure 8, elle nous offre une illustration de la notion d'infini, si omniprésente en mathématiques.

Il serait possible d'introduire toutes sortes de variations autour de l'assemblage physique de plusieurs miroirs; bornons-nous à en suggérer la richesse en mentionnant simplement la manipulation suivante. Partons d'une pyramide à base triangulaire ou carrée et coupons-en la « tête » parallèlement à la base; ce qui en reste est une « pyramide

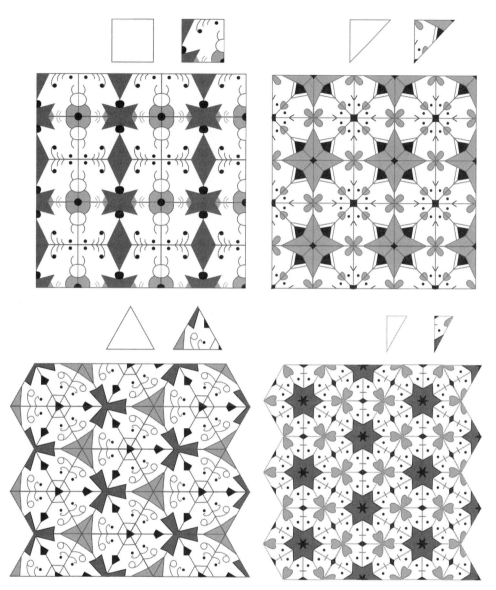

Figure 9 Les quatre types de pavages kaléidoscopiques (1824).

tronquée » dont on peut faire une sorte de kaléidoscope en tapissant de miroirs ses parois intérieures. L'effet obtenu est des plus saisissants : on engendre ainsi une image circulaire finie jouissant d'une grande symétrie[9].

---

9. Un tel prisme kaléidoscopique tronqué a été mis sur le marché il y a quelques années sous le nom de « Kaleidosphere ». Les images engendrées de la sorte ne sont pas sans rappeler certains dessins de l'artiste néerlandais Maurits C. Escher (1898-1972).

4. Kaléidoscopes virtuels

L'étude de l'effet géométrique d'un kaléidoscope, par exemple avec des élèves du secondaire, pourrait se faire (*i*) tout d'abord par l'observation de véritables kaléidoscopes (commerciaux ou de fabrication domestique); (*ii*) ensuite par la manipulation de miroirs sur une feuille de papier où a été tracé un motif initial; (*iii*) puis par l'introduction d'un modèle mathématique à l'aide de la notion de réflexion, les miroirs devenant des droites sur une feuille de papier; (*iv*) et enfin par le transfert de cette modélisation sur un écran d'ordinateur.

Voilà en effet une situation où les capacités graphiques de l'ordinateur peuvent être mises à profit, la simulation sur ordinateur du kaléidoscope facilitant grandement l'exploration de ses possibilités ainsi que la construction de figures complexes. L'emploi de macroconstructions permet de plus à l'utilisateur de se concentrer sur des aspects globaux, les détails de la construction des figures étant laissés à la machine. Il convient cependant de souligner que le modèle mathématique ainsi introduit, qu'il soit traité sur papier ou sur un écran d'ordinateur, ne rend pas compte exactement de la réalité physique. En effet, les « miroirs mathématiques » (entendre ici les axes des réflexions) sont des miroirs à deux faces, en ce sens que tout ce qui se trouve devant le miroir a une image derrière, et vice-versa; dans la réalité physique, les miroirs n'ont qu'une seule surface réfléchissante.

On peut aussi se servir d'environnements informatiques pour réaliser des manipulations physiquement impossibles; on peut penser ici, dans un premier temps, au fait de décomposer étape par étape la construction d'une rosace kaléidoscopique, plutôt que de la voir surgir tout entière d'un seul coup. Ainsi, la figure 10, obtenue sur ordinateur avec le logiciel de géométrie dynamique Cabri, nous fait voir comment l'interaction des deux miroirs permet d'engendrer successivement les images menant à la rosace de la figure 4.

La figure 11a), elle aussi produite avec Cabri, présente dans le même esprit la génération d'un pavage à l'aide d'un prisme kaléidoscopique 60° – 60° – 60°. On y a numéroté les divers triangles images selon leur ordre d'apparition, les images obtenues à une étape donnée étant réfléchies dans les côtés du triangle initial (sans numéro) pour donner les nouvelles images de l'étape suivante. La figure 11b) ainsi obtenue suggère clairement un algorithme permettant de recouvrir le plan de façon systématique à l'aide de pavés.

La modélisation du kaléidoscope avec l'ordinateur permet de se libérer des contraintes physiques d'une autre façon, en ouvrant la porte à de nouveaux types de kaléidoscopes qui n'ont tout simplement pas d'existence matérielle : dans ces kaléidoscopes virtuels, la

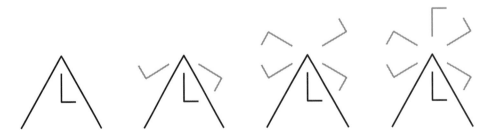

Figure 10   Naissance d'une rosace kaléidoscopique, étape par étape.

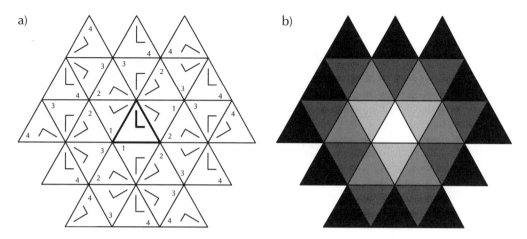

Figure 11

transformation géométrique à la base du kaléidoscope, c'est-à-dire la réflexion dans une droite, est remplacée par un autre mouvement. Un cas particulièrement intéressant est offert par la rotation de 180° autour d'un point; on qualifie parfois ce mouvement de *réflexion centrale* par opposition à la *réflexion axiale* usuelle.

La figure 12 est le résultat des rotations successives de 180° d'un triangle autour de ses trois sommets; il s'agit donc du pendant d'un prisme kaléidoscopique — on se donne trois réflexions centrales — de sorte qu'on obtient un motif se prolongeant sans limite dans toutes les directions. Les triangles images ont été tramés en fonction de leur ordre d'apparition : d'abord trois triangles gris, puis six triangles hachurés, et enfin neuf triangles noirs.

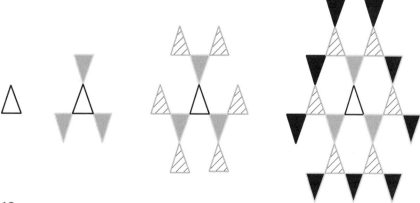

Figure 12

Dans la plupart des cas, cependant, les motifs obtenus par réflexion centrale sont moins intéressants du point de vue de la symétrie, puisque les images en viennent généralement à se chevaucher; il en est de même si on effectue des réflexions centrales autour des sommets

Figure 13

d'un quadrilatère. Par contre, si on effectue des réflexions centrales autour des points milieux des côtés d'un triangle (ou même d'un quadrilatère) quelconque, alors, fait peut-être surprenant, on obtient à coup sûr un pavage du plan. Ce constat expérimental (figure 13) peut être confirmé par une preuve formelle.

5. Du kaléidoscope aux inversions

L'*inversion dans un cercle* est une transformation géométrique moins connue dans l'enseignement préuniversitaire que la réflexion axiale ou centrale, en partie sans doute en raison de la complexité de la construction concrète d'une image par inversion. L'ordinateur peut cependant venir à notre secours en nous permettant de tracer facilement de telles figures. L'inversion se trouve d'ailleurs présente sous forme de commande primitive dans de nombreux environnements informatiques pour la géométrie, tel Cabri.

L'inversion dans un cercle de centre M et de rayon r est définie comme suit : à tout point P distinct de M, on associe le point P' situé sur la demi-droite MP de façon que sa distance à M satisfasse à la relation $(MP)(MP') = r^2$ (aucune image n'est associée au centre M — on dira parfois que M a pour image un « point à l'infini »). On vérifie sans trop de peine (à tout le moins expérimentalement) certaines propriétés de base de l'inversion, par exemple que les droites passant par le centre d'inversion M sont fixes; que l'image d'une droite ne passant pas par M est un cercle passant par M, et vice-versa; ou encore que l'image d'un cercle ne passant pas par M est un cercle ne passant pas par M.

L'inversion peut servir à engendrer des motifs géométriques séduisants qui donnent des pavages du plan assez étonnants; à cet égard, on pourrait considérer qu'il s'agit ici d'une nouvelle sorte de « kaléidoscope »[10]. Les figures 14 et 15 nous font voir deux exemples de tels pavages, chacune des régions situées à l'intérieur des cercles ayant pour image la région de même « couleur » située à l'extérieur — et inversement.

Pour comprendre comment ces pavages ont été obtenus, il nous faut d'abord recourir à une méthode, due au mathématicien allemand Lothar Collatz, qui permet de diviser un

---

10. Pour des raisons d'ordre esthétique, nous préférons considérer la transformation obtenue en faisant suivre l'inversion dans un cercle d'une réflexion dans un diamètre horizontal, de façon à mieux faire ressortir, par un jeu de trames, l'association entre une région du plan et l'image qui lui correspond.

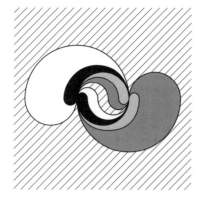

Figure 14   Recouvrement du plan obtenu par inversion circulaire.

Figure 15   Autre exemple de recouvrement par inversion circulaire.

disque en *n* régions ayant toutes la même aire. Partageant le diamètre d'un cercle en *n* segments congruents, nous traçons, à l'intérieur du cercle, *n* − 1 courbes reliant les extrémités du diamètre, chaque courbe étant faite de deux demi-cercles qui sont situés dans des demi-disques différents et dont les diamètres sont obtenus par regroupement des *n* segments en deux segments adjacents. La figure 16 illustre ce que donne le partage de Collatz dans le cas où *n* = 6.

On s'aperçoit alors que la figure 15 résulte de la transformation de cette dernière figure par une inversion dans le cercle, suivie d'une réflexion horizontale, chaque région intérieure étant associée à son image à l'aide d'une trame. La figure 14 illustre quant à elle le cas où *n* = 5. On notera qu'une seule des régions de cette figure « s'étend à l'infini », tandis qu'il y en a deux dans la figure 15; cela est lié au fait que le centre du cercle est situé ou non sur une des courbes intérieures dans la division de Collatz, selon que *n* est pair ou impair.

L'inversion dans un cercle peut se concrétiser à l'aide d'un « kaléidoscope cylindrique » : la région extérieure au cercle d'inversion, dans les figures 14 et 15, peut en effet être vue comme ayant été produite par un cylindre qui serait placé sur le cercle et dont l'intérieur serait un miroir. Si c'est plutôt l'extérieur du cylindre qui sert de surface réfléchissante, alors cette région extérieure au cercle de base est transformée à son tour de façon à se retrouver à l'intérieur du cercle. Cela ne va pas sans rappeler l'*anamorphose*, procédé qui a fasciné de nombreux peintres au fil des âges et qui consiste à produire une

Figure 16

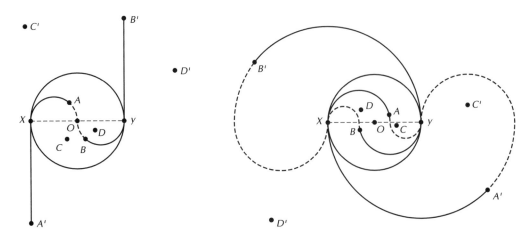

Figure 17 Tandis que les points *A* et *B* se rapprochent du centre *O* sur des demi-cercles, l'inversion projette leurs images *A′* et *B′* à l'infini sur des droites.

Figure 18 Tandis que les points *A* et *B* se déplacent sur des arcs de cercles (ne passant pas par *O*), leurs images *A′* et *B′* font de même, à l'extérieur du cercle d'inversion.

peinture n'ayant de sens que si elle est vue comme une image réfléchie sur la paroi extérieure d'un cylindre ou d'un cône — voir [5].

L'ordinateur est très utile pour effectuer les transformations produisant les figures 14 ou 15. Mais il y a plus : on peut aussi s'en servir pour voir la construction point par point des images, ce qui permet le développement d'une bonne intuition géométrique des transformations en jeu. C'est ce que montrent, pour les cas où $n = 2$ et 3 respectivement, les figures 17 et 18 (réalisées avec le logiciel Cabri). Dans la figure 17, lorsque le point *A* se déplace sur la courbe intérieure depuis *X* vers le centre *O*, sa contrepartie *B* fait de même de *Y* vers *O*. Pendant ce temps, les images *A′* et *B′*, obtenues par inversion et réflexion horizontale, voyagent sur des droites, respectivement de *X* et de *Y*, vers l'infini. Les points *C* et *D* montrent ce qu'il advient des points dans les régions intérieures. La figure 18 a été obtenue de la même manière.

Le recouvrement du plan avec des « pavés » résultant de la dissection de Collatz (figures 14 et 15) apparaîtra peut-être étrange à certains lecteurs. Nous aimerions suggérer à cet égard une approche un peu plus conservatrice dans laquelle les « pavés » sont de nature plus simple.

La figure 19 peut être interprétée comme suit; partant du grand cercle extérieur, nous rencontrons un anneau composé de six cercles congruents de taille moyenne qui sont tous tangents à un cercle central de même taille : c'est à partir de ce dernier cercle qu'est définie l'inversion dont nous parlons maintenant. À l'intérieur du cercle d'inversion, nous avons tracé un nouvel anneau de six petits cercles qui sont tous identiques à un septième petit cercle central : les six petits cercles sont envoyés, par inversion, sur les six cercles moyens, tandis que le petit cercle central a pour image le grand cercle. L'intérieur du petit cercle central (qui contient le centre d'inversion) a comme correspondant l'extérieur du grand cercle (qui va « à

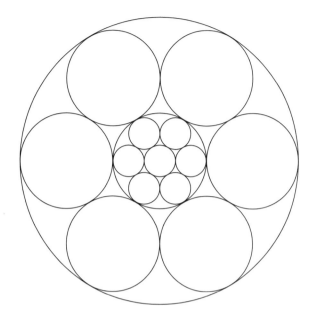

Figure 19

l'infini »). Quant aux douze « régions triangulaires » définies par les sept cercles intérieurs du cercle d'inversion (chacune de ces régions étant délimitée par trois arcs de cercle), elles ont pour images des régions de même nature qui sont comprises dans le grand anneau.

Le pavage du plan ainsi obtenu par inversion circulaire est somme toute assez homogène, car les « pavés » présentent une grande régularité. Le lecteur pourra examiner certaines variantes de cette construction obtenues grâce à la modification du motif situé à l'intérieur du cercle d'inversion. Par exemple, on peut placer à l'intérieur de ce cercle trois cercles identiques qui sont tangents entre eux et tangents au cercle d'inversion (figure 20); ou encore une couronne composée de cinq cercles identiques qui sont tangents deux à deux et tangents au cercle d'inversion (figure 21). On peut alors voir un cercle (non tracé sur les figures) qui a pour centre le centre du cercle d'inversion et qui est tangent à chacun des cercles formant la couronne; la figure 19 se distingue par le fait que, lorsqu'il y a six cercles congruents dans la couronne, ce cercle supplémentaire est identique à ceux de la couronne. Une autre variante consisterait à garnir le cercle d'inversion d'une famille de petits cercles identiques qui seraient disposés en couronnes autour d'un même cercle central : la figure 22 montre dix-neuf petits cercles assemblés en forme d'hexagone régulier à l'intérieur du cercle d'inversion.

Le fait de travailler à partir de situations aussi symétriques ne doit cependant pas faire perdre de vue la raison d'être d'un kaléidoscope : remplir une certaine région d'objets irréguliers (par exemple, les verroteries du kaléidoscope de Gide), pour ensuite créer une belle figure à l'aide des opérations très symétriques que sont la réflexion axiale et la rotation. La fascination suscitée par le kaléidoscope, qu'il s'agisse d'un « bon vieux » modèle à la Brewster ou d'un kaléidoscope virtuel, découle sans doute en bonne partie de ce mélange étonnant d'irrégularité et de régularité.

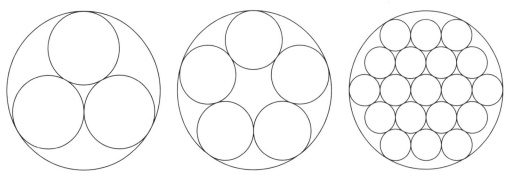

Figure 20   **Figure 21**   **Figure 22**

En guise de conclusion

Charles Wheatstone (1802–1875), un contemporain — et parfois adversaire sur le plan scientifique — de Brewster, parlait dans les termes suivants de l'une de ses propres inventions :

> *[It] renders obvious to the common observer what has hitherto been confined to the calculations of the mathematician.*
>
> Cité dans N.J. WADE, *Brewster and Wheatstone on Vision*, [12], p. 205

C'est donc de la possibilité de « voir » les mathématiques, par delà les équations formelles, qu'il est question ici. De plus, l'attrait qu'exercent les motifs comme ceux qui sont produits par un kaléidoscope (réel ou virtuel) peut inciter l'observateur à étudier plus sérieusement les phénomènes en cause. C'est ce que soutenait Brewster à propos d'une autre de ses propres inventions, le stéréoscope :

> *[E]very instrument depending on scientific principles, when employed for the purpose of amusement, must necessarily be instructive. "Philosophy in sport" never fails to become "Science in earnest". The toy which amuses the child will instruct the sage, and many an eminent discoverer and inventor can trace the pursuits which immortalize them to some experiment or instrument which amused them at school.*
>
> D. BREWSTER, *The Stereoscope*, [1], p. 204

Pour favoriser dans le grand public une meilleure perception de ce que sont vraiment les mathématiques — et de leur place dans le savoir humain — il est important de lui faire connaître des concepts mathématiques substantiels ayant le potentiel de le mener bien au delà des limites d'une approche purement calculatoire qui est trop souvent l'apanage des mathématiques scolaires. Ainsi, explorer et maîtriser des phénomènes kaléidoscopiques ou des inversions à la Collatz peut s'avérer une expérience à la fois positive et marquante. Mais cela ne saurait se produire si on ne sait pas d'abord capter l'attention de l'observateur éventuel. À cet égard, disposer d'exemples comme ceux fournis par le kaléidoscope, sous toutes ses formes, peut sans doute constituer un atout majeur.

Bibliographie

[1] BREWSTER, D. *The Stereoscope. Its History, Theory and Construction*, Londres, John Murray, 1856.

[2] COXETER, H. S. M. *Introduction to Geometry*, 2ᵉ édition, New York, Wiley, 1969.

[3] *The Encyclopædia Britannica*, Supplement to the 4th, 5th and 6th edition, Édimbourg, A. Constable, 1824. Article : *Kaleidoscope* (écrit par P. M. Roget), vol. V, p. 163-171 (planche XCIII).

[4] FRUTIGER, A. *Des Signes et des hommes*, Lausanne, Éditions Delta & Spes, 1983.

[5] GARDNER, M. « Anamorphic Art », dans *Time Travel and Other Mathematical Bewilderments*, New York, Freeman, 1988, p. 97-109.

[6] GIDE, André. *Si le grain ne meurt*, dans *Œuvres complètes d'André Gide*, tome 10, Paris, Gallimard, 1932, p. 27-454.

[7] GRAF, K.-D. « Using Software Tools as Additional Tools in Geometry Education to Ruler and Compasses », *Education & Computing*, 4, 1988, p. 171-178.

[8] GRAF, K.-D. et B. R. HODGSON. « Popularizing Geometrical Concepts : the Case of the Kaleidoscope », *For the Learning of Mathematics*, 10(3), 1990, p. 42-50.

[9] GRAF, K.-D. et B. R. HODGSON. « The Computer as a Context for New Possible Geometrical Activities », dans C. Mammana et V. Villani (sous la direction de). *Perspectives on the Teaching of Geometry for the 21st Century*, ICMI Study Series, Dordrecht, Kluwer Academic Publishers, 1998, p. 144-158.

[10] HODGSON, B. R. « La géométrie du kaléidoscope », *Bulletin de l'Association mathématique du Québec*, 27(2), 1987, p. 12-24. [Prix Roland-Brossard 1987] Reproduit dans *Plot* (Supplément : Symétrie — dossier pédagogique), 42, 1988, p. 25-34.

[11] HUGO, Victor. *Les Misérables*, Éditions Hauteville-House, 1862 (deuxième partie : *Cosette*, livre troisième : *Accomplissement de la promesse faite à la morte*).

[12] WADE, N. J. (sous la direction de). *Brewster and Wheatstone on Vision*, New York, Academic Press, 1983.

Pour aller plus loin

Le lecteur intéressé à en connaître davantage sur l'histoire du kaléidoscope lira avec intérêt le texte d'encyclopédie [3], écrit peu de temps après l'invention du kaléidoscope par Brewster. L'article [10] propose une exploration guidée, avec papier et crayon, des propriétés régissant le comportement d'un kaléidoscope. Le texte [7] explique en détail comment l'ordinateur peut servir à généraliser des outils géométriques tels règle et compas, tandis que [8] présente le transfert au contexte informatique du kaléidoscope et de certaines généralisations. L'article [9] poursuit cette réflexion en s'intéressant aux applications pédagogiques de l'ordinateur tant du point de vue des objets géométriques accessibles (par exemple, les inversions circulaires) que des applications (par exemple, les pavages). Le livre de Coxeter [2] est une référence classique en géométrie.

Qu'est devenue la géométrie au XXe siècle ?

François LALONDE
UQÀM

Il me semble que la géométrie a connu deux vies. Elle a d'abord été la science qui étudiait les propriétés géométriques du monde réel, tel que nous nous le représentons. Avec la découverte des géométries non euclidiennes, le monde que décrit la géométrie s'enrichit. Néanmoins, c'était toujours une science portant sur des espaces formés de points donnés a priori. La seconde vie de la géométrie commence, je crois, avec l'étude des groupes de symétries dans la théorie des équations, à la fin du XIXe siècle.

On sait combien le tournant du siècle a été fertile en paradoxes, autant en physique qu'en mathématiques, et que de la résolution de ces multiples paradoxes sont nées plusieurs des branches modernes de la physique théorique. Gaston Bachelard remarquait, au début du XXe siècle, dans *Le Nouvel Esprit scientifique*, combien le monde réel exploré par la physique est différent de celui de Descartes, devenu opaque à l'intuition ou à l'empirisme. Les techniques d'expérimentation en physique, rappelait-il, n'ont plus rien d'une expérience naïve du réel : elles sont construites par les progrès théoriques. Bref, le réel que teste la physique du XXe siècle est lui-même un construit, conséquence d'une culture scientifique sophistiquée dont seuls les progrès des mathématiques ont permis l'expression.

Mais ce qui, à mon avis, n'a pas été assez mis en évidence, c'est que le même changement d'attitude scientifique s'est produit, à peu près à la même époque, en géométrie. Cette révolution géométrique n'a que peu à voir avec la découverte des géométries non euclidiennes dans la première moitié du XIXe siècle. Elle est plutôt le fruit de la théorie des équations, en mathématiques, et de la théorie des champs, en physique. L'étude de ces équations différentielles (ordinaires ou aux dérivées partielles) a révélé l'importance du rôle joué par les groupes de symétries. J'en expliquerai plus loin les conséquences pour la géométrie qui, lors de la résolution de ces équations, devenait l'étude d'espaces construits qui encodent certaines des caractéristiques fondamentales des équations et dont la relativité générale est l'un des premiers exemples.

Bref retour aux Grecs

La géométrie grecque classique étudie les propriétés géométriques du plan et de l'espace tels que notre intuition nous les présente. Cela ne signifie certainement pas que tous les théorèmes de la géométrie grecque soient des évidences, loin de là : le théorème de Menelaus ou celui de Pappus sont très raffinés.

On sait que les Grecs ont poussé cette science à un point d'achèvement extraordinaire. Elle fut, dans la culture classique, à l'origine de plusieurs grandes branches des mathématiques, en particulier :

- la théorie des nombres vus comme rapports de grandeurs géométriques, qui mena à une théorie développée des proportions et à la découverte des nombres irrationnels;
- la logique, vue comme cadre axiomatique de la géométrie euclidienne;
- l'analyse, par exemple chez Archimède, qui introduisit une version géométrique du calcul infinitésimal pour calculer le périmètre des cercles.

Bref, avec Euclide et Apollonius, la géométrie a atteint un rare degré de perfection. Mais c'est aussi une théorie rivée au réel, qui ne présente pas de possibilité apparente de généralisation ou de dépassement. Au contraire, l'analyse, l'algèbre, la théorie des nombres, qui sont nées d'un effort d'abstraction des propriétés géométriques, portent en elles de multiples possibilités de développement.

Ce sont elles qui fleurissent dès les débuts de la Renaissance au détriment de la géométrie. À la fin du XIXe siècle, la géométrie, encore attachée à l'étude d'espaces formés de points réels, n'a plus pour ainsi dire qu'un intérêt pédagogique; hormis quelques perfectionnements secondaires, la géométrie semble avoir déjà tout donné ! D'autre part, sur ces espaces de la géométrie se construisent des théories riches. Ce sont elles qui occupent les mathématiciens, et toutes les grandes questions de l'heure y sont liées. Ces théories sont en correspondance assez étroite avec les nombreux problèmes mathématiques que posent les nouvelles branches de la physique.

Bien sûr, la géométrie vit encore sous une forme édulcorée puisque à l'algèbre correspond la géométrie algébrique, qu'aux fonctions réelles et complexes correspondent les géométries différentielle et complexe, et ainsi de suite. Toute nouvelle découverte dans l'un de ces champs trouve immédiatement son expression dans la géométrie correspondante. Mais dans cette correspondance, mise en évidence par Descartes, la géométrie traîne de la patte. Elle n'est pas le moteur de nouvelles découvertes, mais plutôt le canevas sur lequel vient s'imprimer, presque automatiquement, une version géométrique de résultats obtenus autrement.

Le second souffle de la géométrie au XXe siècle

Pour expliquer la renaissance de la géométrie au début du XXe siècle, il faut d'abord comprendre l'état de la théorie des équations différentielles au siècle précédent.

Après la découverte du calcul différentiel et intégral, dans la seconde moitié du XVIIe siècle, et la formulation, simultanée, de la théorie newtonienne de la dynamique, l'école française a amené la mécanique classique à un point d'achèvement : la mécanique de Lagrange fonde toute la dynamique sur un seul principe, le principe de moindre action de

Maupertuis. Ici, un système physique (disons un système de points matériels liés entre eux par des tiges rigides et sans masse, comme le pendule simple ou le pendule double se déplaçant dans un plan) est caractérisé par un ensemble C de configurations possibles. On sait que, si le système est soumis à un potentiel donné (qui encode toutes les forces en présence), son évolution au cours du temps est entièrement déterminée par son état initial. Ici, « état » veut dire la donnée simultanée de la configuration du système et de sa vitesse. L'espace mathématique convenable est donc celui de l'ensemble de toutes les configurations possibles et de toutes les vitesses possibles de chaque configuration. C'est l'espace de phase P du système, qui a une dimension deux fois supérieure à celle de l'espace des configurations; en effet, le nombre de degrés de liberté des vitesses possibles d'une configuration est le même que le nombre de degrés de liberté de l'espace de configurations lui-même. Hamilton a montré, un peu après les travaux de Lagrange, que le principe de moindre action menait à des équations différentielles données sur cet espace de phase. L'idée est élégante : on peut associer à chaque point de l'espace de phase l'énergie totale (c'est la somme de l'énergie potentielle, qui ne dépend que de la position — ou configuration — du système, et de l'énergie cinétique, qui ne dépend que de la vitesse du système). On obtient de cette façon une fonction, le hamiltonien, à valeurs réelles définie sur l'espace de phase, $H : P \to \mathbb{R}$. Or, la connaissance de cette seule fonction permet de déterminer le mouvement dans le temps de chaque point de l'espace de phase. L'algorithme est simple, mais nous ne prendrons pas le temps de l'expliquer ici.

On remarquera que, à ce stade du formalisme, la notion de force disparaît (elle est absorbée dans la définition de H).

Or, il se trouve que dans la plupart des cas physiquement intéressants, le hamiltonien H possède des symétries (axiales, rotationnelles, etc.). Ces symétries forment en général un continuum que je note G. La première étape de la résolution du problème consistant à chercher la trajectoire future du système est le « passage au quotient » de l'espace total P par le groupe G, qui mène à un nouvel espace, disons P/G.

On voit qu'ici la géométrie intervient de deux façons essentielles dans la mécanique classique : d'abord avec le groupe de symétries G, ensuite avec l'apparition d'un nouvel espace géométrique P/G dont les caractéristiques n'ont rien d'un monde réel, mais qui doivent tout à la « géométrie » des équations du départ.

Ce que j'ai décrit plus haut est une des sources essentielles du renouveau de la géométrie au xxᵉ siècle : par la théorie des équations (de toutes sortes), la géométrie est intimement liée aux problèmes les plus profonds qui se posent dans la mathématique et la physique du xxᵉ siècle. Pour cette raison, de nouvelles géométries se sont développées tous azimuts au cours du siècle.

De ce point de vue, la géométrie grecque est, en fin de compte, comme les géométries d'aujourd'hui qui proviennent toutes de la résolution d'un type de problème, un problème de triangulation de la Terre dans le cas de la géométrie classique, des problèmes de théories des équations dans le cas des géométries d'aujourd'hui. (On comprend combien nous sommes maintenant loin de l'étymologie du mot !)

Voyons maintenant à l'aide d'un cas particulier comment la relation entre géométrie et physique a permis d'intéressantes découvertes.

Encore une fois, un bref retour en arrière. Comme on sait, la théorie newtonienne de la dynamique des corps est associée à la relativité galiléenne. Mais qu'entend-on par

« relativité » ? On ne peut énoncer correctement les lois de la physique qu'en se donnant un référentiel auquel on attribue (théoriquement !) trois axes de coordonnées spatiales attachés, ainsi qu'une horloge marquant un temps valable pour l'observateur situé à l'origine du référentiel. Pour donner un sens à une loi comme « $F = ma$ », il faut pouvoir mesurer l'accélération, ce que l'on fait à partir du référentiel donné. Comme un référentiel n'est qu'un choix de coordonnées d'espace et de temps parmi d'autres, il est essentiel de spécifier les choix de coordonnées pour lesquels la loi sera valable et ceux pour lesquels elle ne le sera pas. La relativité est cette partie de la physique qui prescrit, sur la base de considérations discutables, les référentiels admissibles et ceux qui ne le sont pas. La relativité n'est donc pas de la physique (elle n'a pas de contenu physique !), c'est simplement un « dictionnaire » des points de vue selon lesquels une théorie donnée devient cohérente. Il y a donc une relativité qui est associée à chacune des théories physiques et qui traduit l'effort inlassable des physiciens de rendre une théorie aussi intrinsèque, c'est-à-dire aussi indépendante du choix particulier d'un système de coordonnées, que possible. On remarquera que cet effort est parfaitement analogue à celui du mathématicien qui tente de définir la notion d'espace vectoriel indépendamment d'une base donnée.

Nous allons maintenant expliquer comment chaque théorie physique détermine une relativité qui, à son tour, détermine une géométrie particulière de l'espace-temps. Reprenons l'exemple des espaces vectoriels. Dans le cadre de cette théorie, la « relativité » énonce que les référentiels admissibles sont exactement ceux qu'on peut obtenir d'un référentiel standard à partir d'isomorphismes linéaires : l'image par isomorphisme linéaire d'une base donnée est encore une base. À partir de cette « relativité linéaire », il est facile de déduire la structure intrinsèque d'un espace vectoriel : elle n'est rien d'autre que ce qui est conservé par tout isomorphisme linéaire. De la même manière, la relativité galiléenne prescrit une (sous)-structure euclidienne de l'espace-temps parce qu'elle admet toute transformation isométrique de l'espace couplée à une translation de l'échelle du temps (une transformation est dite « isométrique » si elle préserve les distances et les angles). On remarquera que, dans cette relativité, les transformations ne peuvent pas intégrer les coordonnées d'espace avec celles du temps, d'où le mot *sous* entre parenthèses.

Les lois de l'électricité et du magnétisme, formulées par Maxwell au xixe siècle, ont deux conséquences. La première, c'est qu'elles contiennent une quantité, soit le produit de deux constantes rattachées à la nature du vide, considéré comme le milieu de propagation de la lumière, qui est la vitesse de la lumière, une constante finie. La seconde, c'est qu'elles restent valables sous des transformations différentes, le groupe de Lorentz. Comme dans l'exemple des espaces vectoriels, ce groupe de transformations détermine une structure intrinsèque de l'espace-temps, donnée par le métrique de Lorentz. Voilà une autre situation où des équations déterminent un nouvel espace géométrique, qui est construit comme conséquence de la théorie et qui encode des caractéristiques fondamentales. La relativité est ici la « relativité restreinte ».

Une fois exprimées dans un langage géométrique adéquat (dont leur auteur ne disposait pas), les lois de Maxwell deviennent extrêmement simples : elles signifient qu'un champ de vecteurs sur l'espace-temps, appelé « potentiel-vecteur » (qu'on ne peut mesurer directement, mais qui sert à rendre la théorie aussi « géométrique » que possible) a pour courbure le champ électromagnétique ! C'est à la fois très élégant et très utile.

C'est exactement cet esprit qui a dominé le xxᵉ siècle en mathématiques : la géométrie permet de construire des objets suffisamment riches pour que les équations de toutes sortes, provenant de la physique comme des mathématiques, deviennent simples ! Pour en savoir plus, voir l'article « Qu'est devenue la géométrie au xxᵉ siècle ? » paru dans *La Gazette des sciences mathématiques du Québec* en 1996.

Pour aller plus loin

LALONDE, François. « Qu'est devenue la géométrie au xxᵉ siècle ? », *La Gazette des sciences mathématiques du Québec* (In memoriam Carl Herz, 1930-1995), vol. 18, nᵒ 1, avril 1996, p. 31-46.

Trier vite pour chercher vite

Timothy R. WALSH
UQÀM

Pour trouver un mot dans un dictionnaire qui en contient 1 million, vous ne lisez pas le dictionnaire du début à la fin. Vous pouvez trouver votre mot en ayant regardé une vingtaine de mots seulement parce que les mots y sont classés en ordre alphabétique. Bien sûr, la première lettre de votre mot vous aide à commencer votre recherche — par exemple, puisque le mot « épouvantable » commence par la cinquième lettre d'un alphabet de 26 lettres, vous pouvez supposer que ce mot se trouve environ au cinquième du dictionnaire. Mais en général, et surtout quand on travaille avec des objets autres que des mots, par exemple des nombres disposés dans un tableau, on ne peut rien supposer *a priori* sur leur distribution. Tout ce qu'on peut présumer, c'est que les objets ont été triés en ordre croissant, comme

$$(22, 22, 33, 33, 33, 45, 45, \mathbf{57}, 57, 57, 61, 73, 73, 87, 99).$$

La meilleure stratégie, c'est de comparer le nombre que vous cherchez avec le nombre au milieu du tableau, qui est 57 (en caractères gras). Si vous cherchez 45, par exemple, puisque $45 < 57$, vous savez que 45 doit venir avant le milieu du tableau. Si vous cherchez 61, puisque $61 > 57$, vous savez que 61 doit venir après le milieu du tableau. En tout cas, avec une seule comparaison, vous avez réduit par un facteur de 2 la taille de la portion du tableau dans laquelle vous devez chercher votre nombre. Puis, vous considérez l'élément au milieu de cette portion du tableau, et ainsi de suite.

Pour illustrer ce processus, qu'on appelle « fouille dichotomique » ou « recherche binaire », je vais écrire le tableau avec la position de chaque élément :

position	1	2	3	4	5	6	7	8	9	10	11	12	13	14	15
élément	22	22	33	33	33	45	45	57	57	57	61	73	73	87	99

Maintenant, je donne la position la plus à gauche et la position la plus à droite de la portion du tableau dans laquelle il faut chercher après chaque comparaison, pendant la recherche du nombre 61. Chaque comparaison sera faite avec l'élément au milieu de cette portion du tableau, c'est-à-dire en position (gauche + droite)/2.

gauche	droite	milieu	élément	commentaire
1	15	8	57	61 > 57, d'où 61 doit être après la position 8.
9	15	12	73	61 < 73, d'où 61 doit être avant la position 12.
9	11	10	57	61 > 57, d'où 61 doit être après la position 10.
11	11	11	61	61 = 61, d'où 61 est en fait à la position 11.

Ce dernier test est nécessaire. Essayez de trouver 62 par la fouille dichotomique. Après 3 comparaisons, vous allez conclure que 62 doit être en position 11 *si 62 était dans la tableau*. Mais puisque le onzième élément du tableau n'est pas 62, vous pouvez conclure correctement que 62 n'est pas dans le tableau.

Combien de comparaisons sont nécessaires pour trouver un objet dans un tableau de taille n ? Prenons le cas où $n = 15$. Au début, on cherche dans un tableau de taille 15, puis dans un tableau de taille 7 (de la position 9 à la position 15 inclusivement), puis de taille 3, puis de taille 1. À chaque étape, la taille est divisée par 2 avec arrondissement vers le bas. Quand la taille est réduite à 1, vous devez faire encore une comparaison pour déterminer si l'objet que vous cherchez est vraiment dans le tableau. Le nombre de comparaisons nécessaires est égal au nombre de fois qu'il faut diviser n par 2 pour le réduire à 1, plus encore 1 comparaison pour le dernier test. Quand $n = 15$, la division successive donne 7, 3, 1, soit 3 divisions et donc 3 comparaisons, plus le dernier test, pour un total de 4. Quand $n = 1\,000\,000$, il faut 19 divisions pour le réduire à 1 (essayez-le !), et le nombre total de comparaisons nécessaires est donc de 20. Je note par $d(n)$ le nombre de fois qu'il faut diviser n par 2 pour le réduire à 1 (si vous connaissez les logarithmes, vous pouvez vérifier que $d(n)$ est le plus grand entier $\leq \log_2 n$). Le nombre total de comparaisons nécessaires est donc de $d(n) + 1$. Avez-vous remarqué que j'ai choisi n pour que la division donne toujours un reste ? Bon, je commence avec un tableau de 8 éléments (22, 33, 45, 57, 61, 73, 87, 99). La première comparaison sera faite avec 57. Si je cherche 87, j'ai le sous-tableau (61, 73, 87, 99) avec 4 éléments. Si je cherche 33, j'ai le sous-tableau (22, 33, 45) avec 3 éléments. Si je cherche 57, j'ai fini. Je veux trouver le nombre maximum possible de comparaisons, ce qui m'oblige à considérer le cas où j'ai le plus grand tableau — celui avec 4 éléments — et en divisant 8 par 2, j'obtiens 4. La formule tient.

L'intérêt de cette formule est que la taille de $d(n) + 1$ reste modeste même quand n devient très grand. Il faut 10 comparaisons pour trouver un mot dans un dictionnaire de taille 1 000, 20 comparaisons dans un dictionnaire de taille 1 000 000, 30 comparaisons si la taille est 1 000 000 000, etc. La fouille dichotomique est un processus vraiment rapide par rapport à la fouille linéaire : commencez au début et continuez jusqu'à la fin, ou jusqu'à ce que vous trouviez la chose que vous cherchez.

Mais supposons que vous cherchiez dans l'annuaire le nom de quelqu'un dont vous ne connaissez que le numéro de téléphone. Vous devriez lire du début à la fin puisque les numéros de téléphone ne sont pas classés. Pour permettre à tous de profiter de la rapidité de la fouille dichotomique, il faut d'abord trier les éléments du tableau, et la méthode la plus facile à comprendre pour cela s'appelle *tri par sélection*. Examinez tout le tableau pour trouver l'élément qui doit aller en première position et échangez-le avec le premier élément.

Puis, examinez tout le tableau sauf le premier élément pour trouver l'élément qui doit aller en deuxième position et échangez-le avec le deuxième élément, et ainsi de suite.

J'illustre le processus avec le tableau (61, 87, 73, 57, 22, 45, 99, 33). Pour trouver le plus petit élément du tableau, supposez d'abord que le plus petit élément est le premier élément, soit 61. Comparez votre candidat 61 avec le deuxième élément, soit 87. Puisque 87 > 61, votre candidat est toujours 61. Comparez-le avec le troisième élément, soit 73 : 61 demeure. Comparez-le avec le quatrième élément, soit 57 : 57 < 61, et votre nouveau candidat est donc 57. Comparez-le avec le cinquième élément, soit 22 : 22 < 57, et votre nouveau candidat est donc 22. Comparez-le avec le sixième, le septième et le huitième élément, et le candidat reste 22. Le plus petit élément est donc 22. Vous avez comparé votre candidat avec tous les éléments sauf le premier — un total de 7 comparaisons. Le processus complet est illustré ci-dessous. Les éléments du tableau qui ont été mis dans leur propre position sont à gauche d'une barre verticale. Le plus petit élément dans le reste du tableau se trouve dans la colonne sous l'en-tête **m**, sa position dans la colonne **p**, et le nombre de comparaisons nécessaires pour le trouver dans la colonne **c**.

position	1	2	3	4	5	6	7	8	m	p	c	échange à faire
élément	| 61	87	73	57	22	45	99	33	22	5	7	22 avec 61
	22|	87	73	57	61	45	99	33	33	8	6	33 avec 87
	22	33|	73	57	61	45	99	87	45	6	5	45 avec 73
	22	33	45|	57	61	73	99	87	57	4	4	57 avec 57
	22	33	45	57	|61	73	99	87	61	5	3	61 avec 61
	22	33	45	57	61|	73	99	87	73	6	2	73 avec 73
	22	33	45	57	61	73|	99	87	87	8	1	87 avec 99
	22	33	45	57	61	73	87|	99				

Le nombre total de comparaisons est : $1 + 2 + 3 + 4 + 5 + 6 + 7$

La même somme peut être écrite de droite à gauche : $7 + 6 + 5 + 4 + 3 + 2 + 1$

Si on additionne colonne par colonne, on obtient : $8 + 8 + 8 + 8 + 8 + 8 + 8 = 7 \times 8$

ce qui est deux fois la somme.

La somme est donc de

$$(7 \times 8)/2 = 28.$$

De même, on peut montrer que le nombre de comparaisons nécessaires pour trier les éléments d'un tableau de taille n est $1 + 2 + ... + (n-1) = n(n-1)/2$. Quand $n = 1\,000\,000$, ce nombre est énorme : 499 999 500 000. Un ordinateur qui exécute 1 000 000 de comparaisons par seconde prendrait *une semaine* pour trier les éléments d'un tableau de taille 1 000 000.

Heureusement, il existe des méthodes plus rapides pour trier les éléments d'un tableau. La plus facile à comprendre est le *tri par fusion*. Pour illustrer ce processus, supposons que vous voulez faire un seul tableau trié avec deux tableaux dont les éléments sont déjà classés : (57, 61, 73 ,87) et (22, 33, 45, 99). Vous comparez le premier élément de chacun des deux tableaux et vous mettez en première position dans un grand tableau le plus petit élément en l'enlevant du tableau auquel il appartenait. Puis, vous comparez le premier élément de ce qui reste des deux tableaux et vous mettez le plus petit en deuxième position dans le grand tableau, et ainsi de suite :

premier tableau				deuxième tableau				grand tableau							
57	61	73	87	22	33	45	99								
57	61	73	87		33	45	99	22							
57	61	73	87			45	99	22	33						
57	61	73	87				99	22	33	45					
	61	73	87				99	22	33	45	57				
		73	87				99	22	33	45	57	61			
			87				99	22	33	45	57	61	73		
							99	22	33	45	57	61	73	87	
								22	33	45	57	61	73	87	99

Le nombre de transferts d'un des petits tableaux au grand tableau est égal à la taille finale du grand tableau, et le nombre de comparaisons ne dépasse pas la taille finale du grand tableau moins 1 puisqu'au moins le dernier transfert se fait sans aucune comparaison. On peut donc considérer que le coût d'une fusion est égal à la taille finale du grand tableau.

Comment utiliser ce processus de fusion pour trier les éléments d'un tableau ? Considérez chaque élément du tableau comme un sous-tableau de taille 1. Un tableau de taille 1 est forcément trié. Vous pouvez donc fusionner le premier sous-tableau avec le deuxième, le troisième avec le quatrième, et ainsi de suite, et vous aurez alors des sous-tableaux triés de taille 2. Puis, répétez le processus pour avoir des sous-tableaux triés de taille 4, et ainsi de suite. J'illustre le processus ci-dessous; les barres verticales séparent les sous-tableaux triés.

coût (somme des tailles des grands sous-tableaux)

| 61 | 87| 73| 57| 22| 45| 99| 33| $2 + 2 + 2 + 2 = 8$

| 61 | 87| 57 | 73| 22 | 45| 33 | 99| $4 \quad + \quad 4 = 8$

| 57 | 61 | 73 | 87| 22 | 33 | 45 | 99| 8

| 22 | 33 | 45 | 57 | 61 | 73 | 87 | 99|

Remarquez que le coût de chaque étape de ce processus est égal à la taille du tableau. Combien y a-t-il d'étapes ? Chaque étape entraîne la réduction du nombre de sous-tableaux par un facteur de 2, et le processus se termine quand il y a un seul sous-tableau. Donc, le nombre d'étapes est égal au nombre de fois qu'il faut diviser la taille du tableau par 2 pour la réduire à 1. Si le tableau est de taille n, ce nombre est égal à $d(n)$. Le coût total représente donc le nombre d'étapes multiplié par le coût de chaque étape, c'est-à-dire $nd(n)$. Quand $n = 1\,000\,000$, $d(n) = 19$ et $nd(n) = 19\,000\,000$. Le même ordinateur qui exécute 1 000 000 d'opérations par seconde — soit des comparaisons, soit des transferts — va prendre 19 secondes pour faire les transferts et au plus 19 secondes pour faire les comparaisons, pour un temps total maximal de 38 secondes, ce qui est beaucoup moins que la semaine nécessaire pour trier les éléments du même tableau à l'aide du tri par sélection !

Avez-vous remarqué que j'ai encore triché ? J'ai utilisé un tableau de taille 8, qui peut être divisé successivement par 2 sans donner de reste. Bon, je vais ajouter un élément au tableau pour illustrer le cas général. Et cette fois, je vais compter le nombre de sous-tableaux — vous pouvez négliger le nombre de comparaisons pour le moment.

	nombre de sous-tableaux	nombre de comparaisons
| 61 | 87 | 73 | 57 | 22 | 45 | 99 | 33 | 50 |	9	
| 61 87 | 73 57 | 22 45 | 99 33 | 50 |	5	$1 + 1 + 1 + 1 = 4$
| 57 61 73 87 | 22 33 45 99 | 50 |	3	$3 \quad + \quad 3 = 6$
| 22 33 45 57 61 73 87 99 | 50 |	2	7
| 22 33 45 50 57 61 73 87 99 |	1	8
		nombre total de comparaisons = 25

Le nombre de sous-tableaux est toujours divisé par 2, mais cette fois avec arrondissement vers le haut. Le nombre de divisions de *n* par 2 avec arrondissement vers le haut est égal à $d(n)$ si aucune division ne donne de reste et à $d(n) + 1$ dans le cas contraire (en fait, c'est le plus petit entier $\geq \log_2 n$) — essayez-le avec 8 et 9 pour vous en convaincre. Donc, au lieu de $nd(n)$, j'aurais dû dire $n(d(n) + 1)$ pour identifier le coût du tri par fusion avec un tableau de taille *n*. Le pauvre ordinateur doit prendre 40 secondes au lieu de 38 pour un tableau de taille 1 000 000 !

Eh bien, si vous tenez à une telle précision, considérez l'astuce suivante. Au lieu de fusionner le premier sous-tableau avec le deuxième, je le fusionne avec le dernier, en mettant le grand sous-tableau au début, puis je fusionne le deuxième avec le troisième, le quatrième avec le cinquième et ainsi de suite. J'illustre ce processus ci-dessous et je compte les comparaisons. Je vous rappelle que le nombre de comparaisons nécessaires pour fusionner deux tableaux est égal à la taille du tableau fusionné moins 1 et qu'un sous-tableau copié sans fusion, comme (45, 99) l'est de la deuxième ligne à la troisième, ne compte pas.

	nombre de comparaisons
| 61 | 87 | 73 | 57 | 22 | 45 | 99 | 33 | 50 |	
| 50 61 | 73 87 | 22 57 | 45 99 | 33 |	$1 + 1 + 1 + 1 = 4$
| 33 50 61 | 22 57 73 87 | 45 99 |	$2 \quad + \quad 3 = 5$
| 33 45 50 61 99 | 22 57 73 87 |	4
| 22 33 45 50 57 61 73 87 99 |	8
	nombre total de comparaisons = 21

Regardez bien le nombre total de comparaisons avec et sans cette astuce. Pouvez-vous expliquer comment je suis parvenu à économiser 4 comparaisons ?

Pour aller plus loin

Vous trouverez réponse à ma question en lisant mon article qui traite des procédures du type « diviser pour régner ». La fouille dichotomique et le tri par fusion en sont des exemples.

WALSH, Timothy R. « How Evenly Should One Divide to Conquer Quickly ? », *Information Processing Letters*, vol. 19, 1984, p. 203-208.

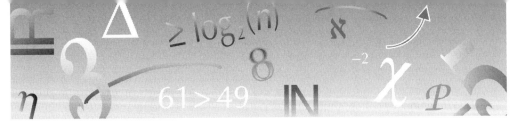

Théorie des nœuds et chaînes d'ADN

Christiane ROUSSEAU
Université de Montréal

La théorie des nœuds, telle qu'on la connaît actuellement, a ses racines dans la physique du XIXe siècle avec le travail fait par Gauss pour calculer l'inductance dans un système de fils circulaires enroulés les uns sur les autres. L'inductance est liée à l'enlacement des fils, ce dont nous parlerons plus loin. Le besoin de construire des tables de nœuds remonte au XIXe siècle et fait suite au modèle de Kelvin pour l'atome. La théorie des nœuds s'est ensuite développée de manière autonome et depuis vingt ans, cette théorie joue un rôle crucial dans beaucoup de recherches sur l'ADN. Assez curieusement aussi, ce sont les travaux de Vaughan Jones[1] en mécanique quantique qui ont amené la percée mathématique la plus spectaculaire depuis longtemps à ce sujet.

Nous nous limiterons dans cette courte note à certaines applications de la théorie des nœuds dans les recherches sur l'ADN et à ses transformations sous l'action des enzymes. Nous expliquerons aussi les grands problèmes de la théorie des nœuds, qui sont très simples à énoncer dans la plupart des cas, et nous exposerons le résultat de Jones à l'aide d'une preuve élémentaire.

On appelle *nœud* une courbe fermée dans l'espace qui ne se coupe jamais : on peut le représenter au moyen d'une corde flexible, les deux extrémités de la corde ayant été jointes à la manière d'un collier. De façon analogue, on appelle *entrelacs* un ensemble de nœuds dans l'espace.

Deux nœuds (entrelacs) sont équivalents si on peut transformer l'un en l'autre dans l'espace sans rompre les cordes. Un nœud équivalent au cercle dans le plan est dit *non noué* ou encore *nœud trivial*.

---

1. En 1990, ces travaux ont valu à leur auteur la médaille Fields, la plus haute distinction en mathématiques (il n'y a pas de prix Nobel en mathématiques).

Problèmes fondamentaux de la théorie des nœuds

1. Trouver des méthodes permettant de déterminer si deux nœuds ou deux entrelacs sont équivalents. Dans la mesure du possible, on cherche des méthodes algorithmiques pouvant être programmées sur ordinateur.

2. Trouver des méthodes (algorithmes) permettant de déterminer si un nœud donné est non noué.

3. Sous-problème : déterminer si un nœud ou un entrelacs est *chiral* (ou *réflexif*), c'est-à-dire non équivalent à son image miroir. L'*image miroir* d'un nœud (ou entrelacs) est le nœud (ou entrelacs) qu'on obtient en changeant tous les croisements, le brin qui passait par-dessus passant maintenant au-dessous. Dans le cas d'un nœud chiral, le nœud et son image miroir sont *énantiomorphes*. En guise d'analogie, on peut dire qu'une chaussette est non chirale puisqu'elle peut être enfilée sur n'importe quel pied, alors qu'une chaussure est chirale. Beaucoup de molécules chimiques complexes forment de longues chaînes refermées sur elles-mêmes et constituent des nœuds. Une molécule chirale et la molécule donnée par son image miroir peuvent avoir des propriétés chimiques très différentes. C'est le cas des propriétés *chiroptiques* : le plan de polarisation de la lumière polarisée subit une forte rotation en traversant une solution d'un énantiomère pur.

Bien que très simples à énoncer, ces problèmes sont extrêmement complexes à résoudre, et la réponse complète est encore inconnue.

Pour se convaincre de la complexité du sujet, mentionnons qu'un ordinateur a pu classifier les 12 965 nœuds premiers non équivalents ayant jusqu'à 13 croisements. Et pourtant, un nœud à 13 croisements est un nœud bien simple pour qui étudie la complexité de la nature ! Grosso modo, un nœud premier est à un nœud ce qu'un nombre premier est à un nombre naturel, c'est-à-dire un élément de base. De même qu'on décompose un entier naturel en produit d'entiers premiers, on peut décomposer un nœud en « somme » de nœuds premiers.

Pourquoi parler d'entrelacs si déjà la théorie des nœuds est si complexe ? On met ici en évidence un des grands principes de la recherche mathématique : *pour trouver une solution à un problème donné, on élargit le problème et on donne une solution simple pour le problème plus général*. Une solution directe du problème spécifique n'est pas aussi simple.

Exemples

1. Le nœud de trèfle à gauche et le nœud de trèfle à droite

L'image miroir du nœud de trèfle à gauche est le nœud de trèfle à droite. Il n'est pas facile de montrer rigoureusement qu'ils ne sont pas équivalents.

2. Le nœud à quatre croisements ou nœud en huit

Ce nœud est équivalent à son image miroir.

3. L'entrelacs de Hopf

4. Deux présentations équivalentes de l'entrelacs de Whitehead

5. Les trois nœuds premiers à six croisements

(6_1) (6_2) (6_3)

6. Dans plusieurs cas, l'ADN se présente sous la forme de deux brins enroulés sur eux-mêmes plusieurs fois et refermés ensuite. Suivant la manière dont les deux brins se referment, on obtient un nœud ou un entrelacs. Nous verrons plus tard que l'action des enzymes cassera les brins d'ADN, pour ensuite les recoller d'une nouvelle manière. Une telle action pourra transformer un nœud en entrelacs ou inversement. Les mouvements observés dans la nature ressemblent étrangement aux opérations théoriques qu'ont introduites les mathématiciens dans leurs travaux de classification des nœuds. Ainsi, le fait d'élargir l'étude des nœuds à celle des entrelacs dans un but théorique trouve aussi sa justification pratique dans la modélisation de l'action de la nature !

Examinons une approche du problème de classification des nœuds ou des entrelacs : l'introduction des invariants d'un nœud ou d'un entrelacs.

Invariant d'un nœud

L'*invariant* d'un nœud ou d'un entrelacs est une quantité identique pour deux nœuds ou deux entrelacs équivalents.

Nous allons introduire quelques invariants des nœuds ou entrelacs. Lorsque les invariants prennent des valeurs différentes, les nœuds ou les entrelacs ne sont pas équivalents. Par contre, si les invariants prennent des valeurs égales, on ne peut conclure. Les percées récentes ont abouti à la construction d'invariants de plus en plus puissants. Cependant, pour chacun des invariants connus, il existe des nœuds non équivalents pour lesquels l'invariant donné prend la même valeur.

Exemples d'invariant

1. Dans un entrelacs, le nombre de nœuds est un invariant.

2. On représente les nœuds en les projetant dans le plan : le nombre minimum de croisements simples est un invariant du nœud. Cette représentation, dénommée *diagramme du nœud*, est extrêmement pratique : c'est avec elle que travaillent tous les spécialistes.

3. Dans l'ADN, les biologistes introduisent un invariant : le *nombre d'enlacements*. Pour cela, il faut orienter les deux brins de manière compatible. Le nombre d'enlacements est la différence entre la somme des croisements positifs et la somme des croisements négatifs (un croisement est positif si on tourne dans le sens positif lorsqu'on veut amener le brin supérieur sur le brin inférieur en respectant le sens des flèches).

   L'électrophorèse sur gel est un procédé chimique qui permet de détecter des différences infimes dans le poids moléculaire. Lorsque le poids moléculaire est identique, ce qui est le cas dans les expériences réalisées avec de l'ADN de synthèse, elle permet de différencier le nombre d'enlacements. Les molécules sont regroupées en bandes, dont chacune correspond à un nombre d'enlacements différent. On voit donc que des nombres d'enlacements distincts traduisent des propriétés chimiques différentes de la molécule.

Pour classifier les nœuds et déterminer si deux nœuds sont équivalents, il faut se donner des outils de classification, de préférence programmables en raison de la complexité des problèmes. Les mouvements de Reidemeister en font partie.

Mouvements de Reidemeister

Les *trois mouvements de Reidemeister* sont des mouvements qui préservent l'équivalence des nœuds ou des entrelacs.

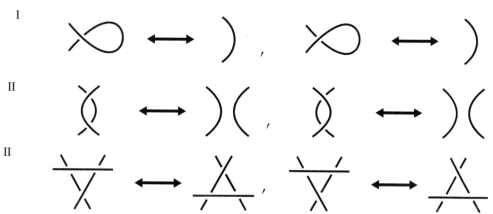

(Dans ce genre de figure, on sous-entend que toute la partie du nœud ou de l'entrelacs qui n'est pas dessinée est arbitraire, mais qu'elle ne change pas dans le mouvement.)

La réciproque qui date des années 1930 est aussi vraie, et on obtient le théorème suivant.

Théorème fondamental de la théorie des nœuds (Reidemeister) *Deux nœuds ou entrelacs sont équivalents si et seulement si on peut les transformer l'un en l'autre au moyen d'un ensemble fini de mouvements de Reidemeister.*

Il est surprenant que, avec un théorème si fort, il y ait tellement de problèmes ouverts en théorie des nœuds. En fait, la méthode précédente est inefficace dans la pratique (essayez !), étant donné qu'il faut souvent rendre plus complexes deux nœuds simples pour montrer qu'ils sont équivalents.

Les nouveaux invariants très puissants qui ont été introduits depuis le début des années 1980 sont des polynômes. Le premier de cette série est le polynôme de Jones, que nous présenterons plus loin. À l'époque, la preuve que le polynôme de Jones est un invariant était longue et complexe. Depuis, plusieurs autres polynômes plus sophistiqués ont été introduits. Ici encore, l'élargissement du problème permet une simplification. Grâce à ces nouveaux polynômes, on a maintenant une preuve élémentaire que le polynôme de Jones est un invariant. Nous verrons cette preuve plus loin.

Mais commençons par aborder l'action enzymatique sur l'ADN. L'ADN est maintes fois replié sur lui-même. Si l'on représentait le noyau de la cellule en lui donnant la taille d'un ballon de basket-ball, l'ADN aurait alors 200 km de longueur et serait mince comme un fil de pêche. On voit tout de suite qu'il n'est pas facile de « mesurer » l'enlacement et qu'il est bien commode que celui-ci soit identifiable grâce aux propriétés chimiques de la molécule.

L'une des manières dont la nature modifie le code génétique d'un organisme est la recombinaison à un locus sous l'action d'une enzyme. Dans cette recombinaison, deux régions (loci) de l'ADN d'une même molécule ou de deux molécules différentes, dont le code est reconnu par l'enzyme, se trouvent à faible distance l'une de l'autre. L'action de l'enzyme est locale et se limite à cette région. L'enzyme coupe les deux brins, leur fait subir un certain nombre de croisements et les recolle. Le résultat de l'action est double :

i) un morceau d'ADN est transféré à une nouvelle position dans la même molécule (transposase);
ii) un morceau d'ADN étranger est introduit dans la molécule (intégrase).

La molécule initiale est appelée *substrat*, et la molécule finale, *produit*. La modélisation mathématique permet de comprendre l'action enzymatique si on connaît la classe d'équivalence de la molécule initiale (les mathématiciens diront sa « topologie ») et celle de la molécule finale.

La topologie est la science mathématique des formes. Contrairement à la géométrie, les relations d'équivalence sont fournies par des transformations flexibles et non rigides.

Les modèles étudiés reposent sur l'hypothèse biologique selon laquelle l'opération effectuée par l'enzyme est toujours la même, indépendamment des molécules d'ADN en cause.

Des expériences se font avec de l'ADN circulaire (les invariants mathématiques de la théorie des nœuds ne sont pas définis pour l'ADN linéaire). Par clonage, on obtient un grand nombre de molécules circulaires d'ADN identiques. Puis, en laboratoire, on fait réagir avec ces molécules une forte concentration d'une enzyme purifiée. L'électrophorèse sur gel permet de séparer les différents types d'ADN obtenus, lesquels peuvent ensuite être identifiés au microscope électronique (après un traitement avec une protéine qui facilite leur déroulement).

Durant l'expérience, l'enzyme peut agir plus d'une fois, si bien que l'on obtient des molécules ayant subi plusieurs recombinaisons au même locus.

De telles expériences ont été menées avec l'enzyme Tn3 Resolvase. Un théorème récent de Sumners (1986) affirme ce qui suit.

Théorème de Sumners   *Lorsqu'on connaît :*

 i) *le substrat : le nœud circulaire,*

 ii) *le produit après une recombinaison : l'entrelacs à deux croisements (entrelacs de Hopf),*

 iii) *le produit après deux recombinaisons : le nœud en huit (nœud à quatre croisements),*

 iv) *le produit après trois recombinaisons : l'entrelacs de Whitehead,*

alors on connaît exactement l'action de l'enzyme, qui est un croisement positif, et on peut prédire le produit après quatre croisements (le nœud 6_2 à six croisements dans la table des nœuds). La fréquence d'une recombinaison est de 1/20, celle de deux recombinaisons est de 1/400, etc. La fréquence de quatre recombinaisons est donc très faible : ce n'est qu'après avoir posé l'existence théorique du nœud 6_2 que l'on a poussé l'expérimentation suffisamment loin pour effectivement observer ce nœud.

Dans le théorème de Sumners, il est essentiel que soient connus les résultats de l'expérience pour 0, 1, 2 et 3 recombinaisons. Sinon, il existe plusieurs solutions pour le problème et l'action de l'enzyme n'est pas caractérisée.

La figure suivante illustre un exemple de recombinaisons. On voit tout de suite qu'il faut des outils, en l'occurrence des invariants, pour reconnaître si l'entrelacs à cinq croisements et le nœud à six croisements que nous avons obtenus représentent bien l'entrelacs de Whitehead et le nœud 6_2.

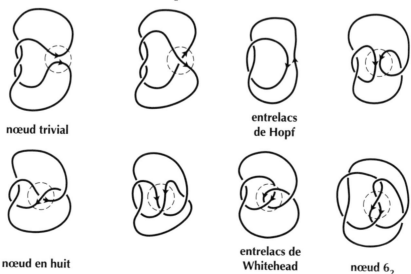

nœud trivial   **entrelacs de Hopf**

nœud en huit   **entrelacs de Whitehead**   **nœud 6_2**

Nous décrirons donc un de ces invariants, le polynôme de Jones, dont nous présenterons une construction non standard due à Kauffman. La construction se fait en deux étapes. On construit d'abord le polynôme crochet qui n'est pas un invariant, puis on déduit le polynôme de Jones.

La construction du polynôme crochet est très algorithmique : on détruit tour à tour chacun des croisements. Cela peut se faire de deux manières : dans la première, lorsqu'on s'approche du croisement sur le brin supérieur, on tourne vers la gauche; dans la deuxième, on tourne vers la droite. Le polynôme crochet du nœud ou de l'entrelacs initial est donné par la somme des polynômes crochets des premiers et deuxièmes sous-produits multipliés respectivement par les constantes A et B. On réitère le procédé avec chacun des deux sous-produits. Après deux rondes, on obtient quatre objets. Après 2^n rondes, le polynôme crochet est donné par une somme de 2^n termes représentant chacun le polynôme crochet d'un nombre h de cercles non noués et non liés, multiplié par une constante de la forme $A^k B^{n-k}$. Le polynôme crochet formé de h cercles non noués et non liés est donné par d^{h-1}.

Il devient clair ici que ces manœuvres peuvent transformer un nœud en entrelacs ou inversement.

$$= (A^3 d^2 + A^2 Bd) + (A^2 Bd + AB^2) + (A^2 Bd + AB^2) + (AB^2 + B^3 d)$$

Calcul du polynôme crochet du nœud de trèfle à gauche.

Théorème de Kauffman   *Si l'on choisit*
$$B = A^{-1}$$
et
$$d = -(A^2 + A^{-2}),$$
alors le polynôme crochet est invariant sous les mouvements de Reidemeister II et III.

Exemple

Le polynôme $\langle L \rangle$ du nœud de trèfle à gauche est donné par $\langle L \rangle = A^7 - A^3 - A^{-5}$.

La preuve du théorème de Kauffman, qui est très simple si on admet le théorème de Reidemeister, sera présentée un peu plus loin. Le polynôme crochet est donc presque un invariant. Examinons cependant s'il ne préserve pas le premier mouvement de Reidemeister :

$$\left\langle \infty \right\rangle = -A^3 \left\langle \supset \right\rangle \text{ et } \left\langle \infty \right\rangle = -A^{-3} \left\langle \supset \right\rangle$$

Il faut donc « corriger » ce polynôme pour obtenir un invariant, sans pour autant détruire les bonnes propriétés déjà construites. Pour cela, il nous faut orienter notre nœud ou notre entrelacs. Cependant, dans le cas d'un nœud, on peut vérifier que le polynôme que nous introduirons sera indépendant de l'orientation que nous aurons choisie.

Signe d'un croisement

Étant donné un croisement dont les deux branches sont orientées, observons la rotation qui consiste à amener la branche orientée passant au-dessus sur la branche orientée passant au-dessous, en respectant le sens des flèches. Le croisement est positif (son signe est +1) si la rotation s'effectue dans le sens positif, et négatif (son signe est −1) dans le cas contraire.

Torsion d'un nœud

La *torsion* d'un nœud ou d'un entrelacs orienté L est la somme algébrique des signes de tous les croisements du nœud ou de l'entrelacs. On la note $w(L)$.

Théorème   *Le polynôme* $X(L) = -A^{-3w(L)} \langle L \rangle$ *est un invariant des nœuds (orientés et non orientés) et des entrelacs orientés.* ∎

Exemple

La torsion du nœud de trèfle à gauche est $w(L) = -3$; son polynôme $X(L)$ est $X(L) = -A^{16} + A^{12} + A^4$. Remarquons que le polynôme $X(\overline{L})$ du nœud $\overline{L}$, image miroir du nœud L, est obtenu en remplaçant A par A^{-1} dans $X(L)$. Comme $X(\overline{L}) \neq X(L)$, on a montré que le nœud de trèfle à gauche n'est pas équivalent au nœud de trèfle à droite.

Le polynôme de Jones $V(L)$ est le polynôme obtenu de $X(L)$ par la substitution $A = t^{-1/4}$. Cette définition est très différente de la définition initiale donnée par Jones. À titre d'information, nous donnons aussi la définition du polynôme de Jones d'un entrelacs orienté.

Polynôme de Jones d'un entrelacs orienté

Il existe un unique polynôme $V(L)$ défini pour chaque entrelacs orienté et satisfaisant aux règles

(i) $V(O) = 1$;
(ii) $t^{-1} V(L_+) = t V(L_-) + (t^{-1/2} - t^{1/2}) V(L_0) = 0$.

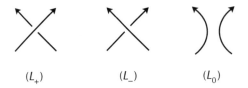

$$(L_+) \qquad\qquad (L_-) \qquad\qquad (L_0)$$

Ici, $\langle L_+ \rangle$, $\langle L_- \rangle$ et $\langle L_0 \rangle$ représentent trois entrelacs qui ne diffèrent qu'en un unique croisement, lequel se présente respectivement sous l'une des trois formes données ci-dessus.

Exemple

Le polynôme de Jones du nœud de trèfle à gauche est $V(L) = -t^{-4} + t^{-3} + t^{-1}$.

Preuve de l'invariance du polynôme crochet sous les mouvements de Reidemeister II et III

C'est la dernière étape pour compléter la preuve de l'invariance du polynôme de Jones (en acceptant bien sûr le théorème de Reidemeister). Pour cela, on défait les trois croisements dans l'objet de gauche et dans l'objet de droite en suivant les règles énoncées ci-dessus et on voit qu'on obtient les mêmes objets. Donnons les détails pour le mouvement II :

$$\left\langle \vcenter{\hbox{⧓}} \right\rangle = \left[A \left\langle \vcenter{\hbox{⧓}} \right\rangle + A^{-1} \left\langle \vcenter{\hbox{)(}} \right\rangle \right]$$

$$= A \left[A \left\langle \vcenter{\hbox{⌢}} \right\rangle + A^{-1} \left\langle \vcenter{\hbox{⊜}} \right\rangle \right]$$

$$+ A^{-1} \left[A \left\langle \vcenter{\hbox{}} \right\rangle + A^{-1} \left\langle \vcenter{\hbox{⌣}} \right\rangle \right]$$

Comme le deuxième terme vaut

$$- (A^2 + A^{-2}) \left\langle \vcenter{\hbox{)(}} \right\rangle,$$

la somme des quatre termes est égale au troisième terme, ce qui est précisément ce qu'on voulait démontrer.

Nous terminons ici ce trop bref exposé sur les nouvelles applications de la théorie des nœuds. Nous y avons vu l'importance de cet outil mathématique pour « voir » l'action des enzymes, là où les outils usuels comme le microscope électronique sont impuissants. Nous avons aussi mis en évidence que les mathématiques sont une science vivante qui se développe en interaction avec les autres sciences. Enfin, avec l'exemple du polynôme de Jones, nous avons vu que même des résultats spectaculaires pourraient être découverts par les élèves, pour peu qu'on stimule leur imagination.

Pour aller plus loin

Il existe peu de textes en français sur la théorie des nœuds, hormis les deux suivants. Le premier est un recueil d'articles sur différents aspects théoriques et appliqués de la théorie des nœuds. L'un des articles porte sur le surenroulement de l'ADN, mais les résultats de Sumners n'y sont pas présentés. Le deuxième ouvrage porte sur une activité de camp mathématique organisée par l'auteure sur le thème de la théorie des nœuds.

« La Science des nœuds », *Pour la science*, n° 7615, avril 1997, 130 p.

ROUSSEAU, Christiane. « La théorie des nœuds », *Bulletin AMQ*, vol. 38, n° 3, octobre 1998, p. 14-21.

Voici des livres ou des articles généraux sur la théorie des nœuds et différents outils mathématiques pour l'étudier.

KAUFFMAN, Louis H. « On Knots », *Annals of Mathematical Studies*, n° 115, Princeton, Princeton University Press, 1987, 480 p.

LICKORISH, W. B. R. et K. C. MILLETT. « The New Polynomial Invariants of Knots and Links », *Mathematics Magazine*, Washington D. C., vol. 61, n° 1, février 1988, p. 3-23.

ROLFSEN, Dale. *Knots and Links*, Berkeley, Publish or Perish, 1976, 439 p.

WELSH, Dominic J. A. « Complexity : Knots, Colourings and Counting », *London Mathematical Society Lecture Note Series*, vol. 186, Cambridge, Cambridge University Press, 1973, 163 p.

Dans les deux articles suivants, Sumners montre comment utiliser la théorie des nœuds pour expliquer l'action des enzymes sur l'ADN.

SUMNERS, de Witt. « Untangling DNA », *The Mathematical Intelligencer*, 1990, vol. 12, n° 3, p. 71-80.

SUMNERS, de Witt. « Lifting the Curtain : Using Topology to Probe the Hidden Actions Enzymes », *Notices of the American Mathematical Society*, vol. 42, n° 5, mai 1995, p. 528-537.

Voici maintenant un recueil d'articles portant sur les applications récentes de la théorie des nœuds en science. On y retouve la présentation de la preuve simple de Kauffman et celle de l'invariance du polynôme de Jones.

SUMNERS, de Witt (sous la direction de). « New Scientific Applications of Geometry and Topology », *Proceedings of Symposia in Applied Mathematics*, vol. 45, Providence, American Mathematical Society, 1992, 250 p.

Enfin, on pourra trouver dans Internet un site sur les nœuds.

http://www.cs.ubc.ca/spider/scharein

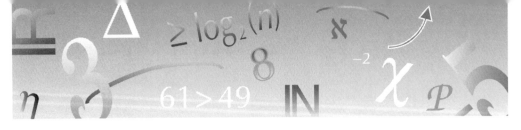

Matrices de codage

Daniel CHAPUT
Bernard MASSÉ
Cégep régional de Lanaudière à Joliette

De nos jours, le codage de l'information est très utilisé pour rendre inintelligibles des données que l'on veut garder secrètes : par exemple des dossiers confidentiels, médicaux ou technologiques. Le codage empêche les individus non autorisés de prendre connaissance de ces informations et fait échec à l'espionnage ! On code aussi la transmission de l'information pour éviter qu'elle ne soit interceptée : pensons par exemple aux transactions financières.

La science qui étudie le codage et le décodage et dont on se sert aussi pour déchiffrer des langues de civilisations disparues est la **cryptologie**, ou **cryptographie**. Nous étudierons deux procédés de cryptologie : un premier, qui remonte à la nuit des temps, et un second, qui fait appel à diverses connaissances mathématiques.

1. Codes de notre enfance

Ceux et celles qui, dans leur enfance, ont joué à des jeux opposant des clans savent combien il est important de transmettre à ses coéquipiers un message inaccessible au clan adverse. Pour cela, on peut recourir à l'encre sympathique qui devient invisible ou au codage des messages. L'exemple suivant est un procédé de codage que Jules César a employé il y a plus de 2000 ans.

Exemple 1
Voici la clé de ce code.
Dans la suite des lettres de l'alphabet,

$$\text{A B C D E F G H I J K L M N O P Q R S T U V W X Y Z,}$$

chaque lettre est remplacée par la 3e à sa droite, et on fait correspondre aux lettres **X**, **Y** et **Z**, les lettres **A**, **B** et **C** respectivement.

Ainsi, le mot **OUI** devient **RXL**. La phrase **AIMEZ-VOUS CE LIVRE ?** devient **DLPHC-YRXV FH OLYUH ?**

Et maintenant, que diriez-vous de vous faire les dents ?

EXERCICE 1

Décodez le texte **XKJFKQN**, sachant que chaque lettre a été remplacée par la 4e lettre à sa gauche. (La réponse à cet exercice se trouve à la fin de cet article.)

Un principe important de ce type de codage est que, si on a codé en remplaçant une lettre par la lettre qui est n lettres à droite, on décode en trouvant la lettre qui est n lettres à gauche. Si on a codé en prenant une lettre qui est n lettres à gauche, on décode en trouvant la lettre qui est n lettres à droite. Décoder consiste à faire l'opération inverse de l'opération de codage. C'est ce type de procédé qui sera utilisé tout au long de ce texte.

2. Codes numériques

Les codes formés à l'aide de nombres sont utiles car, en plus de permettre certaines opérations arithmétiques visant à brouiller un message, ils se prêtent au traitement par ordinateur.

La spirale ici représentée est la clé utilisée pour les exemples qui suivront. Dans cette clé, le nombre 0 correspond à une espace entre deux mots (□), les nombres 1 à 26 correspondent aux lettres **A** à **Z**, et les nombres 27 et 28 correspondent respectivement à la virgule et au point.

Pour des raisons qui deviendront claires un peu plus tard, on attribue à chaque lettre plus d'une valeur. Par exemple, la lettre **A** a plusieurs valeurs équivalentes :

– la valeur 1,
– la valeur 30 (soit 1 + 29),
– la valeur 59 (soit 1 + 29 + 29 = 1 + (2 × 29)), etc.

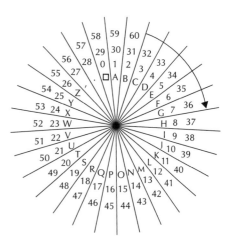

Figure 1

Exemple 2

Voici les étapes permettant le codage du mot **OUI** à l'aide de cette clé.

	O	U	I
a) Le mot à coder	**O**	**U**	**I**
b) Le code selon la clé	15	21	9
c) On multiplie par 2 le code de chaque symbole.	30	42	18
d) On trouve les nombres correspondants entre 0 et 28.	1	13	18
e) On trouve les symboles correspondant à ces nombres.	**A**	**M**	**R**

L'étape d) n'est pas absolument nécessaire, puisque la clé forme une spirale, on voit nettement que la suite de nombres 30-42-18 correspond à la chaîne de symboles **AMR**.

Exemple 3

On peut décoder un mot qui a été codé selon le même procédé. Décodons **BZR**. Puisque, pour coder, on a multiplié chaque nombre par 2, on devra, pour décoder, faire l'opération inverse, c'est-à-dire diviser par 2.

		B	Z	R
a)	Le mot à décoder	B	Z	R
b)	Le code selon la clé	2	26	18
c)	On divise par 2 le code de chaque symbole.	1	13	9
d)	On trouve les symboles.	A	M	I

Exemple 4

Décodons le mot **XMF**.

a)	Le mot à décoder	X	M	F
b)	Le code selon la clé	24	13	6
c)	On divise par 2 le code de chaque symbole.	12	???	3

Petit problème : 13 divisé par 2 ne donne pas une valeur entière ! N'oublions pas qu'on a effectué le codage en multipliant chaque nombre par 2, ce qui signifie que le résultat obtenu était certainement un nombre pair.

D'après la clé, un nombre pair, qui correspond également à 13, se trouve en face de **M** : 42. Il suffit de le diviser par 2, ce qui donne 21.

		12	21	3
d)	On trouve les symboles.	L	U	C

Exemple 5

On veut coder le mot **LIVRE** en multipliant par 3 chacune des valeurs des symboles.

		L	I	V	R	E
a)	Le mot à coder	L	I	V	R	E
b)	Le code selon la clé	12	9	22	18	5
c)	On multiplie par 3 le code de chaque symbole.	36	27	66	54	15

Il y a deux façons de trouver le symbole correspondant à 66 :

1) on peut continuer la spirale jusqu'à ce qu'on trouve le nombre 66;

2) on peut aussi soustraire 29 de 66 jusqu'à ce qu'on atteigne un nombre présent dans la spirale; dans ce cas-ci, on trouve 66 − 29 = 37. Si 37 n'était pas dans la spirale, on aurait à nouveau soustrait 29 pour trouver 37 − 29 = 8. Or, 8 correspond à la lettre H.

		G	,	H	Y	O
d)	On trouve les symboles.	G	,	H	Y	O

Notons que l'opération consistant à soustraire 29 autant de fois qu'il le faut peut être remplacée par une division par 29. Par exemple, l'égalité $66 - 29 - 29 = 8$ peut être écrite

$$66 - (2 \times 29) = 8$$

ou encore

$$66 = (2 \times 29) + 8$$

qui devient

$$\frac{66}{29} = 2 + \frac{8}{29}$$

après division par 29. On peut aussi écrire $\frac{66}{29} = 2$ reste 8.

EXERCICE 2

Décoder le mot **NTSDITQ**, sachant qu'on l'a codé en multipliant par 4 chaque nombre qui correspond à un symbole. (La réponse est à la fin de l'article.)

L'arithmétique qui fait correspondre à tout nombre un nombre situé entre 0 et 28 se nomme *arithmétique modulo 29*. Tout le monde connaît déjà un exemple de ce type d'arithmétique : c'est l'arithmétique modulo 12 qu'on retrouve sur les horloges. S'il est 10 heures et qu'on donne rendez-vous à une personne dans 7 heures, celle-ci sait qu'elle devra se présenter au rendez-vous à 5 heures. On écrit l'égalité

$$10 + 7 = 5 \bmod 12,$$

ce qui se lit « dix + sept égale cinq modulo douze ». On pourrait aussi écrire

$$10 + 7 \overset{\bmod 12}{=} 5.$$

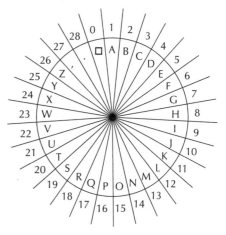

Figure 2

On peut même multiplier des nombres dans l'arithmétique modulo 12, comme dans l'arithmétique modulo 29 qui a été développée précédemment. Si deux équipes ont commencé une tâche à midi et si la première équipe a mis 8 heures pour l'accomplir alors que la seconde a mis deux fois plus de temps, cette dernière a terminé la tâche à 4 heures.

En effet, $2 \times 8 = 16$ et $16 - 12 = 4$ se traduisent par l'égalité $2 \times 8 = 4 \bmod 12$ (ou $2 \times 8 \overset{\bmod 12}{=} 4$). Notons que l'analogie que nous venons de trouver entre l'arithmétique modulo 12 et une horloge nous permet de ramener la spirale de la figure 1 à un simple cercle, comme dans la figure 2.

Pour coder, il est important d'utiliser une clé dont le nombre de symboles est un nombre premier, c'est-à-dire un nombre qui n'a d'autres facteurs que 1 et lui-même, comme 29. Si on ajoute un trentième symbole à la clé, par exemple le point-virgule (;), on aura des difficultés qui découlent du fait que 30 a pour facteurs 2, 3 et 5.

Ainsi, si on décide de coder l'expression **LES PERES DU MONT ATHOS** en multipliant par 6, on a la séquence suivante pour les mots **PERES** et **ATHOS** :

	P	**E**	**R**	**E**	**S**	**A**	**T**	**H**	**O**	**S**
Code selon la clé	16	5	18	5	19	1	20	8	15	19
Multiplication par 6 modulo 30	6	0	18	0	24	6	0	18	0	24
Symboles correspondant à ces nombres	**F**	□	**R**	□	**X**	**F**	□	**R**	□	**X**

On constate que deux mots différents sont tous les deux codés avec la même suite de symboles. On comprend qu'il est illusoire de tenter de décoder un message dont les symboles viennent d'un ensemble contenant 30 symboles en multipliant par 6. Une des raisons est qu'en même temps

$$\left.\begin{array}{l} 6 \times 0 \\ 6 \times 5 \\ 6 \times 10 \\ 6 \times 15 \\ 6 \times 20 \\ 6 \times 25 \end{array}\right\} = 0 \text{ mod } 30.$$

En langage mathématique, on dit que 5, 6, 10, 15, 20 et 25 sont des « diviseurs de 0 modulo 30 ». C'est une situation qui ne se produit pas dans la multiplication d'entiers ordinaires, où $a \times b = 0$ si et seulement si au moins un de ces nombres vaut 0. Elle ne se produit pas non plus si on calcule en arithmétique modulo p, où p est un nombre premier. En mathématiques, on dit que l'ensemble de 29 éléments $\{0, 1, 2, …, 28\}$ muni des opérations « addition modulo 29 » et « multiplication modulo 29 » forme un « corps ». De façon plus générale, l'ensemble des entiers $\{0, 1, 2, 3, …, p - 1\}$ forme aussi un « corps », à condition que p soit un nombre premier.

Remarquons que, si on avait décidé de multiplier par 7 ou par 11, deux nombres premiers, modulo 30, on n'aurait pas eu le même problème. Dans la suite, nous compliquerons la méthode de codage en nous assurant que le nombre de caractères de l'alphabet est un nombre premier. Comme on le voit, la cryptographie fait appel à de belles notions algébriques et à de bonnes connaissances en mathématiques.

Un des défauts des deux types de codage que nous avons abordés jusqu'ici est qu'il est facile pour des experts de décoder un texte même si la clé leur est inconnue. On y arrive en effet, en étudiant la fréquence d'apparition des symboles dans un message un peu long et en se servant des tables de fréquence des lettres et même des groupes de deux lettres et de trois lettres. Il suffit ensuite de remplacer le symbole le plus fréquent par la lettre E, celui qui vient ensuite par la deuxième lettre la plus fréquente, etc. Il est certain qu'il y aura des symboles mal identifiés : la fréquence des symboles dans un texte quelconque n'est pas la même que dans le corpus de tous les textes français. Cependant, il sera possible, d'après le contexte, d'effectuer les corrections nécessaires. De plus, comme le symbole apparaissant entre deux mots (□) est codé avec le nombre 0 et que $x \times 0 = 0$, ce symbole est toujours codé □, de sorte que la longueur des mots est toujours préservée par le codage. Le prochain mode de codage ne comportera pas ces défauts.

3. Matrices de codage

Nous utiliserons maintenant une matrice pour brouiller un message codé avec la clé en spirale. Une matrice est ni plus ni moins qu'un tableau contenant des nombres. Par exemple,

$$A = \begin{pmatrix} 4 & 7 \\ 2 & -3 \end{pmatrix}, \quad B = \begin{pmatrix} 5 & 6 & -4 \\ 3 & 8 & 0 \end{pmatrix}, \quad C = \begin{pmatrix} 1 & 5 & 10 \\ -3 & 23 & -1 \\ 0 & 1 & 12 \end{pmatrix},$$

$$D = \begin{pmatrix} 1 \\ -4 \\ 3 \\ 1 \end{pmatrix} \quad \text{et} \quad E = \begin{pmatrix} 1 & -4 & 2 & -1 & 3 & 0 \\ 1 & 4 & -1 & 2 & 54 & 0 \\ 45 & 3 & -5 & 4 & 9 & 0 \end{pmatrix}$$

sont des matrices. La matrice A possède 2 lignes et 2 colonnes, B possède 2 lignes et 3 colonnes, C possède 3 lignes et 3 colonnes, D possède 4 lignes et 1 colonne et E possède 3 lignes et 6 colonnes. Les parenthèses servent à isoler la matrice des éléments environnants. Pour les exemples de codage qui suivent, nous ne nous intéresserons qu'aux matrices ayant 3 lignes, comme les matrices C et E. Généralement, les nombres apparaissant dans une matrice peuvent prendre n'importe quelle valeur. Ils peuvent être des nombres entiers, des nombres rationnels ou même des nombres complexes. Dans notre étude, il n'y aura que des nombres entiers.

3.1   Produit de deux matrices

Dans les calculs qui vont suivre, il faudra utiliser le **produit** de deux matrices. Cette opération particulière est régie par des conventions bien définies. Les nombres de lignes et de colonnes d'une matrice donnent ce que nous appelons sa **dimension**. Ainsi, la matrice B donnée en exemple est de dimension **2 × 3**. On dit « deux par trois » et non « six », comme on dit qu'une pièce mesure 3 mètres sur 4 mètres plutôt que 12 mètres carrés. La dimension de la matrice C est **3 × 3**, celle de la matrice E, **3 × 6**. On donne toujours le nombre de lignes d'abord, suivi du nombre de colonnes.

Le produit de deux matrices A et B sera noté AB. Pour que cette opération soit réalisable, il faudra que le nombre de colonnes de A soit égal au nombre de lignes de B, ce qu'on peut vérifier en un clin d'œil en écrivant les dimensions des deux matrices l'une à côté de l'autre en respectant l'ordre dans lequel le produit devra s'effectuer. Ainsi, en considérant les matrices A et B données en exemples, le produit AB est défini, car A a deux colonnes et B a deux lignes (*voir* figure 3).

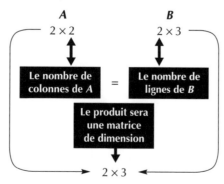

Figure 3

Le produit AB donnera une matrice de dimension égale à :

nombre de lignes de A × nombre de colonnes de B

Pour obtenir cette dimension, il suffit de prendre la première valeur de la dimension de A et la dernière valeur de la dimension de B, comme on vient de le voir.

Voici le produit des matrices A et B :

$$\begin{pmatrix} 4 & 7 \\ 2 & -3 \end{pmatrix} \begin{pmatrix} 5 & 6 & -4 \\ 3 & 8 & 0 \end{pmatrix} = \begin{pmatrix} 41 & 80 & -16 \\ 1 & -12 & -8 \end{pmatrix}$$

Maintenant, voyons comment on a obtenu les nombres dans la matrice réponse en prenant la valeur 41 comme exemple. Chaque nombre de cette matrice est le résultat de la somme des produits des éléments d'une ligne de A et des éléments d'une colonne de B. On a obtenu la valeur 41 (résultat situé à la rencontre de la 1re ligne et de la 1re colonne) à partir des valeurs de la **1re ligne de A** et de celles de la **1re colonne de B**. Comme on le voit dans la figure 4, on a en effet multiplié le premier élément (4) de la première ligne de la matrice A par le premier élément (5) de la première colonne de la matrice B; on a aussi multiplié le deuxième élément (7) de la première ligne de la matrice A avec le deuxième élément (3) de la première colonne de la matrice B et on a additionné les résultats.

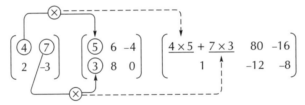

Figure 4

Voyons maintenant comment on a obtenu le résultat « **–12** », situé à la rencontre de la 2e ligne et de la 2e colonne, à partir des valeurs de la **2e ligne de A** et de celles de la **2e colonne de B** (figure 5).

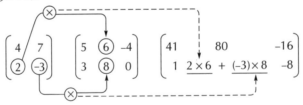

Figure 5

De façon semblable, la valeur « **–16** » à la **1re ligne et 3e colonne** s'obtient en effectuant :

$$(4 \times -4) + (7 \times 0) = -16.$$

Ici, on a utilisé la **1re ligne de A** et la **3e colonne de B**. On prend toujours les éléments des **lignes de A** et ceux des **colonnes de B**. Ces conventions sont propres aux applications du calcul matriciel. L'élément situé à la rencontre de la ligne i et de la colonne j de la matrice issue du produit de A et de B vient du produit de la ligne i de la matrice A et de la colonne j de la matrice B.

Ces quelques remarques devraient vous aider à comprendre le calcul ayant servi au codage du message de l'exemple qui suit. On pourra utiliser un chiffrier électronique, tel que EXCEL™ ou LOTUS™, pour effectuer ce genre de produit matriciel. La commande qui accomplit le produit matriciel en EXCEL™ est PRODUITMAT().

3.2   Codage avec une matrice

Dans les exemples suivants, le message sera codé à l'aide d'une matrice.

Exemple 6

Soit la matrice $C = \begin{pmatrix} 1 & 0 & 2 \\ 1 & 1 & 3 \\ 2 & 3 & 8 \end{pmatrix}$. Voyons comment on peut coder le mot **OUI**.

a) Selon la clé, **OUI** devient : 15 21 9. Écrivons-le dans une matrice qui possède 3 lignes

et 1 colonne : $M = \begin{pmatrix} 15 \\ 21 \\ 9 \end{pmatrix}$.

b) Brouillons le message en multipliant la matrice C par la matrice M :

$$CM = \begin{pmatrix} 1 & 0 & 2 \\ 1 & 1 & 3 \\ 2 & 3 & 8 \end{pmatrix} \begin{pmatrix} 15 \\ 21 \\ 9 \end{pmatrix} = \begin{pmatrix} 1\times15 + 0\times21 + 2\times9 \\ 1\times15 + 1\times21 + 3\times9 \\ 2\times15 + 3\times21 + 8\times9 \end{pmatrix} = \begin{pmatrix} 33 \\ 63 \\ 165 \end{pmatrix}$$

c) Trouvons une matrice $D = CM \bmod 29$: $\begin{pmatrix} 33 \\ 63 \\ 165 \end{pmatrix} \overset{\bmod 29}{=} \begin{pmatrix} 4 \\ 5 \\ 20 \end{pmatrix}$. On a préféré écrire l'expression

« mod 29 » au-dessus du signe d'égalité pour insister sur le fait qu'on a réduit les nombres apparaissant dans la matrice modulo 29.

d) Le mot codé devient selon la clé : **DET**.

Exemple 7

Codons le mot ALGEBRE avec la même matrice.

a) Disposons-le dans une matrice de 3 lignes en écrivant le mot selon les colonnes et codons les lettres selon la clé :

$$\begin{pmatrix} A & E & E \\ L & B & \square \\ G & R & \square \end{pmatrix} = \begin{pmatrix} 1 & 5 & 5 \\ 12 & 2 & 0 \\ 7 & 18 & 0 \end{pmatrix}$$

Notons qu'il a fallu ajouter deux caractères $\square$ à la fin du mot pour compléter la matrice.

b) Brouillons le message en multipliant par la matrice C :

$$\begin{pmatrix} 1 & 0 & 2 \\ 1 & 1 & 3 \\ 2 & 3 & 8 \end{pmatrix} \begin{pmatrix} 1 & 5 & 5 \\ 12 & 2 & 0 \\ 7 & 18 & 0 \end{pmatrix} = \begin{pmatrix} 15 & 41 & 5 \\ 34 & 61 & 5 \\ 94 & 160 & 10 \end{pmatrix}$$

c) On peut réduire à une matrice modulo 29 et trouver les symboles correspondants :

$$\begin{pmatrix} 15 & 41 & 5 \\ 34 & 61 & 5 \\ 94 & 160 & 10 \end{pmatrix} \overset{\text{mod } 29}{=} \begin{pmatrix} 15 & 12 & 5 \\ 5 & 3 & 5 \\ 7 & 15 & 10 \end{pmatrix} \overset{\text{se traduit}}{\rightarrow} \begin{pmatrix} O & L & E \\ E & C & E \\ G & O & J \end{pmatrix}$$

d) On a finalement le message **OEGLCOEEJ** en lisant colonne après colonne.

Ce qui est intéressant, c'est que cette façon de coder ne donne aucune idée du nombre de lettres que comporte le message de départ ! Ce qui protège encore davantage le secret du message !

Il est à remarquer que les deux **E** de **ALGEBRE** ne sont pas codés avec la même lettre dans le message final : le premier **E** est codé **L**, alors que le second est codé **E**. De plus, dans le message final, les trois **E** ne correspondent pas du tout à la même lettre du message à coder. Un E correspond à **L**, un autre à **E** et le dernier à une espace. Les deux **O** ne correspondent pas non plus au même symbole.

3.3 Décodage avec matrice

Voici maintenant un exemple où la matrice sert à décoder le message.

Exemple 8

Soit le message suivant, codé avec la matrice C des exemples précédents :

FMYNZRSN. JBQRTOO□N,□XRWV

Comment le décoder ? Il faudra effectuer l'opération inverse de la multiplication par la matrice C. Or, l'opération de division n'existe pas pour les matrices : on multiplie plutôt la matrice C par la « matrice inverse ». C'est un peu comme dire que la division par 2 équivaut à la multiplication par le nombre 1/2, qui est l'inverse multiplicatif du nombre 2. On sait que tout nombre réel, sauf 0, possède un inverse multiplicatif. En revanche, il existe beaucoup de matrices qui ne possèdent pas d'inverse. Heureusement, la matrice C de notre exemple en possède un[1], noté C^{-1}. Il existe des méthodes algébriques pour trouver l'inverse d'une matrice donnée. Nous nous contenterons ici de signaler qu'on peut calculer la matrice inverse de la matrice C avec un tableur comme EXCEL™ ou LOTUS™ en utilisant la commande INVERSEMAT( ).

L'inverse de la matrice C de notre exemple est la matrice $C^{-1} = \begin{pmatrix} -1 & 6 & -2 \\ -2 & 4 & -1 \\ 1 & -3 & 1 \end{pmatrix}$. Le mes-

sage à décoder peut, quant à lui, être présenté sous la forme matricielle suivante :

$$M' = \begin{pmatrix} F & N & S & J & R & O & , & R \\ M & Z & N & B & T & \square & \square & W \\ Y & R & . & Q & O & N & X & V \end{pmatrix} \overset{\text{se traduit}}{\rightarrow} \begin{pmatrix} 6 & 14 & 19 & 10 & 18 & 15 & 27 & 18 \\ 13 & 26 & 14 & 2 & 20 & 0 & 0 & 23 \\ 25 & 18 & 28 & 17 & 15 & 14 & 24 & 22 \end{pmatrix}$$

---

1. Notons, pour les personnes qui connaissent l'algèbre des matrices, que cette matrice possède une matrice inverse parce que son déterminant est différent de 0. De plus, son inverse ne comporte que des nombres entiers parce que son déterminant est 1.

On peut décoder en effectuant le produit $C^{-1}M' = M$ (le produit de l'inverse de la matrice C par le message codé M' donne le message décodé M) :

$$M = C^{-1}M' = \begin{pmatrix} -1 & 6 & -2 \\ -2 & 4 & -1 \\ 1 & -3 & 1 \end{pmatrix}\begin{pmatrix} 6 & 14 & 19 & 10 & 18 & 15 & 27 & 18 \\ 13 & 26 & 14 & 2 & 20 & 0 & 0 & 23 \\ 25 & 18 & 28 & 17 & 15 & 14 & 24 & 22 \end{pmatrix}$$

$$= \begin{pmatrix} 22 & 106 & 9 & -32 & 72 & -43 & -75 & 76 \\ 15 & 58 & -10 & -29 & 29 & -44 & -78 & 34 \\ -8 & -46 & 5 & 21 & -27 & 29 & 51 & -29 \end{pmatrix}$$

$$\overset{\text{mod } 29}{=} \begin{pmatrix} 22 & 19 & 9 & 26 & 14 & 15 & 12 & 18 \\ 15 & 0 & 19 & 0 & 0 & 14 & 9 & 5 \\ 21 & 12 & 5 & 21 & 2 & 0 & 22 & 0 \end{pmatrix}$$

$$\overset{\text{se traduit}}{\rightarrow} \begin{pmatrix} V & S & I & Z & N & O & L & R \\ O & \square & S & \square & \square & N & I & E \\ U & L & E & U & B & \square & V & \square \end{pmatrix}$$

Lorsqu'un des nombres est négatif, on additionne 29 tant qu'on n'obtient pas un nombre plus grand ou égal à 0. Par exemple, on peut trouver le symbole représentant -78 en calculant $-78 + 29 = -49$, puis $-49 + 29 = -20$, puis enfin $-20 + 29 = 9$, le nombre 9 correspondant au symbole I.

Le message est donc : **VOUS□LISEZ□UN□BON□LIVRE□**.

4. Autres considérations

Il faut ajouter qu'il y a d'autres méthodes de codage beaucoup plus complexes[2], mais que, fondamentalement, codage et décodage sont toujours des opérations inverses l'une de l'autre. Chercher l'existence et les conditions d'existence de l'inverse d'une opération est une des activités à laquelle s'adonnent fréquemment les mathématiciens et les mathématiciennes. Ceux et celles qui ont déjà suivi un cours de mathématiques à la fin des études secondaires ou au cégep se souviendront peut-être que les fonctions logarithmique et exponentielle sont inverses (ou réciproques) l'une de l'autre, tout comme avancer de deux pas et reculer de deux pas sont deux actions inverses.

Le codage des messages est une application pratique de l'algèbre linéaire (qui traite entre autres des matrices) et de la théorie des nombres (qui s'intéresse aux relations entre les nombres). Elle contredit les positions de G. H. Hardy (1877-1947), l'un des plus grands chercheur en théorie des nombres au XXe siècle, qui déclarait :

« Je n'ai jamais rien fait d'utile. Aucune de mes découvertes n'a fait, ou n'est susceptible de faire, directement ou indirectement, en bien ou en mal, la

---

2. *Voir* l'article de Martin Hellman cité en bibliographie.

moindre différence pour le charme du monde. J'ai aidé à former d'autres mathématiciens [...] et leur travail a été, dans la mesure où je les ai aidés, aussi inutile que le mien[3] ».

Davis et Hersh qui citent ces affirmations de Hardy (p. 83 et suivantes) les commentent en mettant en opposition le « hardyisme et le maoïsme mathématique[4] », cette dernière doctrine affirmant qu'« on ne devrait développer que ceux des aspects mathématiques qui sont socialement utiles ».

La vérité réside peut-être entre ces deux doctrines extrêmes. Nous laissons au lecteur et à la lectrice le soin de trouver, dans le présent volume ou ailleurs, des exemples de « mathématiques pures » et des exemples de « mathématiques appliquées ». Est-ce que l'une des deux mathématiques peut exister sans l'autre ? Le livre de Davis et Hersh est un début de réponse à cette question.

Réponses aux exercices
Exercice 1 : BONJOUR
Exercice 2 : RELAXEZ

Bibliographie

DAVIS, Philip J. et Reuben HERSH. *L'Univers mathématique*, Paris, Bordas (traduction de *The Mathematical Experience*, Houghton Mifflin), 1981, 440 p.

FLETCHER, T. J. *L'Apprentissage de la mathématique aujourd'hui*, Éducation nouvelle, 1966, 392 p.

HARDY, G. H. *L'Apologie d'un mathématicien*, coll. Un savant, une époque, Paris, Belin, 1985, 192 p.

HELLMAN, M. « Les mathématiques de la cryptographie à clef révélée », dans *Les Progrès des mathématiques*, Bibliothèque Pour la Science, Paris, édition Pour la science, 1981, 168 p.

PECK, L. C. *Secret Codes, Remainder Arithmetic, and Matrices*, National Council of Teachers of Mathematics, 1964, 54 p.

---

3. HARDY, G. H. *L'Apologie d'un mathématicien*.
4. L'expression est de P. J. Davis et R. Hersh dans *L'Univers mathématique*, ouvrage qui aborde cette question.

26

L'idée de codes correcteurs d'erreurs

Bernard Courteau
Université de Sherbrooke

Nous vivons dans un monde codé. Pour être utilisée, toute information doit être transformée, adaptée aux contraintes qui se présentent ou aux objectifs visés, exprimée dans un langage qui convient. Bref, elle doit être codée.

Et si Francis Bacon et Leibniz n'avaient pas un jour entrevu la possibilité de tout représenter à l'aide des seuls symboles 0 et 1, en serions-nous là aujourd'hui ? Vivrions-nous dans ce monde de *machines binaires* ? Qui sait ? Ce qui est certain, c'est que les dispositifs électroniques actuels peuvent se trouver dans deux états stables qu'on peut naturellement associer aux deux symboles 0 et 1. Ainsi, si on veut utiliser un ordinateur pour traiter de l'information écrite en français, il faudra coder les lettres de l'alphabet latin, les chiffres et les signes de ponctuation au moyen de symboles dénommés *bits*, comme dans le code ASCII, par exemple. Par ailleurs, pour entendre ailleurs ou plus tard un concert de musique ayant eu lieu à Montréal le 25 janvier 2000, il faudra transformer les sons en signaux continus ou numériques enregistrés sur un support matériel. Pour obtenir une image de la planète Mars prise à partir d'une sonde spatiale, il faudra coder cette image de façon qu'elle ne soit pas trop déformée par le *bruit* produit, entre autres, par les perturbations magnétiques ou autres qui surviendront au cours du long voyage des signaux dans l'espace. On peut aussi vouloir protéger l'information contre les indiscrétions, comme dans le cas des transactions financières et commerciales effectuées sur le réseau Internet : il faudra alors utiliser un code cryptographique. Dans le cinéma ou la télévision numérique, on a besoin de coder les images de la façon la plus économique possible en raison de la grande masse de données : on utilise alors un code pour la compression de données. Dans le commerce, on code les objets au moyen du code barres, par exemple, pour faciliter l'inventaire, la comptabilité et le travail à la caisse.

On peut donc être amené à coder l'information pour une foule de raisons qui vont donner lieu à des codes de types variés. Nous traiterons ici de l'idée des codes capables de corriger des erreurs de transmission de l'information dans un canal perturbé par le bruit.

Ces codes correcteurs d'erreurs, nous les devons à Richard Hamming, qui chaque fin de semaine avait maille à partir avec l'ordinateur de la compagnie pour laquelle il travaillait. En effet, la société téléphonique Bell des États-Unis, qui l'employait dans ses laboratoires, lui avait permis de se servir de sa machine pour ses travaux personnels. Excédé de voir ses efforts anéantis aussitôt qu'une erreur matérielle était détectée au cours de l'exécution de son programme, Hamming en vint à se dire : « Si cette diable de machine a pu détecter une erreur, elle doit bien pouvoir la localiser et la corriger ! » Tout est parti de là.

Le modèle de Shannon pour la transmission dans un canal bruité

En 1948, Shannon écrivait :

> Le problème fondamental de la communication consiste à reproduire en un lieu, soit de façon exacte, soit de façon approximative, un message provenant d'un autre lieu.

Le problème général de la communication ainsi posé, Shannon a modélisé la transmission codée d'une information d'une source vers un but à travers un canal bruité comme suit :

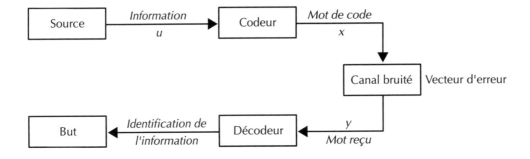

Le canal peut être une ligne téléphonique, un système de transmission par ondes hertziennes, un système d'enregistrement sur support magnétique ou optique, etc. La source et le but peuvent être éloignés l'un de l'autre dans l'espace, comme dans le cas d'une liaison par téléphone, ou dans le temps, comme dans le cas d'un enregistrement sur disque devant être lu plus tard.

L'information se présente sous la forme d'un mot tiré d'un alphabet donné, qui sera ici {0, 1}. Comme tout canal réel produit du bruit, on est amené à coder l'information avec redondance pour obtenir un mot de code qui la protégera contre celui-ci.

Exemple 1

Supposons que l'on ait quatre messages à envoyer, soit 00, 01, 10 et 11, dans un canal qui produit une erreur de temps en temps. Pour résister au bruit du canal, on peut par exemple coder l'information en la répétant trois fois comme suit :

Tableau 1

Information	Mot de code
00	00 00 00
01	01 01 01
10	10 10 10
11	11 11 11

S'il survient une erreur dans la transmission, elle n'affectera que l'un des trois couples formant le mot de code. Le décodage pourra donc se faire par vote majoritaire sur ces trois couples de bits. Peut-on faire mieux ? Oui, voici comment.

Tableau 2

Information	Mot de code
00	00 000
01	01 101
10	10 110
11	11 011

Exemple 2

Supposons maintenant que le mot de code $x = 01101$ (encodant l'information $u = 01$) ait été envoyé dans le canal et que ce canal ait produit par exemple une erreur sur la troisième composante de x. Le mot reçu sera alors le suivant : $y = x + e = 01101 + 00100 = 01001$, où $e = 00100$ est le vecteur-erreur produit par le canal. Le symbole 1 d'un tel vecteur-erreur indique la position de l'erreur. Dans cette représentation vectorielle de l'action du canal sur le mot transmis, on a utilisé les règles d'addition

$$1 + 1 = 0 \quad \text{et} \quad 0 + 1 = 1$$

qui expriment bien l'effet d'une erreur : changer 1 en 0 et 0 en 1.

Comment retrouver le mot envoyé, x, à partir du mot reçu, y, sachant que ce code C a été utilisé ?

Il s'agit de chercher le mot de code x dans C le plus proche du mot reçu, c'est-à-dire celui qui diffère le moins possible de y. Dans notre exemple, une comparaison entre y et les mots de code possibles donne les vecteurs-erreurs possibles suivants :

$$y - 00000 = 01001 - 00000 = 01001$$
$$y - 01101 = 01001 - 01101 = 00100$$
$$y - 10110 = 01001 - 10110 = 11111$$
$$y - 11011 = 01001 - 11011 = 10010$$

Si le canal vérifie les bonnes hypothèses, le vecteur-erreur le plus probable sera $e = 00100$, qui est, parmi tous les vecteurs-erreurs possibles, celui qui indique le plus petit nombre d'erreurs (les autres en indiquent deux ou cinq). On pourrait raisonnablement identifier le mot envoyé ainsi :

$$\hat{x} = y - e = 01001 - 00100 = 01101.$$

Remarquons qu'il y aurait eu ambiguïté si deux vecteurs-erreurs indiquant une seule erreur étaient apparus. Mais un tel événement n'arrivera jamais avec le code C. En effet, si deux mots distincts de la forme $y - x$ et $y - z$, avec x et z dans le code C, n'avaient qu'une seule composante non nulle, la différence $(y - x) - (y - z) = z - x$ n'en aurait que deux, ce qui contredirait le fait que deux mots de C diffèrent toujours en au moins trois composantes, comme on peut le constater en regardant le tableau 2. Notre code C permet donc de corriger une erreur. Le coût de ce second code sera presque 10 % moindre que celui du code à répétition de longueur 6.

La géométrie de Hamming

La remarque et l'exemple précédents mettent en évidence la propriété essentielle d'un code corecteur d'erreurs : *il faut que ses mots soient suffisamment différents les uns des autres.*

Richard Hamming exprime ce fait en langage géométrique en définissant clairement les objets sur lesquels il travaille. Il y a d'abord l'*alphabet* binaire $A = \{0, 1\}$ et l'ensemble A^n de tous les *mots* de *longueur* n sur A. Un *code* est alors simplement un sous-ensemble de A^n.

Ensuite, il définit une notion de distance entre deux mots binaires x et y de même longueur n : la *distance de Hamming* $d(x, y)$ entre x et y est le nombre de places où x et y diffèrent. Par exemple, si $a = 01101$ et $b = 10110$, alors $d(a, b) = 4$. Le *poids de Hamming* de x est $w(x) = d(x, 0)$, le nombre de composantes non nulles dans le vecteur x. Par exemple, $w(a) = 3$.

La *boule de Hamming* $B(x, t)$ de centre x et de rayon t est alors définie naturellement comme l'ensemble des mots y dans A^n dont la distance (de Hamming) à x est inférieure ou égale à t.

Hamming a alors formalisé la notion de *capacité correctrice* d'un code comme suit : un code C dans l'espace ambiant A^n sera dit *t-correcteur* si l'ensemble des boules de rayon t centrées aux mots du code C sont disjointes deux à deux.

L'intérêt des notions de distance et de boule de Hamming tient à ce que, si le mot x du code C a été envoyé dans un canal ayant produit s erreurs, alors le mot y reçu à la sortie du canal différera de x en s places, c'est-à-dire que $d(y, x) = s$ et le vecteur-erreur sera de poids s. On peut aussi dire que si $s \leq t$, alors y est dans la boule $B(x, t)$ centrée à x et de rayon t. Le *problème du décodage* revient alors à retrouver le mot envoyé (inconnu) x à partir du mot reçu (connu) y. Il s'agit de trouver le centre de la boule où se trouve y.

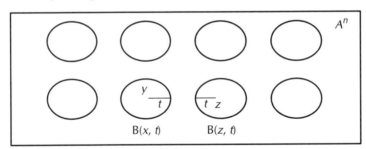

Cette figure nous inspire le résultat suivant : soient C, un code, et d_{min}, le minimum des distances entre deux mots distincts de C. Alors C est *t-correcteur* si et seulement si $d_{min} \geq 2t + 1$.

Cela pose le *problème combinatoire fondamental* : les nombres n et d étant donnés, construire le plus grand nombre possible M de mots binaires de longueur n tels que la distance entre deux mots, quels qu'ils soient, soit supérieure ou égale à d.

Ce problème difficile n'est pas résolu, mais on a trouvé une inégalité reliant les nombres n, d et M :

$$\log_2 M \leq n - d + 1.$$

En voici une démonstration. Supposons que sont donnés M mots binaires de longueur n tels que la distance entre deux d'entre eux soit supérieure ou égale à d. Considérons les têtes de ces M mots obtenues en biffant les $d - 1$ dernières composantes. Ces têtes sont des mots binaires de longueur $n - d + 1$. On peut affirmer que deux têtes quelconques sont distinctes, sans quoi les mots complets d'où elles proviennent ne différeraient que par leurs $d - 1$ dernières composantes, ce qui signifie que leur distance serait inférieure à d, contrairement à l'hypothèse. Le nombre M est donc inférieur ou égal au nombre total 2^{n-d+1} de mots binaires de longueur $n - d + 1$ possibles. En prenant les logarithmes en base 2, on obtient l'inégalité annoncée.

En attendant la solution complète du problème fondamental, les mathématiciens ont construit de grandes classes de codes à partir d'alphabets variés (non nécessairement binaires), de longueurs, de dimensions et de capacités correctrices variées. Pour des raisons d'efficacité algorithmique en matière d'encodage et surtout de décodage, ils ont considéré des codes possédant des propriétés algébriques supplémentaires de linéarité et de cyclicité. C'est ainsi que, au milieu des années 1960, la théorie algébrique des codes correcteurs était assez avancée pour permettre des applications technologiques significatives.

Quelques applications

Les premières applications sont venues de la recherche spatiale. Les images de la planète Mars transmises par *Mariner 9*, en 1972, relevaient d'un code de Reed-Muller de longueur 32, de dimension 6 et pouvant corriger sept erreurs. Les 64 mots de ce code ont servi à encoder les 64 nuances de gris enregistrées par un capteur optique balayant une surface de 700×832 pixels. En 1979, la sonde américaine *Voyager* a utilisé le code de Golay, de longueur 24, de dimension 12 et pouvant corriger trois erreurs, pour transmettre à la Terre des images en couleurs à haute résolution des planètes Jupiter et Saturne. Les $2^{12} = 4\,096$ mots de ce code représentaient les 4 096 nuances de couleurs retenues.

Les télécommunications par satellite se sont beaucoup développées depuis le début des années 1960. En 1982, les diverses agences spatiales ont donc dû adopter des normes communes. C'est ainsi que, pour la correction d'erreurs, elles ont choisi le code de Reed-Solomon de longueur 255, de dimension 233, pouvant corriger 16 erreurs et utilisant comme alphabet le corps à 256 éléments. La version binaire de ce code est de longueur $8 \times 255 = 2\,040$ et peut corriger jusqu'à 128 erreurs consécutives. Malgré le fait que la cardinalité de ce code soit inimaginable — le nombre 2^{233} de mots de code est de l'ordre du nombre d'atomes dans l'Univers connu —, les mathématiciens ont trouvé des algorithmes d'encodage et de décodage efficaces. Ce code a été utilisé par la sonde européenne *Giotto* et par *Galileo*, le satellite américain d'exploration de Jupiter.

Le dernier exemple concerne les recherches effectuées par les sociétés Philips et Sony pour stocker des données numériques sur un support à lecture optique. Au début des années 1980, elles aboutirent à l'établissement d'une norme commune connue sous le nom de *disque compact* ou CD. L'amplitude du signal sonore est échantillonnée 44 100 fois par seconde et quantifiée sur 16 bits par canal stéréo. Une seconde de signal audio est alors représentée par 1 411 200 bits. Pour reproduire un son de qualité, il est nécessaire d'utiliser un code correcteur d'erreurs puisque les rayures, la poussière, les interférences, les défauts de métallisation de la surface du disque, etc., peuvent altérer le son d'une façon sensible (par exemple, une rayure d'un millimètre détruit plus de 3 000 bits !). Pour se prémunir contre ces erreurs, on utilise deux codes de Reed-Solomon de longueur respective 28 et 32, de dimension respective 24 et 28, pouvant chacun corriger deux erreurs et utilisant comme alphabet le corps à 256 éléments. Ces codes sont astucieusement utilisés pour encoder des segments de 24 octets, dénommés *trames*, provenant du flot binaire engendré par la quantification du signal sonore.

Le code de Hamming binaire de longueur 7

Voici le meilleur code binaire 1-correcteur de longueur 7 possible. Il a été conçu par Hamming et Shannon en 1947 et 1948.

Information	Mot de code	Information	Mot de code
0000	0000000	1000	1000101
0001	0001011	1001	1001110
0010	0010110	1010	1010011
0011	0011101	1011	1011000
0100	0100111	1100	1100010
0101	0101100	1101	1101001
0110	0110001	1110	1110100
0111	0111010	1111	1111111

Les 16 mots de ce code ont la forme $x = abcdpqr$. Les quatre premiers symboles contiennent l'information et les trois derniers, appelés *symboles de contrôle*, sont calculés par les formules

$$p = a + b + c,$$
$$q = b + c + d,$$
$$r = a + b + d.$$

Ce code de Hamming est linéaire, dans le sens où la somme de deux mots de code est encore un mot de code et possède la propriété remarquable que les 16 boules de rayon 1 centrées aux mots de code recouvrent parfaitement l'espace ambiant formé de tous les mots binaires de longueur 7.

Bibliographie

PAPINI, Odile et Jacques WOLFMANN. *Algèbre discrète et codes correcteurs*, Heidelberg, Springer-Verlag, 1995, 259 p.

Pour aller plus loin

LACHAUD, Gilles et Serge VLADUT. « Les codes correcteurs d'erreurs », dans *L'Univers des nombres, La Recherche*, Hors série n° 2, août 1999, p. 78-83.

BERROU, Claude et coll. « La double correction des turbocodes », dans *L'Univers des nombres, La Recherche*, Hors série n° 2, août 1999, p. 85-89.

MOLLIER, Jean. « La signature numérique des messages chiffrés », dans *L'Intelligence de l'informatique*, Bibliothèque Pour la Science, Paris, édition Pour la Science, 1984, p. 101-108.

HELLMAN, Martin. « Les mathématiques de la cryptographie à clef révélée », dans *Les Mathématiques aujourd'hui*, Bibliothèque Pour la Science, Paris, édition Pour la Science, 1986, p. 119-128.

27

Labyrinthes, ordinateurs et théorie du calcul

Anne Bᴇʀɢᴇʀᴏɴ
UQÀM

On dit souvent que les possibilités des ordinateurs sont illimitées. Malheureusement, ce n'est pas tout à fait vrai... Les ordinateurs actuels fonctionnent suivant des principes suffisamment simples pour qu'il soit possible d'étudier avec précision le genre de problèmes qu'ils peuvent résoudre, ainsi que certaines de leurs limites.

La branche des mathématiques dont relèvent ces questions s'appelle la *théorie du calcul*. Le présent texte vous invite à découvrir les principes de base qui permettent d'évaluer et de prédire les performances des ordinateurs.

La souris et le fromage

Le problème illustré par la figure 1 vous est sans doute familier. Une souris affamée est placée devant l'entrée d'un labyrinthe qui contient un morceau de fromage. Quel chemin doit-elle suivre pour obtenir son repas ?

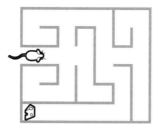

Figure 1   L'énoncé d'un problème.

Pour vous, il n'est probablement pas très difficile de découvrir un chemin qui permette à la souris d'arriver au fromage. Pour lui communiquer cette information, imaginons que la souris soit munie d'un casque d'écoute et que vous puissiez lui transmettre les instructions suivantes.

Gauche   Faire un quart de tour à gauche
Droite   Faire un quart de tour à droite
Avance *n*   Avancer de *n* pas

Avec ces instructions, il est possible de décrire précisément une solution du problème. La liste d'instructions de la figure 2 permet à la souris, dans la mesure où elle exécute convenablement les ordres, de parcourir le chemin indiqué en pointillé.

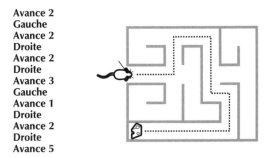

Avance 2
Gauche
Avance 2
Droite
Avance 2
Droite
Avance 3
Gauche
Avance 1
Droite
Avance 2
Droite
Avance 5

Figure 2   Une liste d'instructions et la trace de son exécution.

Nous avons donc un modèle simple d'*ordinateur* — dont le rôle est joué par la souris — qui peut obéir à trois *instructions* élémentaires. Un *programme* est une liste d'instructions que l'on transmet à la souris pour résoudre un *problème* : parvenir au fromage par un labyrinthe.

Malgré son caractère simpliste, ce modèle est très semblable à celui que proposait Alan Turing en 1935 pour décrire le type de problèmes qui peuvent être résolus par un ordinateur. Évidemment, les ordinateurs n'existaient pas encore, et encore moins les informaticiens : Turing était mathématicien.

Solutions problématiques

Lorsqu'on veut analyser les performances d'un modèle de calcul, on s'intéresse rarement à la solution d'un problème en particulier. On essaie plutôt de considérer l'ensemble des problèmes possibles et celui des solutions possibles.

Étant donné un labyrinthe proposé à une souris, une des solutions consiste à donner une liste d'instructions, c'est-à-dire un programme. Dans un tel contexte, deux situations problématiques peuvent survenir lorsque la souris tente d'exécuter nos ordres.

1. Le programme peut ne pas fournir la bonne solution, comme le programme de la figure 3 qui mène la souris dans un cul-de-sac sans fromage.

   Dans ce cas, le programme peut être exécuté, mais il ne donne pas une solution satisfaisante.

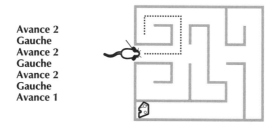

Figure 3 Une solution insatisfaisante.

2. Un autre type de solution peut déboucher sur des résultats encore pires. Ainsi, le programme de la figure 4 donne, après l'exécution des trois premières instructions, le résultat illustré.

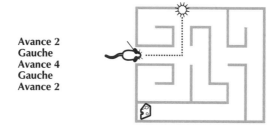

Figure 4 Une solution catastrophique.

La machine virtuelle mise au point par Alan Turing fonctionne avec un ruban de papier qui a un début mais pas de fin. La machine peut se déplacer dans un sens ou dans l'autre, sauf que, si elle recule trop, elle « tombe » et le programme s'interrompt en catastrophe, comme c'est le cas pour notre souris et pour certaines de nos applications informatiques.

Une troisième manière classique de proposer une solution problématique est de donner une suite d'instructions qui ne s'arrête pas. Ce n'est pas possible avec notre modèle restreint, mais ce l'est certainement avec les ordinateurs dont nous disposons actuellement. On pourrait, par exemple, ordonner à la souris de tourner à gauche tant qu'elle n'a pas trouvé le fromage. Évidemment, si on ne lui dit jamais d'avancer, elle va tourner en rond indéfiniment ou jusqu'à ce que ses batteries s'épuisent.

Problèmes insolubles

Dans la première section, nous avons défini un *problème* comme étant un labyrinthe avec une entrée, un certain nombre de cloisons et un morceau de fromage. Une question vient naturellement à l'esprit : est-ce que chaque problème a une solution ? Un coup d'œil sur la figure 5 devrait vous convaincre que ce n'est pas le cas.

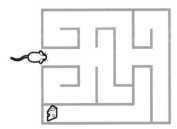

Figure 5   Un problème insoluble.

Quel intérêt ? Considérable, lorsqu'on y réfléchit bien. En effet, dire ici que le problème n'a pas de solution, c'est dire qu'*aucun* programme ne mène la souris au fromage.

La difficulté est que, même avec notre modèle simpliste, il existe une infinité de programmes possibles. Les avez-vous tous essayés ? Non, évidemment. La conviction que le problème est insoluble découle de l'observation que la souris doit franchir une cloison et que les règles du jeu ne le permettent pas.

Hélas, de tels résultats négatifs sont légion en informatique. On peut souvent démontrer, sans devoir essayer tous les programmes possibles, qu'aucun d'entre eux ne peut résoudre certains problèmes. Le plus célèbre est le problème de l'*arrêt*.

> *Peut-on construire un programme qui va décider si, oui ou non, un autre programme va terminer son exécution après un temps fini ?*

Non, ce n'est pas possible avec les modèles actuels. Et, comme pour le problème de la figure 5, ce n'est même pas la peine d'essayer.

Les solutions les plus rapides

Contentons-nous donc d'explorer les problèmes pour lesquels il y a une solution. Lorsqu'il y en a au moins une, il est normal de vouloir trouver la plus rapide, dénommée *solution optimale*. Notre modèle nous fournit une méthode de comparaison des solutions facile : une solution est optimale si la distance totale parcourue par la souris, ainsi que le nombre de quarts de tour qu'elle effectue, est minimale.

Il n'est pas difficile de se convaincre qu'une solution optimale, qui n'est pas nécessairement unique, comme le montre la figure 6, existe toujours.

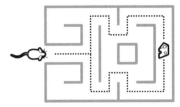

Figure 6   Deux solutions optimales.

Enfin, nous devons aussi évaluer la rapidité de la solution optimale. En d'autres termes, est-il possible de donner une limite supérieure au temps que mettra la souris pour trouver le fromage, en supposant bien sûr qu'elle utilise une solution optimale ? Oui, mais, encore ici, les résultats ne sont pas très encourageants.

Dans une solution optimale, la souris ne devrait évidemment jamais revenir sur ses pas mais, comme le montre la figure 7, elle risque d'avoir à parcourir le labyrinthe au complet.

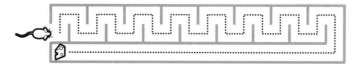

Figure 7   Une solution exténuante.

Un peu (et beaucoup) plus loin

Lorsqu'on s'intéresse aux différents labyrinthes possibles, on peut vouloir construire un programme qui *trouve* une solution optimale pour la souris. C'est possible, mais on aura besoin d'un ordinateur plus puissant que la souris. Par exemple, lorsque vous avez trouvé la solution du premier problème, celui de la figure 1, vos yeux et votre cerveau ont exploré l'ensemble du dessin, identifiant les voies sans issue et retraçant votre chemin jusqu'à l'embranchement précédent.

Tout cela est possible avec un ordinateur standard, comme celui à l'aide duquel je tape ce texte. On peut donc écrire un programme qui lui-même écrit des programmes optimaux pour la souris, dans la mesure où l'on modifie et où on élargit le modèle de calcul.

Mais ce que la souris veut vraiment, c'est une solution BEAUCOUP plus rapide, peut-être même une solution comme celle de la figure 8, qui lui permette de résoudre les problèmes apparemment insolubles : téléporter le fromage, par exemple (ce qui, métaphoriquement parlant, est facile pour l'expérimentateur humain...).

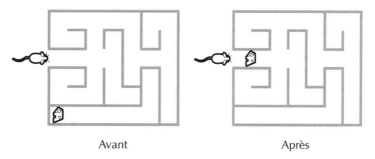

Avant   Après

Figure 8   La solution idéale.

Les progrès accomplis en informatique ces dernières années ont permis d'explorer des modèles de calcul autres que celui de Turing : ordinateurs biologiques, ordinateurs quantiques, etc. Ces modèles visent à sortir du cadre étroit de la « liste d'instructions » et favorisent une étude plus abstraite du lien entre problème et solution.

Sans nous amener tout de suite à la téléportation, l'étude de ces modèles est susceptible de bouleverser notre vision du « calcul » à l'aube du troisième millénaire.

$x = r\cos(v), \quad y = r\sin(v), \quad z = u,$

où $r = \sin(u)\sin(3u)\sin(5v),$
$\quad -\pi \le u \le \pi$ et $0 \le v \le 2\pi$

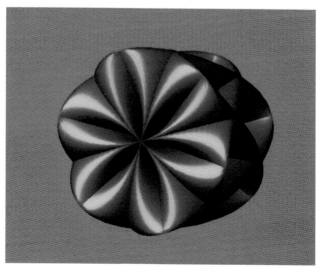

$x = \cos(3u)\cos(u+v), \quad y = \cos(3u)\sin(u+v), \quad z = \sin(2v),$

où $-\pi \le u \le \pi$ et $-\pi \le v \le \pi$

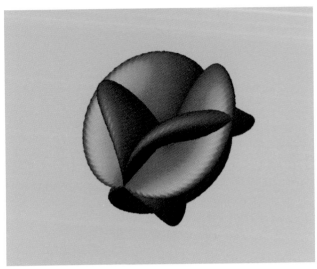

$x = r \sin(u) \cos(v), \quad y = r \sin(u) \sin(v), \quad z = r \cos(u),$

où $r = \sin(2u + 3v),$

$0 \le u \le \pi$ et $0 \le v \le 2\pi$

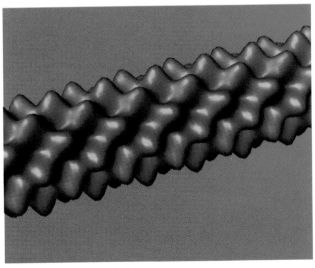

$x = r \cos(v), \quad y = r \sin(v), \quad z = u,$

où $r = 1 + \dfrac{1}{3} \sin(5u) \sin(6v),$

$-7 \le u \le 7$ et $0 \le v \le 2\pi$

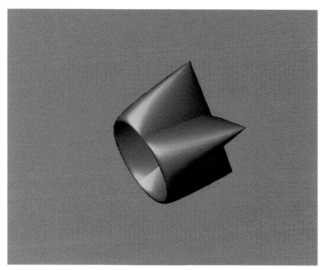

$x = \cos(2u), \quad y = \cos(v), \quad z = \cos(u + v),$

où $0 \leq u \leq \pi$ et $-\pi \leq v \leq \pi$

$x = r\cos(v), \quad y = r\sin(v), \quad z = u,$

où $r = e^{-u}\sin(10u)\sin(5v),$

$\quad -\pi \leq u \leq \pi$ et $0 \leq v \leq 2\pi$

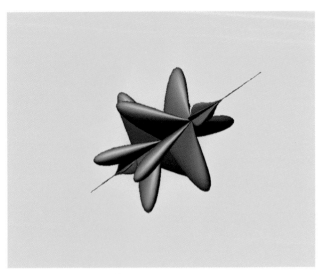

$x = r\cos(v), \quad y = r\sin(v), \quad z = u,$

où $r = e^{-u^2}\sin(3u)\sin(5v),$

$\quad -\pi \le u \le \pi$ et $0 \le v \le 2\pi$

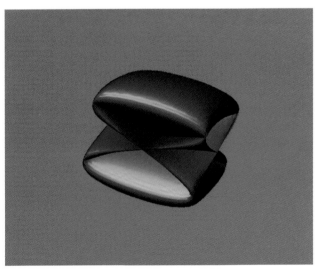

$x = \sin(2u), \quad y = \sin(2v), \quad z = \sin(u)\sin(v),$

où $-\pi \le u \le \pi$ et $-\pi \le v \le \pi$

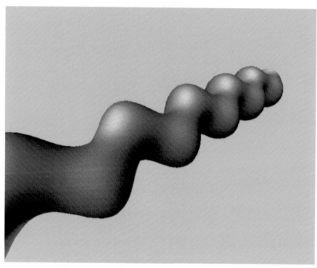

$x = r\cos(v), \quad y = r\sin(v), \quad z = u,$

où $r = 2 + \sin(u)\sin(v),$

$\quad -5\pi \leq u \leq 5\pi$ et $0 \leq v \leq 2\pi$

$x = r\cos(v), \quad y = r\sin(v), \quad z = u,$

où $r = \sin(u)\sin(2u)\sin(3u)\sin(4v),$

$\quad -\pi \leq u \leq \pi$ et $0 \leq v \leq 2\pi$

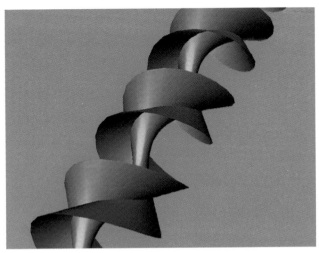

$x = u\cos(v), \quad y = u\sin(v), \quad z = u + v,$

où $-\pi \leq u \leq \pi$ et $-6\pi \leq v \leq 6\pi$

$x = r\cos(v), \quad y = r\sin(v), \quad z = u,$

où $r = (0{,}5 + \sin^2(5u)\sin^2(6v)) \cdot \left(1 + \frac{1}{3}\sin(11u)\right),$

$-7 \leq u \leq \dfrac{\pi}{5}$ et $0 \leq v \leq 2\pi$

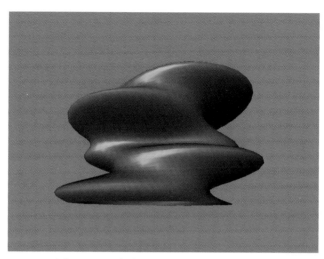

$x = r\cos(v), \quad y = r\sin(v), \quad z = u,$

où $r = 7 + \sin(2u + v) + \cos(u - 2v) - \sin(u - v),$

$-5 \le u \le 5$ et $0 \le v \le 2\pi$

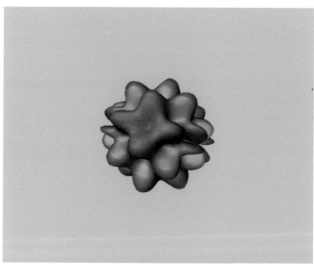

$x = r\sin(u)\cos(v), \quad y = r\sin(u)\sin(v), \quad z = r\cos(u),$

où $r = 1 + \dfrac{1}{3}\sin(5u)\sin(6v),$

$0 \le u \le \pi$ et $0 \le v \le 2\pi$

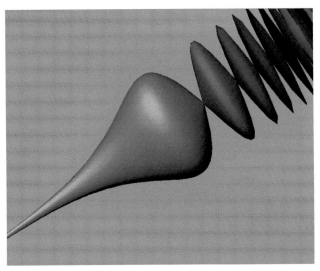

$x = r\cos(v), \quad y = r\sin(v), \quad z = u,$

où $r = \sin(e^u),$

$\quad -4 \leq u \leq 4$ et $0 \leq v \leq 2\pi$

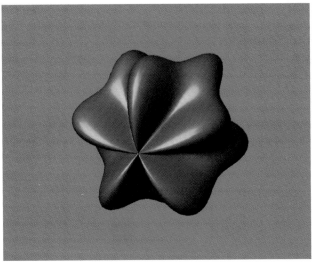

$x = r\sin(u)\cos(v), \quad y = r\sin(u)\sin(v), \quad z = r\cos(u),$

où $r = 1 + \dfrac{1}{3}\sin(2u)\sin(5v),$

$\quad 0 \leq u \leq \pi$ et $0 \leq v \leq 2\pi$

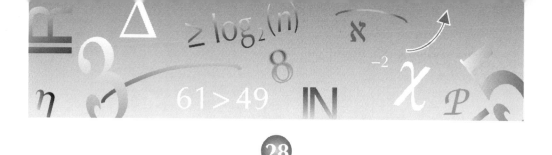

28

La beauté des surfaces mathématiques

Gilbert LABELLE
UQÀM

Imaginons une feuille rectangulaire extrêmement mince, faite d'une sorte de caoutchouc spécial, que l'on peut étirer, contracter et courber à volonté et qui conserve sa nouvelle forme lorsque qu'on la relâche. Imaginons, de plus, qu'il n'y a pas de vent et que cette feuille de caoutchouc est tellement légère qu'elle flotte, immobile dans l'espace, après avoir subi la déformation. De sa forme initiale rectangulaire plane, la feuille de caoutchouc a été transformée en surface courbe immobile dans l'espace (*voir* figure 1).

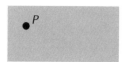 

Figure 1   Le rectangle déformé en surface courbe.

Mathématisation du contexte

Nous allons maintenant analyser plus à fond la situation en faisant appel aux mathématiques. Cela demandera un petit effort de la part du lecteur, mais le jeu en vaut vraiment la chandelle. Notons d'abord que la déformation transforme chaque point P du rectangle initial en un point correspondant Q appartenant à la surface courbe finale, dans l'espace. Traçons, dans le plan du rectangle initial, deux axes perpendiculaires $\overline{OU}$ et $\overline{OV}$ qui soient parallèles aux côtés respectifs du rectangle et traçons aussi trois axes, perpendiculaires deux à deux, $\overline{OX}$, $\overline{OY}$ et $\overline{OZ}$, arbitraires dans l'espace (*voir* figure 2).

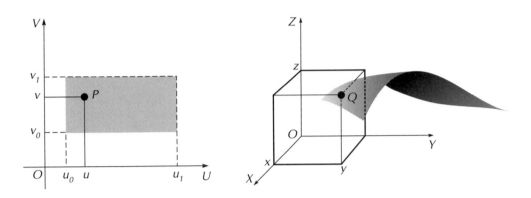

Figure 2

Les axes $\overline{OU}$ et $\overline{OV}$ forment un « repère » qui nous permet de caractériser la position de tout point P du rectangle initial par un couple (u, v) de nombres réels. De même, les axes $\overline{OX}$, $\overline{OY}$ et $\overline{OZ}$ permettent de caractériser la position du point correspondant Q de la surface par un triplet (x, y, z) de nombres réels. On dit que les nombres u et v sont les *coordonnées planes du point P* et que les nombres x, y et z sont les *coordonnées spatiales du point Q*.

Puisque le point P doit varier dans le rectangle initial, la figure 2 montre clairement que ses coordonnées u, v sont contraintes de varier chacune dans un intervalle

$$u_0 \leq u \leq u_1, \quad v_0 \leq v \leq v_1$$

où u_0, u_1, v_0, v_1 sont des nombres réels fixés désignant les bornes de ces intervalles.

Nous arrivons maintenant à l'observation suivante qui est vraiment cruciale : puisque chaque position du point Q sur la surface dépend de la position du point P dans le rectangle, on en déduit que les triplets de nombres (x, y, z) doivent chacun dépendre des valeurs des couples de nombres (u, v). Plus précisément, pour chaque triplet (x, y, z) correspondant à un point de la surface, on doit avoir que

x est fonction de u et v, y est fonction de u et v, z est fonction de u et v.

Ce fait se symbolise mathématiquement par $x = x(u, v)$, $y = y(u, v)$, $z = z(u, v)$, où les valeurs de u et v satisfont aux inégalités ci-haut.

Simulation à l'aide de formules et de l'ordinateur

Tout cela est bien beau, mais comment peut-on mettre en pratique les observations précédentes ? Après tout, les chimistes n'ont pas encore inventé le caoutchouc décrit dans l'introduction et la variation des nombres x, y, z en fonction des nombres u, v semble très malaisée à décrire.

C'est ici que les *formules mathématiques* et l'*ordinateur* entrent en jeu. Il suffit simplement, pour décrire une surface, de définir x, y et z à l'aide de trois formules mathématiques

$$x = \text{formule n}^\circ\ 1 \text{ contenant } u \text{ et } v,$$
$$y = \text{formule n}^\circ\ 2 \text{ contenant } u \text{ et } v,$$
$$z = \text{formule n}^\circ\ 3 \text{ contenant } u \text{ et } v,$$

et d'utiliser un logiciel de calcul mathématique tel que Maple [1-4] ou Mathematica [5] pour tracer, sur écran d'ordinateur, la surface (de l'espace) qui correspond à ces trois formules.

Les fonctions mathématiques élémentaires usuelles (somme, produit, exp, sin, cos, log, etc.) des calculatrices scientifiques de poche peuvent être utilisées librement pour construire les trois formules requises. À cause de leur périodicité, les fonctions trigonométriques donnent lieu à des surfaces particulièrement remarquables qui « se referment sur elles-mêmes ». Par exemple, les formules

$$x = e^{-u}\sin(3u)\sin(2v)\cos(v), \quad y = e^{-u}\sin(3u)\sin(2v)\sin(v), \ z = u,$$

où $-\pi \le u \le \pi$ et $0 \le v \le 2\pi$, fournissent la surface de la figure 3 tracée par ordinateur (axes cachés).

$$x = e^{-u}\sin(3u)\sin(2v)\cos(v), \quad y = e^{-u}\sin(3u)\sin(2v)\sin(v), \quad z = u,$$
$$\text{où } -\pi \le u \le \pi \quad \text{et} \quad 0 \le v \le 2\pi.$$

Figure 3   Un nénuphar mathématique.

Nous invitons le lecteur à se laisser séduire par la beauté des quelques surfaces présentées dans les planches couleurs du présent collectif. Les formules mathématiques utilisées sont écrites en dessous de chacune des surfaces. Il ne s'agit que d'un pâle échantillon qui lève le voile sur une « réalité virtuelle » extrêmement riche.

Bibliographie

Concernant Maple (www.maplesoft.on.ca)

[1] HEAL, K. M., M. HANSEN et K. RICKARD. *Maple V Learning Guide for Release 5*, New York, Springer-Verlag, 1998, 296 p.

[2] MONAGAN, M., K. GEDDES, K. HEAL, G. LABAHN et S. VORKOETTER. *Maple V Programming Guide for Release 5*, 2e éd., New York, Springer-Verlag, 1998, 391 p.

[3] DUMAS, P. et X. GOURDON. *Maple, son bon usage en mathématiques*, New York, Springer-Verlag, 1997, 460 p.

[4] GOMEZ, C., B. SALVY et P. ZIMMERMANN. *Calcul formel : mode d'emploi, Exemples en Maple*, Paris, Masson, 1995, 344 p.

Concernant Mathematica (www.mathematica.com)

[5] WOLFRAM, S. *Mathematica : le livre*, 3e éd., International Thomson Publishing, 1997, 1499 p.

Pour aller plus loin

Voici quelques commandes, écrites en Maple V, permettant d'engendrer les diverses surfaces (la dernière commande permet ici de tracer la surface de la figure 3). Bien entendu, des ajustements plus fins (bon choix de l'angle de rotation, bon éclairage, ajustements supplémentaires des couleurs, etc.) sont requis dans chaque cas.

```
> with(plots):
> macro(skyblue = COLOR(RGB, 0.1960, 0.6000, 0.8000));
> setoptions3d(style=PATCHNOGRID, axes=NONE,
  gridstyle=rectangular, grid=[48,48],
  light=[45, 45, 0, 1, 0], ambientlight=[0, 0.2, 0],
  color=COLOR(RGB, 0.1960, 0.6000, 0.8000),
  scaling=CONSTRAINED);
> plot3d([exp(-u)*sin(3*u)*sin(2*v)*cos(v),
    exp(-u)*sin(3*u)*sin(2*v)*sin(v),
    u], u=-Pi..Pi,v=0..2*Pi);
```

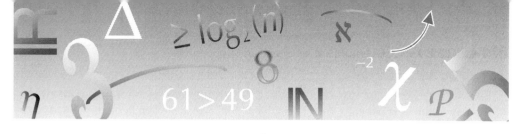

29

Chasse au trésor sur Cabri-géomètre

Vincent PAPILLON
Collège Jean-de-Brébeuf

Cabri-géomètre est un logiciel qui permet de simuler dynamiquement sur écran les constructions faites avec la règle et le compas. L'équipe de Jean-Marie Laborde, de l'université Joseph-Fourier, à Grenoble, développe ce logiciel depuis 1988.

Depuis 1991, il m'est arrivé à plusieurs reprises d'animer des ateliers d'initiation à ce logiciel, soit à des congrès de mathématiques (AMQ, GRMS, SMC), soit en intervenant à titre de parent-ressource à l'école de mes enfants (Nouvelle Querbes). Vous trouverez ici une *mise en situation* qui a eu un grand succès auprès des professeurs et des élèves lors des présentations de Cabri-géomètre : il s'agit du problème de la *chasse au trésor*[1].

La chasse au trésor (version « cèdre »)

Le prince Ivan Tsarevitch découvre un vieux manuscrit sur lequel figurent des instructions pour trouver un fabuleux trésor caché dans la forêt derrière son château.

1. Allez sous le plus grand **cèdre** de la forêt. De là, vous verrez le plus grand **chêne** et le plus grand **érable** de la forêt.

2. Du cèdre, marchez en ligne droite jusqu'à l'érable et comptez bien vos pas. Rendu à l'érable, tournez à droite de 90° et marchez en ligne droite dans cette direction en comptant autant de pas que vous venez d'en faire. Là, posez un piquet.

---

1. Ce problème est une reformulation et une adaptation géométrique fantaisiste d'un problème de cinématique tiré de *Quelques applications des mathématiques,* cité dans la bibliographie.

3. Revenez ensuite au cèdre, puis marchez en ligne droite vers le chêne en comptant bien vos pas. Rendu au chêne, tournez à gauche de 90° et marchez en ligne droite dans cette direction en faisant le même nombre de pas. Là, posez un piquet.

4. Le trésor se trouve exactement à mi-chemin entre les deux piquets.

Ces indications paraissent fort simples. Le prince Ivan, amoureux de la belle princesse Vassilissa, voudrait bien lui offrir des pierres aussi étincelantes que ses yeux d'émeraude. Aussi décide-t-il d'entreprendre la recherche du trésor. Il ordonne à son fidèle serviteur, Euclide Cabrisky, de lui tracer un plan de la forêt sur lequel on verrait l'emplacement du plus grand cèdre, du plus grand érable et du plus grand chêne. Voici ce plan.

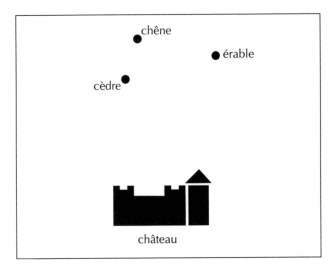

Le prince demande alors à son serviteur s'il ne pourrait pas lui indiquer l'emplacement exact du trésor sur ce plan. Rien de plus facile pour Cabrisky, qui dispose d'une version récente du logiciel Cabri-géomètre. Voyons comment il va procéder.

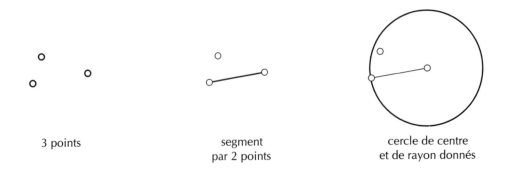

3 points   segment   cercle de centre
                               par 2 points   et de rayon donnés

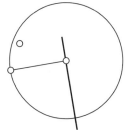

droite passant par un point
donné et perpendiculaire à
un segment donné

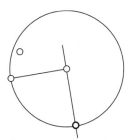

intersection d'une droite
et d'un cercle

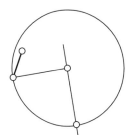

segment passant
par deux points

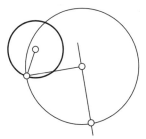

cercle de centre
et de rayon donnés

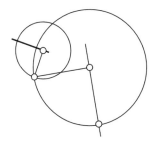

droite passant par un point
donné et perpendiculaire à
un segment donné

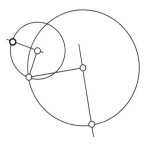

intersection d'une droite
et d'un cercle

milieu entre deux points
(trésor !)

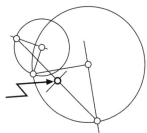

Les primitives des différents menus de Cabri-géomètre permettent d'effectuer chacune des constructions décrites dans la séquence. La dernière opération (*milieu entre deux points*) est aussi une primitive de Cabri-géomètre; c'est une macro-construction faite à partir de cercles, de segments et d'intersections.

Il ne reste plus au prince Ivan Tsarevitch qu'à suivre le plan et la construction géométrique de son fidèle serviteur Euclide Cabrisky.

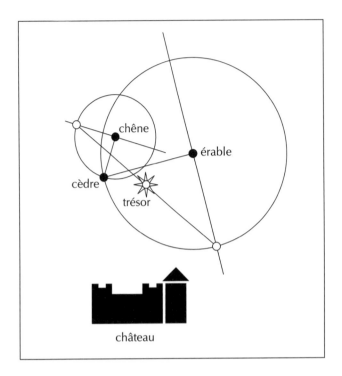

La chasse au trésor (version « bouleau »)

Dans cette version, le prince Ivan Tsarevitch découvre un vieux manuscrit qui contient exactement les mêmes indications que dans la version précédente pour trouver le fabuleux trésor, sauf que le cèdre est remplacé par un *bouleau*. Voici ce que cela donne :

1. Allez sous le plus grand **bouleau** de la forêt. De là, vous verrez le plus grand **chêne** et le plus grand **érable** de la forêt.
2. Du **bouleau,** marchez en ligne droite jusqu'à l'érable, etc.

Malheureusement, il s'est écoulé plusieurs années et il n'y a maintenant plus trace de bouleau dans la forêt; cependant, il y a toujours le grand chêne et le magnifique érable auxquels le manuscrit fait allusion. Désespéré et toujours amoureux de Vassilissa, le prince se tourne vers son fidèle Euclide Cabrisky pour savoir s'il est possible de trouver le trésor malgré la disparition du bouleau. Ce dernier est convaincu de l'impossibilité de la tâche mais, séduit par la toute dernière version couleur de Cabri-géomètre que son maître lui offre, il décide de faire quelques essais.

Cabrisky se dit : « Supposons que le plus grand bouleau était situé *(i)* entre le chêne et l'érable, *(ii)* près du château, *(iii)* au coin nord-ouest du jardin, *(iv)*... » Il peut facilement vérifier toutes ces hypothèses, car Cabri-géomètre permet de déplacer des points *libres* (non asservis par des constructions précédentes) et d'observer l'effet de ces déplacements sur la construction. Cabrisky peut donc déplacer le bouleau à volonté et voir l'effet de chaque déplacement sur la position du trésor. Surprise ! Le trésor ne bouge pas lorsqu'on déplace le bouleau ! Cabrisky se demande si son ordinateur n'a pas un bogue qui empêche tout déplacement du trésor. Il essaie de déplacer l'érable : le trésor bouge. C'est la même chose s'il déplace le chêne. Il conclut, stupéfait, que la position du trésor ne dépend pas de celle du bouleau, mais seulement de celle de l'érable et du chêne. « *Eureka !* » s'écrie-t-il. La connaissance de l'emplacement du *bouleau* est parfaitement inutile. Il retourne vite voir le prince et lui remet fièrement le plan suivant.

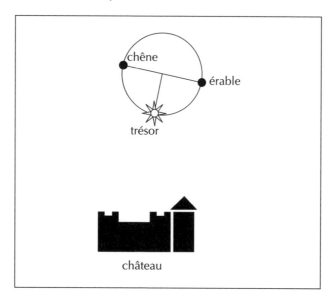

Peu de temps après, le prince Ivan et la princesse Vassilissa se marièrent; ils vécurent heureux et eurent de nombreux enfants, comme il se doit. Pendant toutes ces années, Euclide Cabrisky profita des largesses du prince, mais son esprit ne trouvait pas le repos. Une question le tracassait : *pourquoi* l'emplacement du trésor ne dépendait-il pas de l'emplacement du bouleau ? Il pouvait constater ce phénomène sur l'écran de son ordinateur, mais il n'arrivait pas à se l'expliquer.

Cher lecteur, chère lectrice, si vous avez aimé cette histoire, auriez-vous l'amabilité d'expliquer à Cabrisky pourquoi son plan est bon et pourquoi l'emplacement du trésor est effectivement indépendant de l'emplacement du bouleau (ou du cèdre) ?

Vous trouverez deux façons différentes de résoudre ce problème dans les pages qui suivent.

Résolution du problème de la chasse au trésor en géométrie euclidienne

On place le chêne (C), l'érable (E), puis le point milieu (M) entre C et E. On construit deux carrés adjacents à partir des côtés CM et ME. On nomme T l'autre sommet commun aux deux carrés.

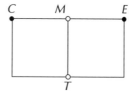

On place le bouleau *B* arbitrairement.

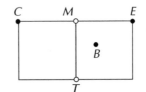

On place les piquets *X* et *Y* conformément au plan, en partant de *B*.

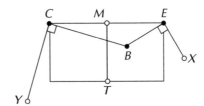

On observe que les triangles *CMB* et *CDY* sont congrus : l'un s'obtient à partir de l'autre par une rotation de 90° autour du point *C*. Il en va de même pour les triangles *EBM* et *EXF* : l'un s'obtient à partir de l'autre après une rotation de 90° autour du point *E*.

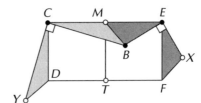

Ces rotations permettent de voir que les angles ∠*YDT*, ∠*BMZ* et ∠*XFT* sont congrus, de même que les segments *DY*, *BM* et *XF*.

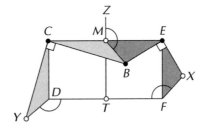

Puisque *DT* et *TF* sont congrus par construction, on déduit de ce qui précède que les triangles *YDT* et *XFT* sont congrus, et ainsi que les angles ∠*XTF* et ∠*YTD* sont congrus, de même que les segments *YT* et *TX*. Cela prouve que *T* est le point milieu entre les piquets *X* et *Y* et que le trésor se trouve au point *T*, indépendant de *B* (le bouleau).

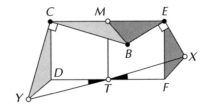

Résolution affine du problème de la chasse au trésor

En géométrie affine, si A est un point et si $\vec{v}$ est une translation (vecteur), alors $A + \vec{v}$ désigne le point obtenu en déplaçant A selon la translation $\vec{v}$:

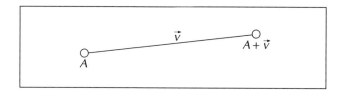

L'équation affine $A + \vec{v} = B$ est équivalente à l'équation *vectorielle* $\overrightarrow{OA} + \vec{v} = \overrightarrow{OB}$ pour tout repère d'origine O.

Si A et B sont des points, $\frac{1}{2}(A + B)$ désigne le point milieu entre A et B.

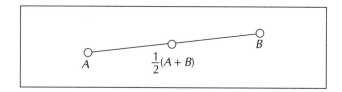

De plus, en géométrie euclidienne plane, si $\vec{v}$ est un vecteur, alors $\vec{v}_\perp$ désigne le vecteur obtenu en faisant tourner $\vec{v}$ de 90° dans le sens contraire des aiguilles d'une montre.

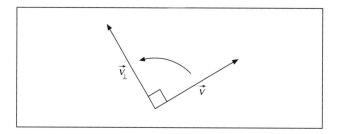

Sur la figure suivante, représentant le problème de la *chasse au trésor*, nous posons $\vec{u} = \overrightarrow{BE}$ et $\vec{v} = \overrightarrow{BC}$. Nous montrerons que

$$T = \frac{1}{2}(C + E) + \frac{1}{2}(\vec{v} - \vec{u})_\perp$$

et donc que la position de T ne dépend que des positions des points E et C, puisque le vecteur-différence $\vec{v} - \vec{u}$ ne dépend pas de B :

$$\vec{v} - \vec{u} = \overrightarrow{EC}$$

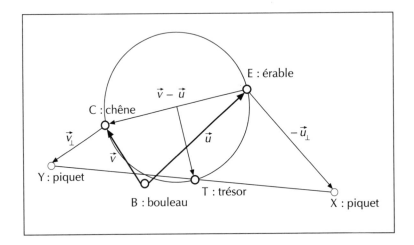

Nous montrons maintenant que $T = \frac{1}{2}(C + E) + \frac{1}{2}(\vec{v} - \vec{u})_\perp$:

$$T = \frac{1}{2}(X + Y) \qquad \text{(par définition de } T)$$

$$= \frac{1}{2}((E - \vec{u}_\perp) + (C + \vec{v}_\perp)) \qquad \text{(car } X = E - \vec{u}_\perp \text{ et } Y = C + \vec{v}_\perp)$$

$$= \frac{1}{2}(E + C) + \frac{1}{2}(\vec{v}_\perp - \vec{u}_\perp) \qquad \text{(conséquence de l'associativité de la somme vectorielle)}$$

$$= \frac{1}{2}(E + C) + \frac{1}{2}(\vec{v} - \vec{u})_\perp \qquad \text{(« } \perp \text{ » est un opérateur linéaire).}$$

Bibliographie

OUSPENSKI, V. et coll. *Quelques applications des mathématiques*, Moscou, Éditions Mir, 1975, 280 p.

Pour aller plus loin

Logiciel Cabri-Géomètre II, PC et Macintosh, réalisé par Jean-Marie Laborde et Franck Bellemain, laboratoire IMAG-Leibriz, CNRS-UJF, commercialisé par Texas Instruments.

Note de l'éditeur : Ce texte est paru dans *Le Bus,* vol. 14, n° 1, 1996, sous le titre « Chasse au trésor sur Cabrigéomètre ».

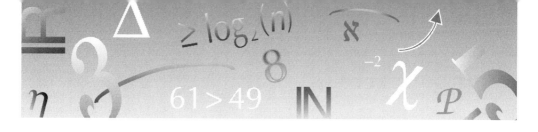

30

Du prix Nobel à la médaille Fields

Éric Doddridge
Centre d'études collégiales en Charlevoix

Non, il n'y a pas de prix Nobel en mathématiques et cela n'est certainement pas en représailles contre le mathématicien Magnus Gösta Mittag-Leffler (1846-1927) qui aurait eu une aventure galante avec l'épouse de l'inventeur de la dynamite. Comme se plaisent à l'oublier ceux qui entretiennent cette rumeur, Alfred Nobel (1833-1896) a toujours été célibataire[1] ! Non, il semble simplement que l'idée d'un prix en mathématiques ne soit jamais venue à l'esprit de Nobel, probablement parce que les sciences théoriques ne l'intéressaient pas vraiment. Toute sa considération pour les créations de l'esprit humain se portait plus naturellement, comme en fait foi son testament, vers les *inventions* ou les *découvertes* importantes et pratiques pour la société[2].

Ce n'est en fait qu'une trentaine d'années après la remise des premiers prix Nobel qu'un mathématicien ontarien du nom de John Charles Fields créa la médaille Fields, une distinction internationale en mathématiques équivalente au prix Nobel.

Né à Hamilton le 14 mai 1863, John Charles Fields était le fils de Harriet Bowes et du marchand John Charles Fields, qu'il perdit alors qu'il était très jeune. John Charles Fields obtint son B.A. de l'Université de Toronto en 1884 et une médaille d'or en mathématiques. En 1887, il obtint son Ph. D. de l'université John Hopkins à laquelle il demeura attaché jusqu'en 1889, année où il fut nommé professeur de mathématiques au Allegheny College, en Pennsylvanie. De 1892 à 1902, il poursuivit ses études en France, puis en Allemagne. On

---

1. Variation sur le même thème : ce serait sa maîtresse, Sophie Hess, qui l'aurait trompé avec Mittag-Leffler.
2. C'est ce qui explique sans doute que le Nobel en physique récompense plus souvent des travaux expérimentaux que des percées théoriques.

sait par les résumés de ses cahiers de notes qu'il assista à des conférences de Frobenius, de Schwarz et de Weierstrass. Il croisa par ailleurs Max Planck et se lia d'amitié avec Mittag-Leffler. En 1902, il revint à l'Université de Toronto et fut nommé professeur associé en 1905, professeur en 1914 et professeur-chercheur en 1923. Il mourut le 9 août 1932 d'une hémorragie cérébrale, non sans avoir créé un fonds destiné à être remis en récompense aux mathématiciens par l'*International Congress of Mathematicians*.

Dans sa jeunesse, Fields s'adonnait à de nombreux sports : baseball, football, hockey. Il avait même appris à manier le boomerang au cours d'un voyage en Australie. Il aimait la musique et la marche. Célibataire, lui aussi, c'était un homme courtois, patriote et doté du sens de l'humour. Rangé, méticuleux, organisé et extrêmement persévérant, il évitait l'alcool, le café, le thé et la cigarette. Habitué des sphères scientifique et politique, il se fit le promoteur d'une vision plus européenne du rôle du professeur d'université, laquelle considère que la recherche est tout aussi importante que l'enseignement aux étudiants.

En mathématiques, Fields s'intéressa aux fonctions algébriques et en fera un traitement complètement algébrique sans recours à l'intuition géométrique. Son engagement international dans les sociétés mathématiques lui valut d'être élu *Fellow* de la Société Royale du Canada (1907) et de Londres (1913). Il occupa différentes fonctions dans les associations américaine et britannique pour l'Avancement des sciences et dans le *Royal Canadian Institute*. Membre correspondant de l'Académie des sciences de Russie et de l'*Instituto de Coimbra* (Portugal), il se vit offrir par le gouvernement italien le titre de « Commander of the Crown of Italy », honneur qu'il déclina, la législation canadienne interdisant d'accepter des titres.

En 1924, déterminé à ce que le congrès international des mathématiciens se tienne à Toronto, il obtint que le gouvernement du Dominion et celui de l'Ontario versent chacun une subvention de 25 000 $, qui devait par la suite être augmentée de 2 000 $, à laquelle s'ajouta la somme de 6 500 $, offerte par la Fondation Carnegie. Le congrès fut un succès et allait contribuer à immortaliser Fields. Voici comment.

La rencontre de Toronto avait généré des bénéfices de 2 700 $. Fields y vit l'occasion de créer des bourses et de décerner une médaille internationale afin de récompenser *une découverte exceptionnelle en mathématiques*. On consacrerait 2 500 $ à l'attribution de deux récompenses (bourses et médailles). Appuyée par l'*American Mathematical Society*, la Société mathématique de France, la *Deutsche Mathematiker Vereinigung*, la Société mathématique suisse et le *Circolo matematico di Palermo*, Fields fit adopter sa proposition de récompense le 12 janvier 1932 au Congrès international des mathématiciens de Zurich.

Contrairement à la volonté de son créateur mort entre-temps, la médaille, qu'on nomma médaille Fields, fut décernée pour la première fois au congrès d'Oslo en 1936.

Après une interruption durant la Seconde Guerre mondiale, l'attribution de deux médailles reprit à chaque congrès dès 1950. Puis, à partir de 1966, pour tenir compte du développement de la recherche en mathématiques, on remit jusqu'à quatre médailles.

Frappée par la Monnaie royale du Canada, et fidèle en cela aux désirs de Fields, la médaille Fields est généralement décernée à des mathématiciens ou à des mathématiciennes âgés de moins de 40 ans à titre d'encouragement pour de futurs travaux.

Proposition de John Charles Fields

Nous proposons la création de deux médailles qui seront remises au congrès international des mathématiciens pour récompenser une découverte exceptionnelle en mathématiques. Vu la diversité des domaines mathématiques et le fait qu'il y a un intervalle de quatre ans entre les congrès, au moins deux médailles seront décernées. Celles-ci récompenseront des chercheurs du monde entier, qui seront choisis par un comité international. [...] La médaille sera frappée à la Monnaie royale du Canada à Ottawa. [...] La récompense devra [...] non seulement souligner les résultats des travaux des récipiendaires mais également leur fournir, ainsi qu'à leurs confrères, une source d'inspiration pour leurs travaux futurs. [...] La médaille devra renfermer pour au moins 200 $ d'or et être de bonne dimension, environ 7,5 cm de diamètre. Étant donné son caractère international, l'inscription devra être soit en latin, soit en grec. Le design, qui reste à déterminer, sera choisi par des artistes et des mathématiciens. [...] J'insiste sur le fait que la médaille devra avoir un caractère aussi international et impersonnel que possible. Aucun nom de pays, d'institution ou de personne ne devra y figurer.[3]

La médaille Fields. L'envers présente le profil d'Archimède et l'inscription latine composée par le professeur G. Norwood de l'Université de Toronto : *Transire suum pectus mundoque potire* (Pour transcender les limites humaines et maîtriser l'Univers). Au revers figure une inscription du même auteur : *Congregati ex toto orbe mathematici ob scripta insignia tribuere* (Les mathématiciens du monde entier se sont rassemblés pour souligner une contribution remarquable à la connaissance), ainsi qu'une sphère d'Archimède à l'arrière-plan. Le nom du récipiendaire est gravé sur le rebord de la médaille conçue par le sculpteur canadien Robert Tait McKenzie. (*Reproduit avec la permission du département de mathématiques de l'Université de Toronto.*)

---

3. Extrait d'une lettre écrite par Fields quelques mois avant sa mort. Traduction libre.

		LISTE DES MÉDAILLÉS			
Année	Nom	Pays d'origine	Âge	Établissement	Principaux sujets de recherche[4]
1936	Ahlfors, Lars Valerian	Finlande	29	Université de Harvard	Surfaces de Riemann
1936	Douglas, Jesse	États-Unis	39	MIT[a]	Le problème de Plateau
1950	Schwartz, Laurent	France	35	Université de Nancy	Analyse fonctionnelle
1950	Selberg, Atle	Norvège	33	Université de Princeton	Théorie des nombres
1954	Kodaira, Kunihiko	Japon	39	Université de Princeton	Géométrie algébrique et analyse complexe
1954	Serre, Jean-Pierre	France	27	Collège de France	Topologie algébrique
1958	Roth, Klaus Friedrich	Allemagne	32	Université de Londres	Théorie des nombres
1958	Thom, René Frédéric	France	35	Université de Strasbourg	Topologie
1962	Hörmander, Lars	Suède	31	Université de Stockholm	Équations aux dérivées partielles
1962	Milnor, John Willard	États-Unis	31	Université de Princeton	Topologie différentielle
1966	Atiyah, Michael Francis	Angleterre	37	Université d'Oxford	Topologie
1966	Cohen, Paul Joseph	États-Unis	32	Université de Stanford	Théorie des ensembles et logique
1966	Grothendieck, Alexander	Allemagne	38	Université de Paris	Géométrie algébrique
1966	Smale, Stephen	États-Unis	36	UCB[b]	Topologie et systèmes dynamiques
1970	Baker, Alan	Angleterre	31	Université de Cambridge	Théorie des nombres
1970	Hironaka, Heisuke	Japon	39	Université de Harvard	Géométrie algébrique
1970	Novikov, Sergi Petrovich	URSS	32	Université de Moscou	Topologie
1970	Thompson, John Griggs	États-Unis	37	Université de Chicago	Théorie des groupes
1974	Bombieri, Enrico	Italie	33	Université de Pise	Théorie des nombres
1974	Mumford, David Bryant	Angleterre	37	Université de Harvard	Géométrie algébrique
1978	Deligne, Pierre René	Belgique	33	IHES[c]	Géométrie algébrique
1978	Fefferman, Charles Louis	États-Unis	29	Université de Princeton	Analyse
1978	Margulis, Gregori Aleksandrovich	URSS	32	IPIT[d]	Théorie des groupes de Lie
1978	Quillen, Daniel Grey	États-Unis	38	MIT[a]	*K*-théorie (algèbre)
1982	Connes, Alain	France	35	IHES[c]	Théorie des opérateurs

---

4. Les informations contenues dans cette colonne proviennent presque toutes du site http://www.britannica.com.

Année	Nom	Pays d'origine	Âge	Établissement	Principaux sujets de recherche[4]
1982	Thurston, William Paul	États-Unis	35	Université de Princeton	Topologie
1982	Yau, Shing-Tung	Hong Kong	33	Université de Princeton	Géométrie différentielle
1986	Donaldson, Simon Kirwan	Angleterre	27	Université d'Oxford	Topologie
1986	Faltings, Gerd	Allemagne	32	Université de Princeton	Algèbre
1986	Freedman, Michael Hartley	États-Unis	35	UCSD[e]	Topologie
1990	Drinfeld, Vladimir Gershonovich	URSS	36	ILTPE[f]	Géométrie algébrique et physique mathématique
1990	Jones, Vaughan Frederick Randal	N.-Zélande	38	UCB[b]	Analyse fonctionnelle et physique mathématique
1990	Mori, Shigefumi	Japon	39	Université de Kyoto	Géométrie algébrique
1990	Witten, Edward	États-Unis	38	Université de Princeton	Physique mathématique
1994	Lions, Pierre-Louis	France	38	Université de Paris-Dauphine	Équations aux dérivées partielles
1994	Yoccoz, Jean-Christophe	France	36	Université de Paris-Sud	Systèmes dynamiques
1994	Bourgain, Jean	Belgique	40	Université de Princeton	Analyse
1994	Zelmanov, Efim Isaakovich	Russie	39	Université du Wisconsin	Théorie des groupes
1998	Borcherds, Richard Ewen	Afrique du Sud	38	Université de Cambridge	Physique mathématique
1998	Gowers, William Timothy	Angleterre	34	Université de Cambridge	Analyse fonctionnelle et combinatoire
1998	Kontsevich, Maxim	Russie	33	IHES[c] et Université Rutgers	Géométrie et topologie algébrique et physique mathématique
1998	McMullen, Curtis T.	États-Unis	40	Université de Harvard	Géométrie hyperbolique
1998	Wiles, Andrew John[5]	Angleterre	45	Université de Princeton	Théorie des nombres

a. Massachusetts Institute of Technology
b. UCB : Université de Californie à Berkeley
c. IHES : Institut des Hautes Études scientifiques
d. IPIT : Institute for Problems in Information Transmission
e. UCSD : Université de Californie à San Diego
f. ILTPE : Institute for Low Temperature Physics and Engineering

---

5. On profita de ce congrès pour remettre à Andrew Wiles un hommage spécial pour sa preuve du dernier théorème de Fermat.

Bibliographie

DONALD, J. Alberts, G. L. ALEXANDERSON et Constance REID. *International Mathematical Congresses, An Illustrated History 1893-1986.* Édition révisée, New York, Springer-Verlag, 1987, 63 p.

GARDING, Lars et Lars HÖRMANDER. « Why There is no Nobel Prize in Mathematics ? », *The Mathematical Intelligencer,* vol. 7, n° 3, 1985, p. 73-74.

TROPP, Henry S. « The Origins and History of the Fields Medal », *Historia Mathematica,* 3, 1976, p. 167-181.

Sites Internet

http://www.cs.unb.ca/~alopez-o/math-faq/mathtext/node19.html
http://www.emis.math.ca/EMIS/mirror/IMU/
http://www.math.toronto.edu/fields.html
http://www-history.mcs.st-and.ac.uk/history/
http://www.britannica.com

Pour aller plus loin

L'article de H. S. Tropp, à la fois très intéressant et très complet, est à recommander.